Gömda

91-89426-00-2

Utgiven av Piratförlaget
Omslag: Lotta Kühlhorn
Tryckt i Danmark hos
Nørhaven A/S 2000

Tredje pocketupplagan
121:a till 180:e tusendet

Gömda

av

Liza Marklund
och
Maria Eriksson

Prolog

PLÖTSLIGT VAR HAN här igen.

Han stod i mörkret vid fotändan av sängen och stirrade på mig. Han syntes knappt bland skuggorna, men jag visste att han var där. Jag kände hans närvaro som en kramp i magen.

Inte ett ljud hördes. Ljuset från gatlyktan därute silades genom lövverket på vår björk, bildade fläckar som dansade över hans ansikte.

Jag rör mig inte, tänkte jag. Om jag ligger här alldeles stilla så tror han kanske att jag sover. Jag försökte blunda, men det gick inte. Hans ögon hade bränt sig fast i mina. Jag försökte säga något, hitta på någon ursäkt. Men vad hade jag gjort för fel? Jag visste inte. Så förflyttade han sig genom rummet, svävande ljudlöst. Mitt hjärta började slå fortare och högre, snart fyllde ljudet hela rummet.

Hans vansinniga virrvarr av hotelser steg och sjönk. Ändå kunde jag inte se att han rörde på munnen. Jag började svettas, letade förtvivlat efter något att säga. Men jag kunde inte, halsen var alldeles torr.

Han kom fram och drog av mig täcket, slet upp mig ur sängen. Jag skrek, men ingenting hördes. Han vred om mina armar, upp på ryggen. Det knakade i vänster axel.

Första slaget knäckte sista revbenet på höger sida. Det andra träffade vänster ögonbryn, varmt blod dränkte mitt synfält. Så lade han händerna runt min hals. De var torra och sträva, precis som förr.

Och jag väntade på att allt skulle bli svart.

Jag vaknade av mitt eget skrik. Anders höll armarna om mig och vaggade mig som ett barn. Hans varma andedräkt mot min kind, hans läppar mot mitt hår, lugnande meningslösa ord till tröst.

– Såja Mia såja, det är bra nu älskling, jag är ju här vännen...

Jag grät, den förtvivlat lättade gråt hos någon som precis förstått att alltsammans bara varit en ond dröm. Länge grät jag, sneglade mot fotändan av sängen. Där fanns förstås ingenting, bara gatlyktans skuggspel genom björken.

– Det är över nu, Mia, sa Anders. I morgon gifter vi oss, och sedan kommer han aldrig att besvära dig mer.

Älskade Anders, underbare, kärleksfulle man! Han ville så väl, och han trodde verkligen att alltsammans var över. Han visste inte hur fel han hade.

Det hade bara börjat.

Del ett

Skrämda

1

IBLAND UNDRAR JAG om jag gjorde fel som sa ja den där dagen. Kanske alltsammans hade blivit annorlunda om jag sagt nej, kanske hade han låtit mig vara ifred om jag inte gift mig.

– Du får inte tänka så där, har Anders sagt bestämt de gånger jag tagit upp det. Du är min fru, och jag älskar dig över allting på jorden. Jag lämnar dig aldrig, vad som än händer. Han ska inte få slå sönder vår familj.

– Men du hade fått leva ett vanligt liv, kunde jag säga. Robin hade fått växa upp som alla andra barn. Vad är det här för liv? Är jag självisk som dragit in dig i det här också? Ska Robin få lida hela livet för att han har fel storasyster?

När jag kommit så långt grät jag alltid. Och Anders tröstade, kysste, vaggade.

Men om detta visste vi inget den dagen vi sa ja till varandra inför prästen i min hembygds kyrka. Här var jag döpt, här konfirmerades jag. Nu skulle jag gifta mig här, med den underbaraste mannen på jorden.

Det var den 18 mars 1989, den första riktiga vårdagen det året. Emma var två och ett halvt år då. Robin, vår gemensamma son, var bara några månader.

Vi kom åkande dit i en limousin med chaufför som vi hyrt just den dagen. Kyrkan lyste kritvit mot den knallblå vårhimlen. Inte en människa syntes till. Alla hade gått in och satt sig i kyrkorummet.

När kyrkklockan började ringa ovanför våra huvuden greps jag av en stark och overklig lyckokänsla. Det snurrade till i huvudet, brusade i öronen, det kändes som om lyckan svepte mig upp längs kyrkväggen.

– Jag älskar dig! viskade jag.

Mendelssohns brudmarsch började spelas där inne. Anders tog min hand, ledde in mig i vapenrummet. Min kjol frasade i dörröppningen.

Dussintals förväntansfulla ögon var vända mot oss när vi steg in i kyrkorummet. Ett litet sus gick genom församlingen. Åh så fina de är! Alla log mot oss, och jag kände att jag själv var tvungen att le. Jag kunde inte sluta.

Snart grumlades min blick av tårar, men i dimman såg jag alla våra släktingar och vänner glida förbi i kyrkbänkarna: Katarina och Lars och deras pojke, Sisse, Henrik och ungarna Kajsa och Moa, Mona, min lillasyster och Staffan, min äldre syster och hennes familj, Anders mamma och pappa, min mamma och pappa, Marianne i sin rullstol och hennes make bredvid i kyrkbänken och många fler.

En sträng av saknad slogs an när jag tänkte på alla dem som av olika skäl inte kunde vara här idag: Helena, familjen G, morfar och styvmormor...

Vi var framme vid altaret. Musiken tystnade.

– Vi är samlade här idag...

Prästen var ung. Vi hade träffat honom några dagar innan och pratat igenom vad som skulle hända – och vad som kunde hända under vigseln. Fick min förre fästman reda på att vi skulle gifta oss skulle han troligtvis göra något för att förstöra ceremonin.

Därför ändrade vi datum för vigseln med minsta möjliga marginal: två dagar innan flyttade vi den från den 19 till den 18 mars.

Det visade sig vara klokt, åtminstone från vädersynpunkt: den 19 hällregnade det!

Emma var med oss framme vid altarringen. Hon hade väntat där tillsammans med min mamma. Nu stod hon där, storögt allvarlig, och kramade sin lilla bukett med rosa rosor och brudslöja. Hon var så fin i sin rosa spetsklänning, gripen av stunden.

Prästen talade om evig kärlek. Idag kommer jag faktiskt inte ihåg så mycket av vad han sa. Mitt minne av min vigsel är kyrkorummet, min dräkt i naturvitt thaisiden, Anders blå kostym, min oro över att han trots allt fått reda på vår vigsel och bara väntade på att komma in och sabotera alltsammans.

Så lovade min man att älska mig, och jag lovade att älska honom, i nöd och lust tills döden skilde oss åt.

– Nu kan du kyssa bruden, sa prästen.

Det var över. Och det hade gått vägen!

Risgrynen haglade över oss på kyrktrappan. Alla skrek och lyckönskade oss, Emma hoppade upp och ner och jublade av förtjusning i risregnet.

– Grattis, Mia, och lycka till!

Min mamma kom fram och kramade om mig, jag såg att hon grät av rörelse.

– Det blir bra nu, mamma, sa jag och log tillbaka.

Vi hade ingen brådska på kyrktrappan. Solen sken som besatt, fick oss att kisa på alla bröllopsbilder. Vi poserade på kyrktrappan med prästen, utan prästen, med Emma och Robin, utan Robin men med Emma, med mina föräldrar och hans föräldrar, med alla våra syskon.

Till slut började det ändå bli lite kallt. Längst bort på kyrkogården, i skuggan bakom de största gravstenarna, låg fortfarande små fläckar av smältande snö.

Någon hade bundit burkar som skramlade bakom limousinen. Det lät som om bakaxeln trillat av. I kortege körde vi till restaurangen där vi bokat vår bröllopsmiddag.

Servitörerna serverade champagne som välkomstdrink och min far hälsade alla bröllopsgäster välkomna. Sedan satte vi oss för att njuta av maten. Jag hade planerat den i detalj tillsammans med restaurangens köksmästare. Till förrätt åt vi laxtoast och fortsatte med champagnen. Huvudrätten var fläskfilé Black and White med klyftpotatis och ett friskt rödvin. Mitt under min fars tal slog det mig: Tänk, jag åt griskött på mitt bröllop!

Vi hade ingen dessert, utan bjöd på kaffe med rosa bröllopstårta i flera våningar. Alltsammans höll på att rasa när jag och Anders gemensamt skulle skära upp den!

Alla bröllopspresenter stod uppradade på ett stort bord ute i vestibulen efteråt.

– Ska vi öppna dem nu? frågade jag Sisse. Det är ju så många, det kommer att ta sån tid!

– Ja, klart ni ska öppna dem! Riv upp dem bara, sa Sisse.

Sagt och gjort. I rasande tempo slet vi upp alla presenter. De var verkligen underbara. Vi tjöt och skrek och grät och kramade alla huller om buller.

När presenterna var uppackade öppnade baren. Brudvalsen spelades upp på restaurangens bandspelare, jag svängde runt med Anders så gott det gick. Han har mängder av kvalitéer – men någon Baryshnikov är han inte!

Vi dansade inpå småtimmarna. Så småningom kroknade barnen. Emma fick åka hem med mina föräldrar. Robin, som jag fortfarande ammade, fick förstås stanna hos mig.

– Vilken jättebra fest! viskade min syster innan hon gick hem med sin Staffan. Jag hoppas mitt bröllop blir lika lyckat!

Jag log varmt mot henne.

– Det blir det säkert...

Vi åkte taxi hem. Jag ammade Robin innan jag lade ner honom i spjälsängen. Visserligen hade jag smuttat på champagnen, men det var så lite att det knappast skulle påverka mjölken.

Anders hade dukat fram kaffe i vardagsrummet när jag kom upp från sovrummet.

– Kom, min hustru, sa min make och drog ner mig i soffan. Vilken vacker dräkt ni har, fru Eriksson. Kan man få se vad som finns under?

Kaffet blev kallt i sin kanna.

2

PÅ MÅNDAGEN EFTER BRÖLLOPET började vardagen igen. Egentligen hade vi velat åka på en riktig bröllopsresa, men Anders behövdes på firman just då.

– Du får ha din smekmånad innestående, med högsta ränta, viskade Anders och lindade sina armar om mig innan han åkte till jobbet den där morgonen.

I samma stund kom Emma klättrande uppför trappan från nedre våningen där våra sovrum låg. Hon var klädd i sin rosa My Little Pony-pyjamas och hade håret på ända.

– Jag vill också krama! ropade hon glatt och hoppade jämfota de sista stegen fram till oss.

Anders skrattade och lyfte upp tösen.

– Hej på dig du. Har du sovit som en stock? sa han och kittlade henne på magen.

Ungen tjöt av skratt och slingrade sig som en mask. Till slut fick jag rusa fram så att hon inte skulle åka i golvet.

– Ni är ju tokiga ni två, sa jag och försökte låta barsk. Det lyckades inte riktigt.

Min make ställde ner tösen på golvet. Hon rullade ihop sig som en liten boll runt hans ena ben och höll ett stadigt grepp om skon.

– Du får aldrig gå! tjöt hon.

– Nämen, sa Anders förvånat och försökte lyfta på sitt ben. Vad har jag fått på foten? Vilken stor fisk! Hördu, mamma Mia, ladda stekpannan för nu har jag fixat middagsmaten!

Han skakade frenetiskt på benet, ungen skrek av skratt.

– Du får inte!

– Hör ni, sa jag, Robin sover!

– Hihihi, du får inte!

– En fisk till middag! En jättegod Emmafisk! Fram med stekpannan! Fram med stekpannan!

– Du får inte, du får inte.

Till slut bände vi bort tösen från Anders ben. Flickan lugnade sig när jag sa att mjölkchokladen var färdig.

Anders drog på sig ytterkläderna och tog portföljen. Instinktivt tittade jag ut genom köksfönstret, ut på vår lilla uteplats framför radhuset. Min blick följde den grusade gången, det vitmålade staketet med den lilla grinden och gatan där utanför – ingen där.

– Ring så fort du hör eller ser något, sa min man med plötsligt allvar och kysste mig.

– Det är ingen fara, sa jag och log. Du ska se att du har rätt. Nu har han gett upp.

– Jag hoppas det, sa Anders.

Vi vinkade genom fönstret.

Emma drack O'boy och åt en smörgås med leverpastej till frukost. Hon satt och sjöng en liten sång för sig själv medan hon tuggade. Jag satt med min kaffekopp mellan händerna och iakttog den lilla tösen. Hon var så fin. Svart hår, vit hy, svarta ögon, så lika hans. Ögonfransar upp till ögonbrynen, ljus och klar röst. Hon var min älskling!

– Mamma, jag ska gifta mig! sa hon plötsligt.

– Jaså, sa jag och tog en klunk kaffe. Med vem då?

– Med Kajsa! sa hon glatt.

Sedan hejdade hon sig mitt i en tugga.

– Och med dej, mamma. Och med Anders och lillebror. Alla ska gifta sig!

Jag skrattade och rufsade om i hennes hår.

– Ja, gör du det. Det blir jättebra, tror jag.

Flickan skuttade ner på golvet. Jag suckade leende.

– Det är bra. Iväg och lek!

Jag plockade undan frukosten, hällde upp det sista kaffet från bryggaren. Emma satt och lekte med sina dockor i vardagsrummet. Med koppen i handen gick jag upp en sväng i de andra sovrummen på övre våningen och plockade undan lite. Jag kom ner igen just när solen bröt fram genom de stora fönstren i vardagsrummet. Jag hade sytt nya gardiner för en månad sedan och planterat om alla blommor. I en prylbod inne i stan, där de sålde torkade blommor och sådant, hade jag köpt enhetliga krukor till alla växter. Jag lutade mig mot dörrposten, drack den sista kalla skvätten kaffe.

Vi kommer att få det bra, tänkte jag. Han kan visserligen vara otrevlig, men han kommer inte att skada oss mer. Här kommer vi att bo, här ska våra barn växa upp. Jag log när jag tänkte på de tomma sovrummen däruppe. Här fanns rum för fler. Visserligen hyrde vi bara souterrängradhuset, men det kändes verkligen som vårt. Det var perfekt för oss. Hyran var låg, området var fullt av barnfamiljer, och bara fem hus bort bodde våra bästa vänner, Henrik, Sisse och deras flickor Kajsa och Moa.

Jag gick ut i köket och sköljde ur kaffekoppen, ställde den upp och ner i diskstället.

– Mamma, ropade Emma och kom springande i hallen.

– Ja vännen?

– Jag vill gå till Kajsa!

Jag tog upp flickan i famnen.

– Jodå, vi ska gå dit. Vi väntar bara på att lillebror ska vakna. Sedan måste ju du klä på dig också! Du kan väl inte gå ut i pyjamasen?

– Neeej, sa hon som om det vore det tokigaste hon hört. Kom klär vi på!

Vi gick tillsammans nedför trappan till den nedre våningen där våra sovrum låg. Även om flickan klarade trappan riktigt bra på egen hand numer, höll jag henne i handen.

När vi kom ner i hallen på nedre planet stängde jag först dörren till vårt sovrum där Robin låg och sov i sin spjälsäng. Sedan gick vi in i rummet bredvid vårt, som var Emmas.

– Jag vill ha den rosa tröjan! sa hon.

Efter en del dividerande fick jag på henne kläderna. När detta väl var gjort var hennes strålande humör tillbaka igen. Nu ville hon måla.

– Du får sitta uppe i köket, sa jag.

Snabbt plockade jag fram färger, papper, penslar, vatten och ett stort förkläde.

– Mamma är ute i hallen, sa jag till henne. Klarar du dig själv ett tag?

Hon svarade inte, doppade bara penseln i vattnet och började fylla det första arket med färg. Skulle jag hinna få någonting gjort innan Robin vaknade fick jag verkligen sätta igång.

Jag kunde inte låta bli att börja med glaset.

Ända sedan tonåren hade jag älskat konstglas, munblåst, kristall, färgat. Varje födelsedag sedan min 18-årsdag hade jag fått någon glassak av min mamma. Nu, när jag gifte mig, fick jag två magnifika ljusstakar från Orrefors av mina föräldrar. Bland alla bröllopspresenter jag packade upp var dessa de allra första. Jag ställde dem mitt bland de andra glasföremålen på den långa, vita bänken i hallen.

Medan Emma sjöng för sina teckningar i köket packade jag upp den ena vackra saken efter den andra. Jag blev alldeles varm inombords när tänkte på all den omtanke de här bröllopspresenterna representerade. Vilka underbara vänner vi hade!

Robin vaknade nere i vårt sovrum. Jag lyfte ner Emma från stolen i köket, tvättade av hennes händer och ansikte och gick ner för att hämta pojken. Jag satte mig i soffan i vardagsrummet för att mata honom. Emma lekte ett tag med sina dockor på golvet medan jag ammade babyn. Sedan klättrade hon upp bredvid mig i skinnsoffan med en Max-bok i näven.

– Läs mamma!

Där satt vi länge. Jag läste om Max potta och Tottes bad, jag pratade, ammade och gullade med min baby, njöt av friden och ljuset i mitt hem.

Så här skulle det alltid vara!

Efter lunchen gick vi ut. Jag lade ner Robin i vagnen och placerade Emma i en liten stol som Anders skruvat fast ovanpå själva insatsen. Innan jag öppnade ytterdörren tittade jag ut längs grusgången, såg inget speciellt. Ute på gatan kastade jag sedan en snabb blick både åt höger och åt vänster. Inte för att jag skulle gå över, utan bara för säkerhets skull. Jag gick de få metrarna hem till Sisse och Henrik.

– Hej hopp. Ska ni med ut i parken? ropade jag in genom en springa i ytterdörren.

– Självklart! ropade Sisse uppifrån sovrummet. Kom in ett tag först, jag håller på att mata Moa. Sätt på en kaffekanna, Mia! Kajsa, släpp Moas ben, gå ner till Emma, men var försiktig i trappan.

Tisdagen gick. Vi hörde inte ett ord ifrån honom.

Jag skrev kort till alla våra vänner och tackade för festen och presenterna.

– Tror du inte han har hört att vi gift oss? frågade jag när vi lagt oss på tisdagskvällen.

– Kanske, kanske inte, sa Anders. Han lade sin arm under mina axlar och drog mig till sig, ovanpå sig.

– Jag älskar dig, fru Eriksson, viskade han.

Och tiden försvann.

På onsdagen var vårt bröllopsfoto i tidningen. Han ringde strax före lunch.

– Hora! var det första han skrek.

– Hej, sa jag.

– Ditt satans luder.

Jag svalde.

– Lugna ner dig. Jag hör att du sett mitt bröllopsfoto i tidningen.

Jag lät faktiskt alldeles lugn.

– Du ska inte tro att du kan göra hur du vill med mig, skrek han.

– Snälla du, började jag, men blev avbruten direkt.

– Jag ska ha Emma, tjöt han. Jag ska ha min dotter. Hon är min dotter. Jag har mina rättigheter. Jag är hennes far. Hennes far!

Jag blev alldeles matt.

– Du vet att du får träffa Emma närhelst du vill, sa jag lugnande, men han lyssnade inte.

– Jävla hora! skrek han. Jag ska ta henne ifrån dig! Hon ska inte växa upp med dig och din jävla bock.

– Du vet att du får träffa Emma när du vill, sa jag. Vi kan lägga upp en plan med Mona på kommunen nu direkt om du vill...

– Jag ska inte lägga upp nån jävla plan. Jag kommer och hämtar henne nu!

– Hon ligger och sover, och du kan inte bara komma och hämta henne utan vidare, sa jag, och nu hörde jag hur min röst började brytas, bli rädd.

– Jag hämtar ungen precis när jag vill, för jag är hennes far. Det är min rättighet som hennes far!

– Men hon känner inte dig! vädjade jag. Hon har ju aldrig träffat dig under de här åren. Du kom ju aldrig till mötena när du skulle ha umgänge med henne...

– Jag är hennes far! skrek han. Blodsbanden! Direkt hon får se mig kommer hon att veta att jag är hennes far. Hon kommer att känna det. Det är blodsbanden! Blodsbanden!

Jag hörde hur han började bli alldeles vansinnig där i andra luren.

– Snälla du, bad jag, och orden var mest en viskning.

Jag sjönk ner på en stol med handen för munnen medan hans vansinnessvada vräkte in i mitt öra. Nu var det ingen idé att försöka nå fram till honom längre. När han kom till det här stadiet var alla sansade argument meningslösa.

– Satans förbannade hora, jag ska sprätta upp dig inifrån, hör du det, stycka dig ska jag, hacka dig i småbitar, strimla dig och kasta dig åt gamarna, du och din jävla horunge, strypa henne ska jag göra, det lilla ludret, lilla jävla horungen, till Libanon ska hon, eller så dräper jag henne...

Med darrande händer tvingade jag mig att kasta på luren. Det dröjde fem sekunder innan det ringde igen.

– Hora! vrålade han.

Jag drog ur jacket. Robin skrek nere i sovrummet. Han hade väl vaknat av telefonsignalerna.

Jag satt en stund med telefonkontakten i handen och samlade mig innan jag gick ner till pojken. Hjärtat bultade, det susade lite i huvudet, ungefär som i tystnaden efter att man hört för hög musik för länge.

I trappan ner märkte jag att benen skakade lite. Skärp dig, tänkte jag uppfordrande. Det är ju bara en massa pladder. Hur många gånger har han inte lovat att han ska mörda mig? Stycka mig? Skära halsen av mig? Än lever jag ju.

Att skicka Emma till släkten i Libanon skulle också bli svårare än han trodde. Förra gången strandade försöket redan på pastorsexpeditionen. Den gången ringde församlingsassistenten upp mig och frågade efter min senaste adress, så att han kunde skicka personbeviset.

– Personbeviset? sa jag. Jag ska inte ha något personbevis.

– Till dottern Emma, förtydligade assistenten. Så att hon kan få passet före avresan.

Jag fattade ingenting.

– Men vi ska inte resa någonstans.

Assistenten suckade. Att folk aldrig kunde bestämma sig.

– Hennes far var här igår morse och ville ha ett personbevis för pass till dottern Emma för att hon skulle resa utomlands. Vi sa åt honom att sitta ner en stund, men när vi var klara hade han gått. Han lämnade ingen adress. Därför ringer jag för att kontrollera att vi har rätt adress till er, så att ni kan ha beviset i morgon.

Det hördes att assistenten tyckte att han gick långt utöver vad plikten krävde. Hans ton lät mig förstå att jag skulle vara tacksam.

Och medan han talade föll bitarna på plats. Insikten om vad som hållit på att hända träffade mig som en knytnäve i magen. Dagen före skulle Emma ha träffat sin pappa på eftermiddagen. Vi hade stämt möte inne i stan, utanför en krog där jag jobbat en gång i tiden, för att Emma skulle få lära känna sin far. I fem timmar skulle de umgås, ett första steg på vägen till en varaktig kontakt mellan en förälder och hans barn.

Men han kom aldrig. Nu förstod jag varför.

Hans avsikt med mötet hade inte varit att umgås med Emma i ett par timmar. Han hade inte tänkt låta henne komma hem mer. Han hade tänkt göra allvar av sina hotelser att skicka bort henne, till sin släkt i Libanon.

Golvet gungade. Jag satte mig ner. När jag svarade lät rösten konstig, annorlunda, som om den tillhört någon annan.

– Menar ni att ni skrivit ut ett personbevis för pass på min dotter och tänkt ge det till hennes far? Är ni inte riktigt kloka?! Jag har ensam vårdnad om henne, han har vägrat att erkänna faderskapet, nu vägrar han att ha något umgänge med henne. Ni får inte skriva ut något personbevis på henne till någon annan än mig! Det måste ni väl i allsindar veta!

Jag kände att jag höll på att bli hysterisk. Assistenten i luren blev både tillplattad och sur.

– Det kunde väl inte vi veta. Han sa att flickan skulle åka på en semestertripp.

– Riv personbeviset, sa jag, och skriv aldrig ut något nytt till någon annan än till mig.

Efteråt skakade jag i hela kroppen. Jag trodde aldrig han skulle göra allvar av sina hotelser att skicka bort henne.

Det där var över ett år sedan, och sedan dess hade han inte gjort något mer försök att få ut något pass till henne – åtminstone inte något svenskt. Något mer möte där han skulle ha umgänge med flickan hade aldrig varit aktuellt.

Robin var ledsen och våt i blöjan när jag lyfte upp honom ur spjälsängen. Jag kramade honom hårt, andades in hans mjuka babylukt, pussade honom lite på håret.

– Lilla vännen, jollrade jag med honom, ingen får vara dum mot dig, ingen får vara dum mot Emma, ingen får vara dum mot mina barn.

Babyn lade sina armar runt min hals och sög ett ordentligt tag om min haka. Ibland fick jag för mig att det var hans sätt att pussas. Han skrattade och drog mig i håret, han hade starka nypor för att vara knappt halvåret.

När jag ammat och bytt på honom satte jag i telefonjacket igen. Jag ringde till Anders på jobbet och berättade om samtalet jag fått.

– Jag kommer hem, sa han kort.

Jag protesterade lite lamt, men Anders avbröt mig.

– Jag skulle ändå ta lunch nu. Finns det något ätbart hemma? Vi kanske kan äta tillsammans idag?

– Visst, sa jag. Jag gör i ordning lite äggröra och prinskorv.

Vi lade på, jag gick ut i köket med pojken.

Då ringde det.

– Hora! skrek han.

Jag suckade, lade på och drog ur jacket igen. Hur länge skulle han orka hålla på den här gången?

En halvtimme senare kom Anders och min pappa.

– Jag hörde att han är igång igen, sa pappa.

Jag nickade.

– Vill du ha äggröra och prinskorv?

– Var han arg för att vi gift oss? sa Anders.

– Jag vet inte, svarade jag uppriktigt. Förmodligen. Han var bara vansinnig.

– Vad sa han? frågade pappa.

Jag svarade inte. Vi åt under tystnad. Bara Robin tjoade i sin barnstol.

– Jag stannar hos dig i eftermiddag, sa pappa.

– Tack, sa jag bara.

Vi hade jacket urdraget resten av veckan. Varje gång vi skulle ringa någonstans stoppade vi i det och drog ur det efteråt.

En gång glömde jag det. Det dröjde två timmar innan han ringde. Det var lördag förmiddag, strax före elva. Den här gången skrek han ingenting, han sa bara:

– Nu kommer jag och hämtar henne.

Sedan var det han som lade på.

Jag vet inte vem det var som missade att låsa ytterdörren den där förmiddagen. Kanske var det jag när jag hämtade dynorna till utemöblerna i förrådet. Kanske var det Anders när han varit ute och köpt mjölk. Kanske lyckades Emma låsa upp den i något obevakat ögonblick.

Klockan var bortåt halv två när han kom. Jag var nere i vårt sovrum och hade precis lagt bägge barnen efter lunchen. Robin snusade i sin spjälsäng, Emma hade krupit upp bland kuddarna i vår säng och somnat.

Det första jag hörde var ett vrål som jag inte kunde tyda. Sedan följde ljudet av möbler som krossas. Jag flög upp ur sängen, ut ur rummet och låste dörren om barnen.

Jag kom upp i hallen i samma ögonblick som han krossade mina ljusstakar från Orrefors. Han hade huggit tag i en furustol som stod i öppningen mellan köket och hallen och svingade den som ett baseballträ, in i ena väggen, in i andra väggen. Benen gick av, ryggstödet rök.

Jag och Anders kastade oss över honom samtidigt, jag med Totteboken jag läst för Emma fortfarande i handen. Han röt som ett vilddjur, måttade ett slag mot Anders huvud och missade. I ett svep vräkte han ner mina glassaker från vita hyllan och rusade in i vardagsrummet. Han tog skydd bakom vardagsrumssoffan, sköt den framför sig som en mur.

– Akta dig! skrek Anders när han var på väg att få in mig i ett hörn.

I stället för att vika undan hoppade jag upp i soffan och började knuffa på hans axel.

– Ut härifrån din jävel! skrek jag och sköt honom mot hallen.

Anders fick tag i hans ena arm och började dra. Han vräkte omkull en fåtölj med ena benet och försökte få ett tag runt Anders nacke.

Tillsammans lyckades vi släpa honom ut genom hallen och bort till den vidöppna ytterdörren. Han rasade ut på yttertrappen, föll ihop i en svärande, fräsande hög.

– Dra igen dörren! skrek jag.

Anders slet förtvivlat i dörren och hann nästan få igen den. Men han fick en fot emellan.

– Kom hit och hjälp mig dra! skrek Anders, och jag kastade mig fram. Tillsammans klämde vi till om hans fot det värsta vi kunde. Han tjöt som en gris, fick in en hand, två händer, tog spjärn med den andra foten mot ytterväggen och fick upp dörren igen. Han tog sig in i köket innan vi fick omkull honom på golvet.

– Bär i armarna så tar jag benen, ropade Anders.

Jag vet inte varifrån jag fick krafterna, men jag lyckades få upp honom från golvet, ut genom hallen och ner på grusgången.

– Lås, lås!

Jag vred om precis samtidigt som handtaget trycktes ner igen.

Under allt tumult hade jag inte hört ett ord av vad han skrikit. Nu stod han med näsan tryckt mot rutan och vrålade sina gamla floskler.

– Jag ska dräpa dig, din jävla hora. Din horunge ska jag stycka!

– Tyst med dig ditt elände! skrek jag tillbaka, alldeles rasande. Försvinn härifrån, din ondsinta jävel. Tänk på någon annan än dig själv en enda gång!

– Jag ska hämta Emma. Ta hit henne! Du ska inte ha henne.

– Jag ringer polisen! skrek jag. Försvinn härifrån innan jag ringer polisen.

Han lämnade fönstret vid ytterdörren och började banka på köksfönstret i stället. Jag rusade ner till vårt sovrum och låste upp dörren. Där innanför, med tummen i munnen, stod Emma, tyst, med kinderna randiga av tårar, ögonen stora som svarta brunnar, skakande, skälvande. Hon måste ha vaknat av slagsmålet på övervåningen och funnit att hon var inlåst.

– Älskling, flämtade jag, vi måste dra ner persiennerna, fort.

Jag rusade förbi barnet, slet ner persiennerna och drog för gardinerna, släckte läslampan vi tänt när vi läste om Totte.

Flickan sa inte ett ord, stirrade bara med tomma ögon.

Jag tog henne i min famn och satte mig på sängen, vaggade och vyssjade, sjöng och smekte, tyst, tyst, så att han inte skulle höra om han var där ute.

– Mammas lilla flicka, mammas Emma-vännen, hon är världens finaste och raraste lilla tjeja, sjöng jag, meningslösa små visor jag nynnat sedan hon var spädbarn.

Hon sa ingenting, darrade bara lite.

Med jämna mellanrum bankade han på rutan, han gick väl varv på varv runt huset och slog på fönstren hela tiden. Efter en dryg halvtimme blev det tyst. Emma drog ett djupt andetag, spänningen släppte i hennes kropp och hon började gråta stilla.

– Det är bra nu gumman, han har gått nu, det är ingen fara, mamma är ju här, såja, såja...

Robin vaknade. Jag ammade honom i sängen med Emma tätt tryckt intill mig. Under tiden hörde jag hur Anders röjde upp däruppe. Möbler släpades och ställdes tillrätta, glas knastrade, dammsugaren brummade.

Trots att han nästan var klar med köket när jag kom upp med barnen fick jag en liten chock.

– Om du vill kan jag städa upp så kan du gå ner igen med barnen, sa Anders.

Jag skakade bara på huvudet. Förödelsen i hallen och vardagsrummet var i det närmaste total. Alla mina glassaker var krossade. Inte en pryl var hel. Jag såg på resterna av ljusstakarna, den underbara bröllopspresenten. Flisor och delar av den sönderslagna furustolen låg överallt. Alla möbler var välta, men såvitt jag kunde se var det bara stolen som var trasig. En piedestal med tre avsatser var omkullvräkt i vardagsrummet. De tre krukorna var krossade, men växterna skulle troligtvis gå att plantera om. Två oljemålningar i hallen, som jag köpt av en kringvandrande konstnär när jag och min syster bilade i Spanien en sommar, var också trasiga. Som genom ett under hade min spegelvägg klarat sig, tack för det.

– Mia, gå ner igen, bad Anders. Vi kan ändå inte sätta ner barnen bland allt det här glassplittret. Jag städar upp, och sedan måste vi snacka om det här.

Jag vände och gick ner till sovrummen igen. Jag ville inte att han skulle se tårarna som brände i mina ögon. Det var irrationellt, men att ljusstakarna krossats kändes allra värst. Inte bara för att de var så vackra, det låg så mycket symbolik i just dem: de var en bröllopsgåva, symbolen för mitt äktenskap, mitt nya liv. Han hade slagit sönder dem. Skulle han lyckas krossa äktenskapet också?

– Aldrig, sa jag högt till mig själv, rätade upp huvudet och plockade fram Emmas vattenfärger.

– Kom vännen så målar vi blommor!

Anders städade och donade tills klockan var närmare sju på kvällen. Då hade Robin redan sovit ett bra tag, Emma var trött och grinig av hunger. Jag stekte några hamburgare som fanns i frysen. Sedan satte vi oss tillsammans och åt framför tv:n. Vi sa inte särskilt mycket, ingen av oss hade någon direkt matlust heller. Emma tog knappt en tugga. I stället kröp hon upp i soffan mellan oss och somnade.

– Mia, sa Anders, vi kan inte låta honom fortsätta på det här viset. Vi måste börja polisanmäla honom.

Jag svarade inte.

– Han lämnar oss ju inte i fred, vädjade Anders. Det hjälper inte att vi gift oss, att du visat att du inte är hans längre. Vad tror du händer den dag han verkligen får tag i Emma? Är du beredd att vänta till dess innan du gör något åt det här?

Tårarna kom utan att jag kunde göra något åt det. Jag slog händerna för ansiktet och stortjöt. Gråten bara vällde fram, ohejdbart, bottenlöst.

Anders drog mig intill sig och vaggade mig.

– Det här får inte fortsätta, sa han sammanbitet. På något sätt måste vi få stopp på den djävulen.

– Inte med polisen, sa jag. Jag kan inte riskera att han ger sig på mina föräldrar...

– Polisen får väl ställa upp och skydda dem, för Guds skull! sa Anders.

– Just det ja, på samma sätt som de skyddat mig genom åren. Nej tack, sa jag och snöt mig i en servett.

– Vad tror du skulle hända om vi polisanmälde honom? sa Anders.

– Det vet jag ju redan! utbrast jag. Det är ju bara att se vad som hände sist! Det blev ju till och med rättegång efter mordförsöket. Han sa att han skulle köra ihjäl mina föräldrar, mörda mig och kidnappa Emma om jag inte tog tillbaka alltsammans. Rättegången var rena parodin, det vet du ju. Han satt och flinade hela tiden, jag var så rädd att jag inte kunde prata.

– Han fick ju fängelse i alla fall, sa Anders.

– För läkarintyget, ja, och för att åklagaren hittade ett vittne till en smocka jag fått en gång.

– Blåsvarta skador på halsen, skador på struphuvudet, citerade Anders ur minnet. Nej, det var ju lite svårt att förklara det med att du gått in i en dörrpost.

– Vi ska inte gå till polisen! sa jag. Det är jag som skaffat barn med honom, inte mina föräldrar. De ska inte behöva lida för mina misstag.

Jag reste mig ur soffan, arg och bestämd. Jag rafsade ihop skräpet på bordet och började gå ut med det i köket.

– Vill du ha en kopp kaffe? ropade jag över axeln från hallen, liksom för att mildra mina arga ord.

– Ja tack, suckade Anders, en stor en, och en glad fru.

Jag kunde inte låta bli att le.

Vi satt uppe en bra stund den kvällen, såg det ena programmet efter det andra flimra förbi. En långfilm, en tvålopera, en deckare. Jag tog fram några dessertostar, fast kexen var slut. Vi åt dem med knäckebröd och selleri.

Anders nämnde inte polisanmälan något mer. Vi tyckte olika på den punkten, så var det bara.

Vid midnatt slog vi av tv:n och bar ner barnen till sovrummen. Försiktigt krånglade jag på Emma hennes vita pyjamas. Tyst stod jag sedan och tittade på min lilla flicka som låg där bland kuddarna i sin nya säng. Så fantastiskt ljuvlig! Att han inte kunde ta vara på den skatt som den här lilla flickan var. Att han inte kunde lära känna henne som en liten människa, inte bara se henne som en ägodel som tagits ifrån honom. Anders ställde sig bakom mig, lade sina armar runt mina axlar.

– Vad gör du? viskade han.

– Hon är så fin, mumlade jag. Det är så synd att han inte kan ha en vanlig kontakt med henne.

Vi somnade direkt, helt utmattade.

Klockradion på Anders nattduksbord stod på 02.38 när kraschen kom. Mörkret slets sönder, tystnaden exploderade.

Människor som drabbas av jordbävningar beskriver upplevelsen som i ultrarapid. Något liknande hände med oss den där natten. Jag flög upp, vaknade i stort sett stående, skrikande i sängen.

– Anders! Han är här! Åh Gud, hjälp oss! Hjälp oss!

Först fattade jag inte vad det var som lät. Det verkade som om något exploderade. Ljudet ekade i huset och i mitt huvud. Väggarna skakade. Babyn skrek. Gatlyktans ljus genom björken dansade över väggarna. Jag slet upp babyn ur sängen, höll honom hårt intill mig.

– Anders, vad är det som händer, vad är det som händer?!

Ännu ett fruktansvärt brak, det kom från Emmas sovrum. Dånet rullade genom väggen och in i vårt sovrum. Ytterväggen skakade så att gardinerna började svaja.

– Emma! skrek jag.

De klirrande tonerna av regnande glas fyllde huset.

– Fönstren! skrek Anders och rusade ut i hallen. Han slet upp dörren till flickans sovrum.

En isande kall vind slog emot oss när dörren flög upp. Anders tände taklampan. Ljuset bländade mig nästan. Två svarta hål gapade mot oss på väggen mitt emot. Gardinerna vajade sorgset kring det som varit Emmas bägge sovrumsfönster.

Jag nästan svimmade av panik.

– Emma! skrek jag. Rösten bröts, blev ett skri i falsett.

– Åh Gud, Emma, Emma!

Emmas säng stod snett nedanför det vänstra fönstret. Splittret från det stora treglasfönstret låg som en glittrande mantel över täcket. Jag såg flickans huvud, såg hennes svarta lockar på den vita kudden. Hon låg alldeles stilla.

Jag skrek rätt ut, sjönk ihop i en hög invid dörrposten, höll krampaktigt i babyn.

– Åh Gud, hon är död, han har dödat henne...

Anders rusade fram till sängen, barfota över de tusentals glasbitarna. De sista stegen fram till flickans säng lämnade röda märken på golvet.

– Emma, sa Anders varligt, strök henne över håret. Emmavännen, vi är här...

Han drog undan täcket, försiktigt så att inte glasbitarna skulle rasa ner på flickan. Hon låg på sidan, alldeles orörlig, med tummen i munnen och stirrade rakt fram med oseende ögon. Sakta förde Anders sina händer under tösen, tog bort en glasbit från hennes axel och lyfte upp henne i sin famn. Hon reagerade inte.

Han gick tillbaka över golvet, mattan färgades röd.

– Ta henne, sa han till mig. Jag har fått en glasbit i foten...

Jag lade ner den skrikande babyn på golvet i hallen, tog Emma i mina armar och försökte se om hon var skadad.

– Hur är det, Emmagumman? Har du ont någonstans?

Jag försökte lugna ner mig för att inte skrämma flickan mer.

Hon såg på mig med tom, inåtvänd blick. Hon grät inte, sög bara tyst på sin tumme.

– Visa mamma, har du ont?

– Vi måste få upp barnen till övervåningen. Det kommer att bli iskallt här nere, sa Anders.

Han höll upp en blodig glasbit.

– Ge mig Emma så bär jag henne. Ta Robin, Mia, hör vad jag säger nu, ta Robin, ge mig Emma, Mia! Ta pojken! Barnen måste upp i övervåningen!

Bedövad släppte jag flickan och tog upp babyn från golvet. Anders tog Emma på sin vänstra arm och låste dörren till hennes sovrum med högerhanden.

– Fort nu, Mia!

Med var sitt barn i famnen sprang vi upp till översta våningen, till de tomma sovrummen däruppe. Gud, var det bara söndag morgon?

Uppe i ett av sovrummen satte Anders ner flickan på en tältsäng. Sedan gick han fram till fönstret, rev isär gardinerna och vred upp persiennerna. Han satte handen mot rutan för att kunna se ut i mörkret.

– De är två, skrek han plötsligt. Jag ser dem! En av dem haltar. Det måste vara han och hans kompis. Vi klämde nog av honom foten i dörren!

– Kommer de hit? flämtade jag.

– Nej, de försvinner bort. De springer bort. Nu hoppar de över staketet...

Jag satt hopkrupen på tältsängen, höll Emma i famnen.

– Jag ringer efter din pappa, sa Anders.

Far var grå i ansiktet av trötthet och rädsla.

– Hur är det med er? Är ni oskadda? sa han.

Jag svalde, tårarna började rinna igen.

– Jag vet inte, svarade jag. Jag tror jag måste ta Emma till akuten.

– Låt mig se på henne, sa pappa.

Försiktigt granskade han hennes lilla kropp.

– Hon har inga märken efter glaset, sa han till sist. Mia, hon klarade sig. Hon är inte skadad.

Tillsammans bar vi henne till badrummet och duschade glasdammet ur hennes hår.

Pappa klappade mig på kinden.

– Jag går ner och hjälper Anders röja upp, sa han.

Länge, länge satt jag med den lilla tösen i famnen. Till slut slappnade hon av och föll i en lätt sömn. Jag lade henne i en bäddsoffa och satte för två stolar så att hon inte skulle ramla ner. Robin låg kvar på tältsängen med kuddar runt omkring sig. Sedan gick jag ner till undre våningen. Den var redan alldeles utkyld. Det var flera minusgrader ute. Min far och Anders höll på att plocka ihop glaset i Emmas rum. De hade båda ytterkläder och grova skor på sig.

– Mia, gå och klä på dig, sa min pappa. Och sätt på kaffe.

Helt bedövad gjorde jag som jag blev tillsagd. Jag bryggde en stor kanna med svart kaffe och värmde några bullar i mikron. Medan vattnet bubblade och fräste i bryggaren smög jag mig in för att se till barnen. De sov lugnt.

– Har ni några stora pappskivor att täcka fönstren med? undrade pappa när jag kom ner med kaffebrickan.

– Jag kollar, sa Anders och gick ut till förrådet.

Jag satte mig ner i trappan och slog upp en mugg med kaffe åt min far. Jag kände att han tittade på mig.

– Ska det här aldrig ta slut? sa han.

– Det är klart det ska, sa jag. Han är arg för att jag gift mig. Nu har han avreagerat sig. Jag tror det värsta är över nu.

Min pappa tittade ingående på mig.

– Ska du anmäla honom?

– Till polisen menar du? Nej, jag tror inte det är någon idé, sa jag och koncentrerade mig på att hälla upp kaffet. Jag darrade fortfarande lite.

– Vi kan ju ändå inte bevisa att det var han, fortsatte jag. Han har säkert alibi av minst fem kompisar som intygar att han spelade Alfapet hela natten.

– Du behöver inte ljuga för polisen för vår skull, sa pappa.

Jag ställde ner kaffekannan, drog ett djupt andetag och sa:

– Pappa, han är mitt problem. Inte ert. Du och mamma har verkligen gjort allt som står i er makt för att hjälpa mig. Jag kan inte riskera er säkerhet. Har man tagit fan i båten får man ro honom i land.

Jag log lite snett. Far besvarade inte leendet.

– Du måste få stopp på detta, Mia, sa han bara.

– Han gjorde ju inget, sa jag. Han vill bara skrämmas.

– Han har verkligen lyckats, inte sant? sa min pappa.

I samma stund kom Anders tillbaka med kartongen som vår diskmaskin levererats i.

– Han måste ha slagit in fönstren med en slägga, sa pappa.

Han lyfte av fönsterbågarna, strök med handen på brädfodringen utanför.

– Här har han missat och slagit i väggen bredvid. Det måste ha varit hemska smällar.

Jag nickade stumt, drog på mig ett par handskar och gick bort till Emmas säng.

– Vi måste tvätta alla sängkläder, sa Anders. Det är glassplitter överallt.

Jag bar ut alla Emmas sängkläder till tvättstugan. Anders ringde Glas-Jouren.

– Det här får ni väl ut på försäkringen? sa pappa.

– Ja, jag kan inte tänka mig annat, sa jag.

– Glasmästarn kommer på en gång, sa Anders och satte sig vid bordet.

Tysta åt vi några bullar, drack mjölk i våra gamla kaffemuggar. Var och en satt i sina tankar.

Hur kunde det bli så här? tänkte jag. Hur hamnade jag i den här vansinniga soppan?

– Nej, nu får jag väl dra mig hemåt, sa pappa.

– Tack för att du kom, sa jag tyst.

Jag följde honom till dörren och kramade honom hårt.

– Tänk på vad jag sa, Mia, sa pappa. Nu får det vara slut på det här.

Jag nickade bara, för trött för att svara.

Sedan pappa gått gick jag upp till barnen på övervåningen. Jag tog bort kuddarna som jag staplat runt Robin och lade mig bredvid honom i tältsängen. Jag somnade på ett ögonblick.

Det var fullt dagsljus när vi vaknade.

Anders och barnen gick direkt över till Henrik och Sisse. Jag visste att Sisse skulle se till att de fick frukost.

Sedan städade jag i flera timmar. Plockade bort alla stora skärvor från golvet, sopade av golv och möbler, dammsög lister, böcker, tapeter, våttorkade bokhyllorna. Mikroskopiskt glasdamm fanns överallt. Jag diskade alla leksaker som tålde vatten, alla gosedjuren åkte i tvättmaskinen.

Klockan ett kom glasmästaren tillbaka med fönstren.

– Måste ha vatt ena jävla smällar, sa han när han tryckte fast dem på gångjärnen.

– Jo tack, mumlade jag.

När han gått stod jag kvar och stirrade ut genom de nymonterade, flammiga rutorna. Glasmästarens tumavtryck var kvar på insidan av ytterrutan. Därute började det bli vår. Björkarna skulle snart få musöron. Livet skulle börja på nytt.

Jag lutade min heta panna mot det iskalla glaset.

– Gode Gud, hjälp oss, bad jag. Låt mina barn få leva. Låt honom lämna oss i fred.

Hur kunde det bli så här?

Del två

Hotade

3

JAG TRÄFFADE HONOM FÖRSTA gången hemma hos en vän strax före jul 1984. Jag var 23 år gammal då, jobbade på banken och bodde i en liten trea inne i stan. Han var statslös flykting från Libanon, född i Syrien. Det var inget märkvärdigt med det.

När jag träffade honom hade jag länge ingått i ett riksomspännande nätverk som gömde undan flyktingar. Jag umgicks och arbetade med flyktingar, utlänningar och invandrare praktiskt taget varje dag. Han var bara en flykting i raden av alla andra. Visserligen såg han ganska bra ut, men det var det många som gjorde. Hans fall var inte mer ömmande än något annat, även om han var väldigt ensam.

Det var inte skälet till att jag blev kär i honom.

I min hemstad fanns då, i början av åttiotalet, en stor flyktingförläggning. Människor från jordens alla brinnande hörn hamnade i vår lilla stad. Visst fanns det folk i trakten som såg ner på och ondgjorde sig över flyktingarna, men vi var också många som närmade oss dem med nyfikenhet och medkänsla.

Många flyktingar kom från Mellanöstern eller Latinamerika. Eftersom jag talar spanska fick jag snabbt god kontakt med flera sydamerikanska familjer. En del av dem kom att förändra mitt liv, jag kom i hög grad att förändra deras.

Särskilt en familj kom jag mycket nära. De var inga heroiska kämpar för en bättre värld, det fanns inget tjusigt över deras flykt från sitt hemland. De var bara en tragisk grupp människor som försökte leva ett drägligt liv. Jag lärde mig mycket av att följa deras kamp. Kanske var det därför jag och min familj sedan överlevde vår egen isolering.

De ringde på min dörr en ljummen sommarkväll i juli 1984. Jag blev lite förvånad, för jag kände dem inte. Däremot visste jag mycket väl vilka de var. Familjen, som hette G, hade ett utomordentligt dåligt rykte i vår stad. Alla andra flyktingar föraktade dem. Det gjorde till exempel att familjen fick bo ensam i en stor lägenhet. Ingen ville dela bostad med dem.

Skälet kände jag också till. Mannen i familjen påstods ha ingått i Pinochets specialtrupper. Flyktingarna i stan sa att hans trupp varit en mördarskvadron, att han varit en av dessa hatade soldater som slog in dörrar och släpade bort människor mitt i natten.

Nu stod han här, utanför min dörr, tillsammans med sin sexåriga dotter och unga hustru. Deras ansikten var spända, oroliga och ledsna.

– Förlåt så mycket att vi stör er så här på eftermiddagen, sa mannen nervöst.

– Åh, det gör ingenting, svarade jag. Vill ni inte stiga in?

Både mannen och kvinnan nickade ivrigt och tackade. De kastade en snabb blick över axeln och slank in i min lägenhet.

Vi slog oss ner i mitt vardagsrum. Både mannen och kvinnan hade tydliga drag av indianskt ursprung. De var båda mycket kortväxta. Flickan var mycket mörk.

Mannen tog sats.

– Det är så att vi skulle vilja ha hjälp med en översättning. Ett dokument. Ett svenskt dokument. Som vi inte förstår. Som ni kanske skulle vilja vara så vänlig att översätta för oss, så att vi vet...

Det blev tyst igen. Personalen på flyktingförläggningen hade givetvis tillgång till tolkar och översättare. Det naturliga hade varit att herr G vänt sig dit med sin förfrågan. Av någon anledning ville inte mannen att personalen skulle se hans dokument.

Det kunde alltså bara betyda en enda sak: herr G misstänkte att pappret var ett utvisningsbeslut. Ett avslag på en överklagan, antingen från invandrarverket eller regeringen, som tog det slutgiltiga beslutet på den tiden.

– Om ni visar mig handlingen så ska jag berätta för er vad den innehåller, sa jag.

När mannen inte gjorde någon ansats till att ta fram den fortsatte jag:

– Jag kommer inte att berätta för någon om innehållet. Men om ni har fått någonting med posten idag, så bör ni veta att samma papper kommit till personalen på förläggningen. Det tar vanligtvis två dagar för dem att boka en tolk och kalla upp er för en genomgång av dokumentet. Men om ni visar det för mig nu, så kan ni få veta vad som står där redan ikväll.

Nu tvekade inte mannen längre. Han drog upp dragkedjan på handledsväskan och tog fram ett brunt A5-kuvert, småtrasigt, för att det slitits upp så hastigt. Han räckte det till mig utan ett ord.

Snabbt ögnade jag igenom brevet, en enda sida som beseglade familjen G:s öde.

– Det är ett utvisningsbeslut från den svenska regeringen, sa jag. Ett besked om omedelbar avvisning. Om inte nya skäl tillstött finns ingen möjlighet till överklagan.

För första gången talade kvinnan.

– Är detta slutet? sa hon.

– Jag är rädd för det, svarade jag.

Mannen kved till som om han gjort sig illa. Han föll på knä bredvid mitt soffbord och lyfte händerna mot taklampan.

– Åh min Gud, jungfru Maria, heliga Guds Moder, gör oss inte detta! ropade han. Kvinnan släppte flickan och föll på knä bredvid sin make. Mannen började gråta, skakande, okontrollerat. Kvinnan mumlade någonting till honom som jag inte uppfattade. Flickan satt tyst i soffan och stirrade på sina föräldrar.

Jag satt kvar i soffan och väntade på att hans förtvivlan skulle ge med sig. Långsamt tystnade mannens gråt, hans axlar slutade skaka. Till slut reste sig kvinnan från sin obekväma ställning. Mannen satte sig bredvid sin hustru och stirrade oseende ner i mattan.

– Jag är ingen mördare, sa han och vände upp sin blick, mötte min.

– Men de ville att jag skulle bli en. De ville befordra mig. Jag skulle bli fångvaktare. Hålla förhör med politiska fångar. Vet du vad det innebär?

Han väntade inte på mitt svar.

– De skulle tvinga mig att bli torterare. Jag vägrade. Det gör man inte ostraffat. Jag flydde först. Det blev nödvändigt. Min fru och flickan kom efter. Vi har varit i Sverige i drygt två år nu. Vi måste få stanna här! Vi kan inte återvända! De fängslar mig redan på flygplatsen. Vart ska min fru ta vägen? Flickan?

Han började gråta igen.

– Jag är ingen mördare! ropade han. Hade jag varit en mördare hade vi inte behövt fly! Vi hade allt! Vi hade huset, bilen, mat och vin! Vi hade inte kommit till det här landet på andra sidan jorden om vi inte varit tvungna. Varför kan ingen tro oss?

– Det spelar ingen roll om ni blir trodd eller inte, sa jag lågt. Även om ni talar sanning och blir trodd så får ni inte stanna i Sverige. Att inte acceptera en militär tjänst i ett annat land räknas som vapenvägran. Vapenvägran är inte asylgrundande i Sverige. Det spelar ingen roll att den militära tjänsten innebär att ni ska tortera eller döda människor. Det är ju egentligen vad all militär verksamhet handlar om, eller hur?

Han stirrade på mig.

– Så ni tycker alltså att jag skulle lytt order?! Lemlästat unga män? Drillat min schäfer till att våldta gravida kvinnor?

– Det sa jag inte, svarade jag lugnt, men mannen hörde inte vad jag sa längre. Han föll ner på knä och började ropa på jungfru Maria igen.

Kvinnan blängde rasande på mig. Det var tydligt att hon tyckte det här utbrottet var mitt fel.

Den här gången lugnade sig inte mannen. Han grät så han skakade, han ylade, han bad. Hustrun försökte förgäves lugna honom. Dottern började också gråta borta i soffhörnet. Jag kände att situationen snart gått mig ur händerna.

När mannens läte plötsligt ändrades och blev krampaktigt rosslande förstod jag att jag var tvungen att få hjälp. Jag tog tag i kvinnans axlar och såg henne stint i ögonen.

– Din make måste till sjukhuset. Genast. Jag kommer att ringa efter en ambulans.

– Nej! ropade hon.

Mannens rosslingar blev ännu värre. Antingen höll han på att få en hjärtattack eller ett astmaanfall.

– Jag följer med er till sjukhuset, sa jag. Det är ingen fara, inte ännu. Hittills är det bara ni och föreståndaren på förläggningen som känner till utvisningsbeslutet.

– Och ni, sa kvinnan. Ni känner också till det. Hon mätte mig med blicken.

– Ja, sa jag. Men jag tänker inte skvallra.

Hon sa ingenting när jag lyfte luren och slog 90 000.

Vi fick vänta i timmar i sjukhusets korridor. Den sexåriga flickan somnade i sin mammas famn. Kvinnan vaggade flickan. Hon var vit i ansiktet av trötthet, de unga dragen var redan fårade.

– Jag är gravid, sa hon plötsligt. I tredje månaden.

Å nej, tänkte jag, inte det också!

– Jag vill så gärna ha det här barnet, sa hon och tittade upp på mig. Det är ett sådant efterlängtat barn. Vi vill så gärna ha en son.

Hon tittade på sin sovande dotter.

– En flicka behöver aldrig bli soldat, sa hon. Tösen kommer aldrig att tvingas döda någon. Det är annat med en pojke. I Pinochets Chile riskerar han att utnämnas till mördare, precis som sin far. Förstår du?

Hon väntade inte på svar utan fortsatte:

– Jag är ingen bildad kvinna. Mina föräldrar är bönder, precis som sina föräldrar. Vi har aldrig haft någon makt. Vi har bara haft våra liv, vår jord, vårt land, vårt språk, vår framtid. Allt detta har tagits ifrån oss. Vi har ingenting kvar. Det enda vi hade var hoppet om en ny chans, ett nytt liv. Idag förlorade vi också detta. Ert land hade kunnat ge mina barn, mitt födda och mitt ofödda, möjligheten till ett liv i frihet. Ni vägrade, därför att min man inte ville bli torterare.

– Jag vet, sa jag bara.

Flickan rörde oroligt på sig på den hårda soffan. Jag visste att jag inte kunde låta den här familjen gå under.

Klockan var över midnatt när en trött man i vit rock vinkade in oss på sitt rum. Vi väckte tösen, hon kinkade och grät lite.

– Vad är det som har hänt mannen? frågade läkaren rakt på sak.

– Han blev sjuk, fick svårt att andas, svarade jag.

– Mannen är djupt deprimerad, i chocktillstånd skulle jag vilja säga. Någonting måste ha utlöst anfallet.

Jag tänkte på mitt löfte till kvinnan.

– Han nåddes av ett tragiskt besked idag, svarade jag bara.

Läkaren tittade tyst på mig under några sekunder.

– Mannen måste läggas in. Han behöver psykiatrisk vård och medicinering. Dessutom kräver hans tillstånd lugn och sinnesro. Finns det möjligheter för honom att få det, tror du?

– Inte just nu, sa jag.

– Aha, sa doktorn.

Det blev tyst igen. Jag förstod att han förstod. Han visste precis vad som skulle hända så snart polisen hittade familjen. De skulle låsas in på flyktingfängelset Karlslund i Upplands-Väsby, två mil från Arlanda, i väntan på nästa plan till Santiago.

– Har familjen någonstans att ta vägen? frågade han så.

– Ja, troligtvis, svarade jag.

– Bra, sa doktorn. Då gör vi så här. Vi skriver ut mannen per omgående. Jag kommer att ge dig psykofarmaka som patienten behöver en tid framöver. Det blir din uppgift att se till att han tar den i anvisade doser och inte överdoserar. Det finns risk att han skulle göra det, om han fick tillfälle. Har jag uttryckt mig tillräckligt klart?

– Absolut, sa jag.

– Bra. Du ska få pillren, det är ett par olika. Sedan tycker jag att ni åker någonstans där den här mannen kan få lugn och ro.

Vi reste oss upp. Kvinnan, som satt på en stol bredvid mig med dottern i knät, tittade ängsligt på mig.

– Allt är bra, sa jag lugnande.

Vi tog en taxi hem till mig. Jag och kvinnan kokade te, plockade fram sängkläder, handdukar och extra tandborstar. Vi bäddade åt hela familjen inne i mitt arbetsrum, drog fram en madrass och en gammal tältsäng jag hade i förrådet. Mannen satt tyst i soffan, flickan sov med huvudet i hans knä.

Klockan två bad jag paret beskriva de saker de ville ha med sig från lägenheten de bott i de senaste två åren. Då öppnade mannen munnen för första gången sedan vi kommit hem.

– Jag vill själv packa ihop våra saker, sa han.

– Som ni vill, sa jag. Vi går direkt.

Lägenheten låg högst upp i huset. En stor trerummare, välmöblerad och minutiöst städad. Egentligen var den menad som bostad åt betydligt fler flyktingar än ett enda par med ett barn. I alla fönster stod stora, vackra krukväxter, planterade i billiga plastkrukor. Nästan alla blommade – pelargoner, petunior, begonior, porslinsblommor, kaktusar och många andra som jag knappt hade sett förut.

– Min hustru har drivit upp dem från frön, sa mannen. Hon är en mycket skicklig trädgårdsmästare. Hon är mycket stolt över dem. Hon kommer att sakna dem.

Vi gick in i det ena sovrummet. Det var flickans.

– Det finns en väska i garderoben, sa mannen. Packa det som ryms.

Själv gick han in i sitt och hustruns sovrum.

Förutom de magnifika växterna i fönstret fanns inte särskilt många personliga saker i rummet. Flickan hade nästan inga leksaker. I en tom läskback under hennes säng hittade jag några billiga plastfigurer. Snabbt packade jag ner det jag hittat i tygbagen. Jag släckte taklampan, gick ut, men stannade på dörrposten. Något fattades. Jag tände igen, såg mig runt i rummet. Blicken stannade på tösens säng. Med ett kliv gick jag fram och rev upp täcket och överkastet.

Oerhört ömt omstoppad låg en liten sliten nalle och vilade sig precis nedanför huvudkudden. Han hade en egen liten virkad filt som täcke. Ena örat var borta, ena armen var kal. Den här grabben hade varit med länge, säkert ända hemifrån Chile. Raskt stoppade jag ner gosedjuret i väskan.

Mannen hade packat sina och hustruns kläder i en stor resväska som han burit ut i hallen. Ute i vardagsrummet plockade han med sig böckerna som stod i bokhyllan. De var bara tre stycken. Jag hann se att en var Bibeln.

– Det var allt, sa han.

– Är du säker? sa jag misstroget. Det såg så oerhört torftigt ut. En resväska. En tygbag. Var detta allt dessa människor ägde i livet?

Många signaler gick fram innan de svarade på taxi. Jag beställde bilen till huset bredvid familjen G:s. Medan vi stod och väntade på bilen fick jag en plötslig ingivelse.

– Vilken var din hustrus favoritblomma? frågade jag.

– Den stora azalean i vårt sovrum, sa han förvånat. Hur så?

– Ge mig nycklarna! sa jag bara.

Snabbt sprang jag tillbaka till familjen G:s uppgång. Jag tog trapporna upp med två steg i taget, öppnade dörren och sprang in i parets sovrum. Jag förstod direkt vilken blomma han menade. En otrolig azalea, översållad med blommor, som stod mitt i fönstret.

Jag tog med fatet och allt, rusade ut, låste dörren och tassade snabbt nedför trapporna igen.

Flickan sov lugnt när vi kom tillbaka, men kvinnan var vaken. Mannen gick först in i lägenheten med båda väskorna, medan jag krånglade med nyckeln som fastnat i låset.

När jag kom in hade kvinnan omfamnat sin man. Hon fick syn på mig över axeln på honom. Hennes ögon blev stora.

– Min azalea, viskade hon, släppte mannen och gick fram mot mig med händerna utsträckta framför sig.

– Du tog med min azalea! sa hon och tryckte växten intill sig.

För första gången under hela denna långa kväll böjde hon huvudet och grät.

Dagen därpå, som tack och lov var en lördag, vaknade vi sent allesammans. Ute regnade det, såg riktigt höstlikt ut. Det kändes nästan skönt att vädret var så dåligt. Nu gjorde det ingenting att alla gardiner måste dras för och persiennerna fällas ner.

Jag gav mannen hans medicin och gjorde frukost i köket tillsammans med kvinnan. Flickan lekte vilda lekar med sin far ute i vardagsrummet under tiden.

– Hon är pappas flicka, sa kvinnan och log. Han har älskat henne sedan första gången han såg henne.

– När kommer den nya babyn? frågade jag.

– Åh, det dröjer länge än. Inte förrän bortåt nyår, trodde barnmorskan.

Stämningen vid frukostbordet var trevlig, nästan uppsluppen. Familjen G hade tagit steget ut i det okända, utom räckhåll från polis och myndigheter. Plötsligt fanns framtiden där igen, visserligen okänd, men fylld av möjligheter lika väl som av fallgropar.

Medan paret hjälptes åt att diska undan frukosten gick jag in i mitt sovrum och stängde dörren efter mig. Jag lyfte luren och slog ett lokalt nummer.

– Jag har några vänner som behöver hjälp, sa jag bara när luren lyftes i andra änden.

– Varifrån? sa rösten.

– Chile. Familjen heter G. Mannen är vapenvägrare, flydde från en torterarbefordran. De finns hos mig nu, men behöver komma bort så snart som möjligt.

– Kom över så ska jag se vad vi kan göra.

Jag gick ut till makarna igen.

– Är det någonting ni behöver från affären? sa jag. Som ni förstår är det bäst att ni inte går ut från och med nu.

– Nej, tack, vi saknar inget, sa kvinnan.

När jag vände mig om för att gå såg jag i ögonvrån hur flickan drog sin mor i handen och viskade upprört.

– Vad är det? sa jag vänligt till tösen. Ville du ha något från affären?

Hon blev blyg, vände ansiktet inåt mot moderns mage.

– Det är lördag idag, sa mamman förklarande. Hon brukar få en påse karameller då.

Flickan följde mig till dörren och vinkade när jag gick ut. Nu hade jag fått en kompis!

Jag hämtade cykeln från cykelskjulet, slog upp kapuschongen på min regnjacka och trampade iväg. Det regnade mer nu. Tur att jag inte skulle så långt.

Jag åkte till en av kyrkorna i stan, lutade cykeln mot ett staket och gick upp längs en välkrattad grusgång.

– Vilket väder vi har, sa prästen.

– Jag behöver ett gömställe så snart som möjligt, sa jag bara.

Prästen vände sig bort och stod så en stund, en stund som snabbt blev alldeles för lång.

– Vad är det? sa jag.

– Jag har hört mig för om familjen G, sa han, och hans vänliga blick var borta.

– Och? sa jag.

– Jag tycker inte du ska ha med dem att göra, sa han allvarligt.

Nu förstod jag ingenting.

– Varför inte? sa jag. De behöver hjälp. Mannen kan inte åka tillbaka till Chile. Han är efterlyst för desertering ur Pinochets armé. Hans hustru är gravid. De har en dotter på sex, sju år också. Mannen är mycket skör, kvinnan är starkare. De behöver gömmas undan genast.

– Han är en mördare, sa prästen kallt. Vi hjälper inte torterare. Dessutom säger mina källor att han kan vara spion.

Jag trodde inte detta var sant. Hörde jag rätt? Här stod en präst, en Guds förkunnare, och fördömde människor han säkerligen aldrig talat med.

– Hur vet du att han är en mördare? Har du någonsin talat med honom själv? Eller är det så att prästen dömer folk på hörsägen? Och spion?! I så fall bör vi omedelbart ge honom asyl – och anställa honom på Dramaten! Mannen dog nästan i ett astmaanfall när han fick avvisningsbeslutet. Menar du att han simulerade?

– Kasta ut dem, sa prästen. De förtjänar inte din hjälp.

Jag trodde inte mina öron.

– Det här kan inte vara möjligt, sa jag.

– Våra resurser är inte hur stora som helst. Någon prioritering måste även vi göra. Mördare och torterare finns inte med på listan över dem vi hjälper.

Jag kände hur strupen snördes samman. Det här gick inte alls som jag tänkt mig. Vart i allsindar skulle jag vända mig om inte min vanliga kontakt ställde upp?

– Så kyrkans godhet sträckte sig inte längre än så här. Hur var det Jesus sa om det förlorade fåret? Att en omvänd syndare gör större glädje i himlen än nittionio rättfärdiga?

Prästen såg på mig under tystnad.

– Jag trodde inte dig om detta, sa jag, vände på klacken och gick.

Ute vräkte regnet ner mer än någonsin. Det här var verkligen inte min dag. När jag kom fram till grinden upptäckte jag nästa olycka: min cykel var stulen.

– Jävla skit också, skrek jag, okänslig inför var jag befann mig, stampade med foten i en vattenpöl så att byxbenen blev leriga. Jag började gråta häftigt, trött efter nattens händelser, plaskvåt av regnet, besviken på prästen.

– Jävla Gud, skrek jag upp mot korset på kyrkan. Varför gör du på det här viset? Varför låter du folk mörda varandra? Varför kan du inte ordna så att folk låter andras cyklar vara ifred?!

Sedan ryckte jag upp mig. Här kunde jag inte stå hela dagen.

Kvinnan mötte mig i dörren. Hon såg direkt att något gått snett.

– Vad är det som har hänt? sa hon. Är det några problem?

– Ja lite, sa jag uppriktigt. Min första vän kunde tyvärr inte ta emot fler gäster just nu. Jag ska höra med några andra.

Hon knäppte sina händer, vred dem mot varandra.

– Det är ingen fara, sa jag med ett lugn jag inte kände. Det ordnar sig.

Jag ringde till polisen och anmälde min cykel stulen. Eftersom jag lämnat den olåst skulle jag inte få ut ett öre från försäkringen, fick jag veta. Tack för det.

– Vill du hjälpa mig och laga middag? frågade jag flickan.

Hon nickade och sprang upp.

Jag tog fram en gödkyckling ur frysen och potatis från skafferiet.

– Här ska du få se, sa jag och gav flickan en brödpensel och en liten skål. Du ska få pensla kycklingen med soja, smör och kryddor. Det blir jättegott!

– Jag tycker om kyckling, sa flickan. Mormor har höns. Jag brukar hjälpa henne att nacka dem.

Jag blev lite paff. Hon sa det som om det var något som hände varje dag – inte som något hon gjorde senaste gången för över två år sedan.

– Tycker du om mormor? frågade jag försiktigt.

– Det är väl klart att jag tycker om min mormor! sa flickan förebrående.

– Så där, nu är smöret smält, skyndade jag mig att säga. Nu häller jag i lite andra saker i smöret, soja och paprika och curry... Doppa penseln och måla kycklingen runt om.

– Överallt?

– Ja, överallt. Den ska bli alldeles brun.

Det där tyckte hon var roligt, det märkets. Hon målade med lust och precision, bakom vingarna och under låren.

Vad skulle hända med henne om hon skickades tillbaka till Chile?

– Jätteduktigt, nu skjutsar vi in den i ugnen, sa jag.

– Nu skjutsar vi in den i ugnen! ekade hon glatt.

Mannen kom ut i köket. Han såg yrvaken och lite mosig ut.

– Pappa, vi lagar mat! sa flickan.

– Har du talat med dina vänner? sa han.

– Ja, sa jag lugnt. De kunde tyvärr inte ta emot er just nu. Jag ska tala med några andra.

Hans underläpp började darra, ögonen fylldes. Han mådde verkligen inte bra.

– De ville inte hjälpa oss för att jag varit militär, sa mannen med sprucken röst.

Jag tänkte på läkarens ord; den här mannen behövde lugn och sinnesro. Därför ljög jag raskt:

– De struntar i din militära bakgrund. Mina vänner förstår er situation. Det är bara en tidsfråga tills de får en öppning. Tills vidare får ni stanna här hos mig. Jag och din dotter har blivit riktigt goda vänner, sa jag och log mot flickan. Jag kanske inte vill låta er åka härifrån!

Snabbt skalade jag potatisen, klöv den i klyftor och hackade persilja till såsen. Potatisen fick koka upp och sjuda två, tre minuter. Sedan lade jag den i en långpanna med smör, salt och paprikapulver och sköt in alltsammans i ugnen under kycklingen.

Kvinnan hjälpte mig att duka.

4

På söndagen hade vädret klarnat upp. Efter en gemensam frukost, som avslutades med herr G:s medicin, beslutade jag mig för att lämna familjen för sig själv under dagen.

– Jag ska hälsa på några vänner, förklarade jag för dem. Ät vad ni vill ur kyl och frys. Jag är tillbaka sent i eftermiddag.

– Jag vill följa med dig! ropade flickan genast. Jag vill gå till parken.

– Tyvärr, sa mamman snabbt, vi ska vara inne idag.

Jag skyndade mig att säga hej då. Familjen måste få tid att prata igenom sin nya situation. Hur i allsindar förklarade man för en liten flicka att hon inte skulle få gå ut inom överskådlig framtid? Så gräsligt, tänkte jag.

Aldrig kunde jag väl ana att det skulle hända mig själv några år senare.

Jag träffade min syster, hennes kille Staffan, min väninna Helena och två killar jag inte träffat förut utanför syrrans port. De höll just på att packa in kylbagar, vattenskidor och allsköns vattensportbråte i ena killens Citroën när jag kom.

– Idag blir det premiär på vattnet för Mia, hojtade syrrans kille när han fick syn på mig.

– Jojo, det trodde du, skrattade jag.

Det blev en tokrolig, avslappnad dag. Min syster och hennes kompisar åkte vattenskidor, fräste runt som dårar på vattnet. En av killarna, han som ägde Citroënen, var ingen höjdare direkt. Han var mer under än ovanpå vattnet. Själv satt jag på en filt på stranden. Vaktade kylbagarna, påstod jag. Det var ingen värme i luften. Solen lyste, men det blåste svalt från vattnet.

Vem kände jag som kunde tänkas ha tillgång till en flyktingorganisation – ett nätverk som inte bara var stort utan också mer tolerant än mitt eget?

– Vad är det, Mia? undrade min syster, blåfrusen om läpparna och illröd i skinnet av kyla och blåst.

Jag vände bort mitt ansikte från solen och kisade på henne. Hon höll på att riva fram ett stort badlakan ur en av bagarna.

– Du får akta så du inte blir förkyld, sa jag. Det måste vara svinkallt att åka omkring dyblöt därute på vattnet.

– Har det hänt nånting? envisades hon.

Jag suckade, vände ansiktet mot solen igen och blundade. Nej, jag kunde inte dra in min lillsyrra i detta. Inte än. Inte nu, i alla fall. Samtidigt kunde jag inte lura henne. Vi har alltid stått varandra mycket nära i min familj. Hon skulle veta om jag ljög för henne.

– Ja, sa jag därför. Det har hänt en grej, men det är inget farligt, och jag tänker inte berätta vad det är.

Hon hade dragit av sig baddräkten och körde precis in huvudet i en jättelik collegetröja. När hennes ögon kom fram i halsringningen stirrade hon uppfordrande på mig.

– Det är ingen idé, sa jag och log lite. Det är okey. Du får höra sedan.

Hon drog på sig ett par collegebrallor.

– Du får säga till om du behöver hjälp med något, sa hon bara och slog upp en kopp rykande hett kaffe ur en termos.

– Visst, sa jag.

Stämningen i lägenheten var mycket tryckt när jag kom hem. Flickan satt uppkrupen i ett hörn i vardagsrumssoffan och kramade sin slitna nallebjörn. Hon var sluten, rödgråten och snyftade. Tydligen hade hennes föräldrar berättat att hon inte fick gå ut mer, att min lägenhet var ett fängelse och jag hennes fångvaktare.

– Tycker du om hamburgare? frågade jag.

Hon låtsades inte se mig.

– Du får hälsa på här hos mig i ett par dagar, sa jag. Sedan ska du få åka iväg till ett annat ställe. Jag tycker om att du är min gäst. Jag hoppas att du kan komma och hälsa på mig många gånger, och då ska du och jag leka i parken hela dagen.

Jag ruskade om hennes hår.

– Kom får du hamburgare och Coca-Cola, sa jag.

Efter den anspråkslösa middagen gick familjen G in på sitt rum.

Jag gjorde en kopp te i köket innan jag stängde dörren till mitt rum och kröp ner i min säng. Så satte jag telefonen i knät och ringde nummerbyrån.

– Kan jag få numret till Alsike kloster?

Det var syster Marianne själv som svarade. Jag förklarade situationen. Förskönade ingenting, berättade alla detaljer. Hon lyssnade tålmodigt, men dröjde en halv sekund för länge med svaret.

– Tyvärr, sa hon. Vi har inte möjlighet att ta emot dem.

Inte möjlighet. Inte möjlighet.

– Nehej, sa jag, och jag visste.

Om inte syster Marianne ville, vem ville då?

Nummerbyrån igen, den här gången ville jag ha uppgifter om en speciell, chilensk intresseorganisation i Stockholm. Där var de mer rättframma.

– Vi hjälper inte militärer, sa de rakt på sak.

Om jag nu inte kunde lita till nunnor eller chilenare fick jag väl gå tillbaka dit där jag började, till mina egna kontakter. Trots att vi försökte hålla så vattentäta skott som möjligt mellan varandra i vår organisation så var ju prästen trots allt inte den enda kontakt jag hade. Kanske var det bara sin egen ovilja han gav utlopp för när jag träffade honom. Det var värt ett försök att kringgå honom.

Jag ringde ett lokalsamtal.

– Vi har ju redan sagt nej, sa personen i andra änden lite surt.

Vattentätare än så var tydligen inte skotten. Jag sov dåligt den natten.

Måndagen var en vanlig arbetsdag. Vanligtvis cyklade jag till jobbet, men från och med nu fick jag vänja mig vid att gå. Min lila, femväxlade Crescent såg jag nog aldrig mer.

När jag kom hem på eftermiddagen satt hela familjen G och såg på tv.

– Hej, sa jag, hur har ni haft det idag?

Då ringde det på dörren, en lång uppfordrande signal. Vi stelnade till alla fyra. Jag stängde av tv:n.

– Snabbt, väste jag. In i ert rum och stäng dörren.

Familjen smög snabbt iväg. Dörrklockan skrällde en andra gång. Familjen tumlade in i rummet, fick ljudlöst igen dörren. Jag sprang snabbt fram till ytterdörren. I samma ögonblick som jag tänkt vrida upp dörrlåset fastnade min blick på hatthyllan. Där, på krokarna, hängde mannens rock, kvinnans kappa, flickans pälskantade täckjacka.

Dörrklockan brölade en tredje gång, rätt in i mitt öra. Jag slet ner alla ytterkläder, slängde in dem i badrummet, sparkade in ytterskorna och öppnade dörren. Utanför stod en ensam man, en chilensk flykting från förläggningen.

Hjärtat bultade så det dånade i mina öron. Jag slickade mig om läpparna och försökte att inte se skräckslagen ut.

– Godmiddag, sa mannen på spanska.

– Godmiddag, svarade jag, och rösten lät mer normal än jag vågat hoppas.

– Ja, jag kommer från förläggningen, vi har ju träffats där någon gång...

– Jaha?... Jag log lite ansträngt.

Tankarna virvlade, den chilenska kolonin på förläggningen

måste ha upptäckt att familjen G var försvunnen.

– Har du något papper du inte förstår? sa jag och lyckades le lite till.

– Nej, nej, sa mannen. Jag undrar bara om du sett familjen G på sistone?

– Familjen G? sa jag och rynkade pannan. Familjen G – är det inte han som är torterare?

Gud och herr G må förlåta min generalisering, tänkte jag.

– Ja, just det! sa karlen och lyste upp. Känner du dem? Har du sett dem?

– Neeej, sa jag, när var det jag såg dem sist? I påskas, tror jag, eller var det på valborgsmässoafton? Vid majelden?

Jag tittade ner, låtsades tänka.

– Du har dem inte här, möjligen? sa mannen plötsligt och försökte kika över min axel in i lägenheten.

Jag blev varse att jag fortfarande stod med jackan på.

– Nej, sa jag, jag kan inte påminna mig när jag sist såg dem, och nu får du ursäkta, men jag måste faktiskt rusa nu. Jag var precis på väg ut när du ringde på dörren.

Jag tog på mig skorna och gick ut i trapphuset.

– Varför frågar du efter dem? frågade jag och stängde dörren efter mig.

– De är borta, sa mannen lågt. Vi chilenare håller koll på varandra. Vi vet att de väntade på sitt sista utvisningsbeslut. De måste ha fått det i fredags. De har inte varit synliga sedan dess.

– De kan inte ha hunnit långt i så fall, sa jag. Ingen gömmer en mördare.

– Precis vad jag också säger! utbrast mannen glatt.

Tyvärr verkade han ha alldeles rätt.

Jag log rart mot mannen när vi skildes utanför min port, vinkade till avsked och började gå gatan fram. När jag hunnit femtio meter insåg jag att jag inte hade en aning om vart jag var på väg.

Tisdagen blev tung. Jag hade ont i huvudet och fick anstränga mig för att vara trevlig på jobbet. Jag handlade på vägen hem – grönsaker, kött, glass och en Barbiedocka. Hur jag än grubblade kom jag inte på någon lösning. Snart fick jag göra något radikalt.

Flickan blev oerhört lycklig över Barbiedockan. Hon hade aldrig ägt något liknande. Hon satte sig i vardagsrumssoffan tillsammans med sin far och klädde av och på dockan medan jag och hennes mor började med middagen i köket.

Så ringde det på dörren igen.

Den här gången gick flykten in i arbetsrummet bättre. Vis av gårdagens övning slängde jag på mig min jacka. Jag öppnade dörren mitt i den andra signalen. Den här gången var de två stycken, två män från förläggningen.

– Har du sett familjen G? sa den ene rakt på sak så snart jag öppnat dörren.

– Nej, det har jag inte, sa jag bestämt. Det har jag redan sagt. Det var en man här igår som frågade samma sak, preciserade jag lite stressat kyligt.

– Vi undrade om du möjligen inte hjälpt dem med ett dokument, sa den andre.

– Dokument? sa jag. Vad skulle det vara för dokument?

– Jo, för de letade efter någon i fredags som kunde hjälpa dem med en översättning, sa den förste mannen, och nu lät han lite vänligare i tonen. Någon nämnde ert namn. Vi undrar bara om de möjligen tog kontakt med er, eftersom de tydligen försvann natten mot lördagen...

Jag suckade lite kort.

– Nej, sa jag, jag känner inte familjen G. Jag har inte sett dem sedan i påskas, eller möjligen vid majelden på valborgsmässoafton. Jag skulle precis gå ut, så om det inte var något annat....

– Nej, tack så mycket, vi ville bara höra oss för...

Männen vände snabbt och gick. Jag stod kvar i dörren och hörde porten gå igen därnere. Snabbt drog jag igen dörren, sprang in i vardagsrummet och ställde mig att kika genom persiennerna. Där var de, de gick rätt över gatan och försvann raskt ner mot stan. De såg sig inte om en enda gång.

Jag andades ut. Idag behövde jag inte gå ut på någon planlös promenad på stan i alla fall. Jag knackade på dörren till mitt arbetsrum. Familjen kom ut, storögda, rädda.

– Varför har ni inte talat om att ni blev skickade hit till mig? sa jag.

Makarna tittade på varandra.

– Ni gick runt och frågade på förläggningen om någon visste var ni kunde få ett dokument översatt. Någon skickade er hit. Varför har ni inte talat om det? Detta är det första ställe de kommer att leta på. Ni måste härifrån – omedelbart!

Jag vände på klacken innan familjen fick syn på tårarna som brände bakom mina ögon. Hur i helvete skulle jag klara detta?

Jag gick ut i köket för att laga middag. Så föll min blick på radioapparaten jag hade stående i köksfönstret. Plötsligt kom jag ihåg en debatt i lokalradion jag hört för flera år sedan. En tjej som jobbade på Länkarna hade deltagit i en debatt om flyktingar och flyktingförläggningen i vår stad. Hon tyckte människor avvisades på alldeles för lösa grunder. Vad var det hon hette nu igen – Lena? Tänk om hon kunde hjälpa mig!

Hon svarade på andra signalen.

– Jag heter Mia Eriksson, sa jag. Jag har ett problem som jag undrar om du möjligen kunde hjälpa mig med?

– Ja, om jag kan, så...

– Ja, det gäller inte sprit eller så, skyndade jag mig att säga. Det var ju trots allt till Länkarna jag ringde.

– Vad exakt är det du behöver hjälp med? sa Lena lågt.

– Egentligen är det inte jag, utan några av mina vänner som behöver hjälp, sa jag.

– Vi kanske skulle kunna träffas, sa hon. Jag slutar nu. Tror du att du kan komma till min bostad om en halvtimme?

– Visst, sa jag, och fick adressen.

Tankfullt lade jag på luren. Detta måste gå! Detta var min sista chans att hjälpa familjen.

När jag kom ut ur mitt rum stod de uppradade i hallen och såg så hjärtängsligt skyldiga ut att jag måste skratta.

– Jag fick precis tag i några av mina vänner, sa jag. Jag måste träffa dem på en gång. Ät ni, vänta inte på mig...

Jag kunde inte få på mig kläderna fort nog.

– Jag vet inte om du har någon möjlighet att hjälpa mig, sa jag. Du får säga ifrån om jag är ute på helt fel spår. Men det är så här, att jag... känner några chilenska flyktingar som behöver någonstans att ta vägen...

Lena tittade uppmärksamt på mig när jag tystnade.

– Vilka då? sa hon.

Jag berättade om familjen G och deras bakgrund, om avvisningsbeslutet och deras försvinnande natten mot lördagen.

– Hur säkra är de där de befinner sig nu? frågade Lena.

– Inte särskilt säkra alls, är jag rädd.

Hon drack ur det sista i kaffekoppen.

– Jag tror detta ska gå att ordna, sa hon. Jag måste ringa lite. Skriv ner ditt telefonnummer på blocket på hallbordet, så ringer jag dig senare ikväll.

– Det faktum att mannen varit militär – kommer det att ställa till några problem? frågade jag i ytterdörren.

– Inte hos oss, sa hon och log.

Snälle Gud, låt det gå vägen!

Samtalet med Lena blev mitt lyckokast. Hon lotsade mig in på en snitslad bana av telefonnummer och kontakter. Av Lena fick jag ett telefonnummer som gick till en stor, ideell organisation i Stockholm. Organisationen hade ingenting att göra med flyktingar eller invandrare. Där talade jag med en kvinna som hette Alice.

Hon gav mig i sin tur ytterligare ett telefonnummer – till en privatperson i Dalarna. Där svarade en kvinna som sa sig heta Sonja.

– Kan vi träffas vid bensinstationen i Y-byn klockan fyra på lördag morgon? sa Sonja.

Det skulle innebära att vi fick lämna min lägenhet senast klockan elva på fredagskvällen.

– Går bra, sa jag.

– Så trevligt! Då ses vi då.

Hon lade på.

Kvinnan, som stått bredvid mig under samtalet, stirrade stumt på mig.

– Det är ordnat, sa jag. Vi åker i morgon kväll.

På fredag eftermiddag tog jag bussen bort till mina föräldrar, som bodde i ett villaområde utanför stan.

– Mia, var har du hållit hus? ropade min mamma glatt när jag dök upp hemma i köket. Vi har inte hört ifrån dig på hela veckan!

– Nej, det har varit lite körigt, sa jag och gick fram och kramade om henne.

– Du stannar väl och äter? Vi ska ha ugnsbakad kassler.

– Tyvärr mamma, en annan gång. Är pappa hemma?

– Ja, jag tror han håller på med gräsmattan på baksidan.

Min far låg i rabatten och rensade ogräs.

– Pappa, jag behöver låna bilen.

Han reste sig upp och torkade svetten ur pannan med baksidan av högerärmen.

– Ja, det går väl bra. När då?

– I kväll. Och i morgon.

Nu tittade han till lite extra.

– Ska du åka bort?

– Ja, men jag är tillbaka i morgon kväll.

Pappa samlade ihop trädgårdsredskapen han spritt ut invid rabatten – en sekatör, en liten kratta, en spade.

– Vart ska du?

– Pappa, jag har ett litet ärende att uträtta. Jag behöver en bil, det är tyvärr allt jag kan säga.

Han tittade fundersamt på mig.

– Du är väl inte i trubbel, Mia?

Jag skrattade avväpnande.

– Nejdå, pappa, och jag har inte tänkt råna någon bank! Jag jobbar på en, minns du? Jag ska skjutsa några kompisar, bara.

Min far tittade tyst på mig ett tag.

Vi hämtade nycklarna och gick bort till garaget. Min far öppnade porten samtidigt som jag startade bilen, rullade ner rutan på förarsidan och körde ut på uppfarten.

– Var försiktig, ropade han när jag svängde ut på gatan och bort mot centrum.

Inte förrän jag parkerade utanför min port slog det mig att han inte ropat samma uppmaning som han brukade. Inte kör försiktigt. Utan var försiktig.

Det tog inte lång tid att packa ihop familjens saker. Azalean slog vi in i tidningspapper och ställde i en Konsumkasse. Flickan fick ha sin nalle och Barbiedockan i en egen liten plastkasse. Klockan elva på kvällen lämnade vi min lägenhet.

– Ta på er bältena, sa jag när vi kom ut till bilen. Det är lag på det i det här landet. Vi vill inte bli stoppade av polisen för att vi inte sitter fastspända.

Jag log lite, men familjen tyckte inte det var roligt.

Jag körde stora stråket ut genom staden. I handskfacket hade jag lagt en stor, hopvikbar karta. Detta skulle ta sin tid.

Vi körde i timmar. Flickan somnade så snart vi kom ut på stora vägen, mannen strax därefter. Han snarkade, hängande framstupa mot förarsätet.

Vid tvåtiden stannade vi på en öde rastplats. Alla gick ut och sträckte på benen, även flickan, som måste kissa. Vi fikade i bilen med dörrarna öppna. Detta var sista gången på flera månader familjen skulle få vistas utomhus.

Så fortsatte vi vidare genom sommarnatten. Skogarna blev mörkare, träden högre, husen färre, vägen smalare. Jag höll mig till de stora vägarna, hade ingen lust att köra vilse. Jag var uppmärksam på hastighetsbegränsningarna och gjorde inga halsbrytande omkörningar, även om jag hade lust ibland. Det var nämligen gott om husvagnar på vägarna. I övrigt flöt trafiken på bra.

Kvart i tre stannade vi och tankade. Mannen och flickan sov vidare i baksätet, men kvinnan gick ut, gick en sväng runt macken.

– Kan du hälla upp en kopp kaffe åt mig? bad jag henne när vi var på väg igen. Jag började bli ordentligt trött. Sista timmen fick gå på kaffe och vilja.

Tio i fyra var vi framme vid macken i Y-byn. En kvinna i 50-årsåldern klev ut ur en väntande bil och gick fram mot vår.

– Mia? sa hon. Jag kände igen rösten från telefonen.

– Godkväll, eller rättare sagt godmorgon! hälsade jag och klev ur bilen.

Vi skakade hand. Familjen öppnade osäkert dörrarna och ställde sig bakom mig.

– Familjen G? frågade kvinnan, och familjen nickade.

– Välkommen till Dalarna! Jag heter Sonja. Vi kommer att ta väl hand om er, sa hon på bruten spanska.

– Hur långt är det kvar? frågade jag lite missmodigt.

– Fyra och en halv mil, sa kvinnan.

Den sista biten gick ändå ganska bra. Det var ljust, och alla husvagnar hade gått och lagt sig. Klockan fem på morgonen körde vi upp på en gårdsplan i en liten by i södra Dalarna. Sonja gick direkt upp till huset och öppnade den olåsta ytterdörren.

– Välkomna!

Ytterligare en kvinna på några och femtio kom emot oss. Vi skakade hand.

– Jag heter Berit. Hon vände sig mot familjen och sa på knagglig spanska: Det är här hos mig ni ska bo.

Familjen nickade och tackade.

– Var snälla och följ med mig, sa hon.

Vi gick nedför en trappa som slutade i en liten hall. Det fanns ingen lampa i taket, det enda ljus som fanns sipprade ner från dörröppningen ovanför. Där fanns tre stängda dörrar.

– Här är pannrum och tvättstuga, sa Berit och pekade på två av dörrarna. Det finns dusch, tvättställ och toalett i tvättstugan, upplyste hon.

Hon gick fram till den sista dörren, den högra, och öppnade den. Där innanför härskade kompakt, ogenomträngligt mörker.

– Här är det, sa hon och vred på en strömbrytare.

En risglob i taket spred ett milt sken över det underjordiska rummet. Det var knappt 40 kvadratmeter stort, praktiskt taget fyrkantigt och helt utan fönster. Fyra sängar stod uppradade längs väggen rakt fram, tre var provisoriska tältsängar, en var en dubbelsäng av spånskivor. Det fanns en tresitssoffa i brun manchester med en orangerutig pläd över och två udda fåtöljer runt ett lågt bord av teak. Intill dörren stod ett litet vitt skrivbord, en byrå och en bokhylla. En omodern, 28 tums färg-tv stod inklämd i bokhyllan, ett matbord med perstorpskiva och fyra tillhörande pinnstolar. På bordet stod en transistorradio. Väggarna var klädda med ljusbrun väv. På golvet låg en heltäckningsmatta i något mörkare färg.

Det var ett bra gömställe, isolerat, helt utan insyn, så säkert något kunde vara. Ändå var det givetvis fruktansvärt – ett fönsterlöst fängelse långt ute i vildmarken.

Jag såg alla känslor avlösa varandra i kvinnans ansikte – lättnad, hopplöshet, förtvivlan, tacksamhet och resignation. Här skulle hon leva, här kanske hon skulle tvingas föda sitt barn.

– Tack, viskade hon. Tack så hemskt mycket. Det är väldigt... fint.

– Vill ni ha lite frukost, eller vill ni vila först? frågade Berit.

När familjen inte svarade, sa jag:

– Jag tror vi vilar lite först.

Jag lämnade huset i Dalarna klockan två på eftermiddagen. Det låg så fridfullt i den lilla byn, inramat i sommargrönska, äppelträd och syrener. Det sista jag såg innan huset försvann bakom kröken var den strålande praktfulla azalean i köksfönstret.

Av någon anledning går det alltid fortare att åka hem än att åka bort, trots att vägen är lika lång. Så var det också den här lördagen i juli 1984. Jag körde raka vägen tillbaka till min hemstad, stannade bara en gång för att tanka och gå på toaletten. Medan jag körde genom Sverige fanns mina tankar hela tiden kvar hos människorna i det underjordiska rummet i den lilla byn i Dalarna.

Hur länge skulle de orka? Vad hände med ett barn som tvingades leva undangömt? Inlåst? En dag skulle jag själv få uppleva svaren. Jag är glad att jag inte visste det då.

Lägenheten var tom, tyst och mörk när jag kom hem. Jag gick runt och drog upp persiennerna, men lät gardinerna vara fördragna. Jag ville inte ha in skymningen i mina rum, inte ännu.

I arbetsrummet stod familjens sängar kvar. Jag fällde ihop tältsängen, ställde undan madrassen. På mitt skrivbord låg fyra teckningar. På tre av dem fanns flickor med blommor och kronor på huvudet. Prinsessor, förmodligen. Den fjärde var annorlunda. Den föreställde också en flicka, men den här hade ingen krona. Hon hade blå byxor och rosa tröja, precis som tösen som ritat henne. Flickan på bilden höll en vuxen i handen – en kvinna med stor kjol och sjal över huvudet. Vid deras fötter pickade fåglar som måste föreställa hönor. Flickan och hennes mormor hemma i Chile. Jag böjde huvudet över skrivbordet och grät.

Måndagen kom och vardagen med den. Det var skönt att komma i normala banor igen. Jag träffade min syster, fikade hos min granne Katarina, gick ut och dansade med Sisse, solade och badade när vädret tillät.

En gång i veckan ringde jag upp till huset i den lilla byn i Dalarna. Jag fick inte tala med någon i familjen – i källaren fanns ingen telefon – men jag framförde hälsningar och fick höra hur de hade det.

Mannen var dålig, fick jag veta. Han grät ofta och började bli beroende av sin medicin. Kvinnan skulle få besök av en barnmorska. Flickan åt lite dåligt, men verkade i övrigt må ganska bra. Berit försökte lära henne lite svenska.

– Hälsa dem att jag kommer upp och hälsar på dem under min semester.

I slutet av augusti körde jag åter de långa milen till södra Dalarna. Det hade hunnit bli eftermiddag när jag kom fram. Solen lyste snett på de gamla trähusen i den lilla byn. Jag undrar hur många i den här byn som anar vad som finns i Berits källare, tänkte jag. Berit själv mötte mig i dörren, leende och blid.

– Välkommen, välkommen Mia. Vill du ha en kaffetår?

Jag sträckte på mig, svarade glatt ja.

– Vi ska prata lite, du och jag, innan vi går ner till familjen, sa Berit.

Hon slog upp kokkaffet i de blommiga kopparna med guldkant.

– Jag är orolig för mannen, sa hon. Han vägrar låta mig sköta medicineringen.

– Har du talat med kvinnan? sa jag. Hon kan se till att han inte överdoserar.

– Jag har försökt, sa Berit och bet i en bulle. Kanske du kan hjälpa mig? Jag pratar ju så dåligt...

– Självklart, sa jag. Hur blir det med kvinnans förlossning?

Nu log Berit brett.

– Jo du, det ska jag berätta. Hon kommer att föda sitt barn på sjukhus, på en förlossningsavdelning, precis som du eller jag. Sedan får hon ligga på BB tills amningen kommer igång.

Jag höjde lite på ögonbrynen. Berit skrattade till.

– Det är mycket som går att ordna, sa hon. Men jag har inte berättat det för kvinnan ännu. Om något skulle gå fel i sista stund så slipper hon bli besviken. Naturligtvis kan hon föda barnet här tillsammans med en barnmorska och en förlossningsläkare, men vi tycker det är bättre att hon gör det på sjukhuset. Du kanske kan berätta för henne att hon inte behöver vara orolig?

Vi gick nedför trappan, ner i mörkret och knackade på dörren till höger.

– Kom in, ropade kvinnan lågt.

Mannen låg på dubbelsängen och halvsov. Kvinnan satt och stickade i soffan. Flickan satt på golvet och lekte med Barbiedockan. Ur transistorradion skvalade P3.

– Mia, så roligt! sa kvinnan varmt.

Jag såg att hon menade det. Så gick jag fram till sängen där mannen låg. Först då märkte han att jag kommit, och satte sig upp med håret på ända. Han såg förvånad, glad och generad ut på samma gång, slätade till hår och kläder och försökte samla ihop sig.

– Vilken trevlig överraskning, mumlade han.

– Hur mår ni? frågade jag.

Han ryckte på axlarna, log lite osäkert.

– Ni måste vara rädda om er, sa jag och såg honom i ögonen. Ni ska bo och verka länge här i vårt land. Snart har ni två barn att ta hand om. Det är många som behöver er.

Han nickade förvirrat.

– Ja, sa han. Jag ska vara stark.

Hela kvällen stannade jag med familjen i deras underjordiska fängelse. De talade länge om sitt liv i Chile, om sina vänner, släktingar och alla grannar. Om sin mat, sitt hus, sina sånger, sina högtider, årstider, traditioner. Deras hemlängtan var total.

– Ångrar ni att ni åkte hit? frågade jag till sist.

Mannen såg på mig med bottenlös blick.

– Jag älskar mitt land, sa han. Men inte på bekostnad av mina medmänniskor.

På natten sov jag i en av tältsängarna.

Efter lunch nästa dag lämnade jag huset i Dalarna. Jag tyckte azalean i fönstret mist en del av sin prakt.

När jag satte foten innanför dörren hemma i lägenheten ringde telefonen. Fortfarande med kappan på och med handväskan över axeln slet jag upp telefonluren.

– Det är från polisen, sa en röst.

Jag nästan dog.

– Vi har hittat din cykel.

5

LIVET FORTSATTE SOM VANLIGT. Jag jobbade, städade, besökte flyktingförläggningen, gick och tränade och träffade kompisar. Jag levde ensam, och jag trivdes med det. Jag gillade verkligen min lilla trea, njöt av att få rå mig själv.

En av mina väninnor hette Helena. Vi umgicks rätt mycket den våren och sommaren, gick ut och fikade och dansade. Hon var en rolig tjej, rödblond och kurvig. Hon pratade och skrattade högt och gärna och älskade att prata i telefon.

Ungefär samtidigt som jag fick besök av familjen G slutade hon att ringa. Just då tänkte jag inte på det, jag hade ju en del annat att grubbla över. Men sedan familjen installerats i huset i Dalarna och min tid blivit min egen igen började jag sakna hennes glada tillrop i telefonen. Jag hade inte träffat henne sedan den där gången vi åkte vattenskidor. Jag ringde henne ett par gånger, men antingen var hon inte hemma eller så var hon precis på väg ut. En gråkall lördag i början av november förstod jag varför.

Jag var precis på väg ut från Domus när jag sprang ihop med henne.

– Nej men Gud vad längesedan! utbrast jag glatt. Vad kul att se dig! Har du bråttom? Ska vi gå och fika?

Helena skrattade åt min iver, kramade om mig och kastade sedan ett snabbt ögonkast över axeln. Jag följde hennes blick. Mannen bakom henne stod alldeles för nära för att vara en ytlig bekantskap. Helena vände sig mot mig och log lite stressat.

– Tyvärr Mia, vi är precis på väg... Men kan vi inte träffas snart?

Hon ville tydligen inte presentera mig.

– Visst, sa jag och släppte mannen med blicken. Ring mig sedan...

– Jag ska, Mia, jag ska...

Och så var de borta.

Hon ringde mig måndagen efter första advent. Jag hade varit uppe i Dalarna den helgen och var rätt nedstämd. Familjen mådde verkligen inte bra. Mannens egen dosering av medicinen hade resulterat i en kraftig tablettförgiftning. Han hade fått föras till sjukhus, med alla enorma risker det innebar. Efter en kort, akut avgiftning fick han vackert krypa tillbaka till sin källarhåla.

Samtidigt berättade jag och Berit för kvinnan att hon också, troligtvis, kunde få lämna gömstället och föda sitt barn på sjukhus. Vi poängterade att vi inget kunde lova, men att vi hoppades att det skulle gå att ordna. Hon blev mycket lättad och grät lite när hon fick beskedet. Tydligen var detta något hon varit mycket orolig över.

När jag nu hörde Helenas pigga röst i telefonen kändes det som en vitamininjektion. Jag hade saknat henne.

– Förlåt att jag inte hade tid att gå och fika sist, började hon. Vi hade så mycket att göra...

– Ja, jag förstod det, sa jag.

Sedan blev det tyst. Hon lät lite dämpad när hon fortsatte:

– Ja, alltså, killen jag hade med mig, han heter Muhammed. Vi träffades i somras, han bor på förläggningen. Han är muslim, från Irak. Vi har träffats en hel del på sistone. Man kan nog säga att vi är ihop nu...

– Ja, det fattar jag väl, sa jag. Hur är han? Är du kär?

Hon skrattade lättat.

– Ja, jättekär! Jag visste att du skulle fatta, Mia!

Jag skrattade med.

– Klart jag fattar! Varför skulle jag inte göra det?

Helenas skratt dog bort.

– Det är inte alla som gör det, sa hon allvarligt. Det finns så fruktansvärt många korkade fördomar kring araber och muslimer.

– Det finns det kring alla invandrare, sa jag.

– Jo, men speciellt kring muslimer, sa Helena. Folk jag inte känner kommer fram och förfasar sig över oss. Det är inte klokt, faktiskt... Men nu var det inte det jag ville prata om. Jag ska ha luciafest hemma hos mig och undrar om du har lust att komma. Vid sjudraget, lite middag och glitter i håret och så – har du lust?

Jag skrattade.

– Det ska bli jätteroligt!

Hon tog emot mig med öppna armar och luciakrona på sned.

– Kom in, kom in, min kära vän!

Jag var lite sen. Av skohögen i hallen att döma hade de flesta gäster redan kommit.

Inne i vardagsrummet stod ett långt, festligt dukat bord. Helena stack sin arm under min och gick glatt upp i värdinnerollen.

– Hallå allihopa! sa hon högt. Kan alla höra upp!

Tolv par ögon från tre olika världsdelar vändes mot oss. Några kände jag igen, de flesta var helt obekanta.

– Nu när min kompis Mia anlänt så har alla kommit! sa Helena. Om ni vill vara så goda och slå er ner vid bordet...

Jag tänkte gå och sätta mig på bortre långsidan när Helena tog tag i min arm.

– Mia raring, jag tänkte att du skulle sitta där. Just där, bredvid Muhammeds kompis...

Jag kände ett sting av irritation. Jag och Muhammeds kompis var tydligen kvällens blind date. Alla andra runt bordet verkade vara par. Där fanns ett svenskt par, ett arabiskt par, två par där han var arab och hon svenska, ett chilenskt par... Jag gav Helena en lång blick under en lugg som jag inte hade. Hon bara skrattade.

När jag kom fram till min bordsgranne reste han sig raskt, tog i hand, presenterade sig och drog ut min stol. Han var lång, bra mycket längre än jag, ung och smärt utan att vara smal. Han var mycket mörk och såg ganska bra ut. Han verkade stark. Och han hade svarta ögon, blixtrande svarta ögon.

Han sköt in min stol under mig.

Resten av kvällen passade han upp mig som en butler. Bjöd på bröd, dryck, hämtade servetter och kaffe.

Han berättade att han kom från Libanon och var politisk flykting. Han bodde på förläggningen och hade varit i Sverige nästan ett år. Nej, han hade inte fått asyl ännu, men det var bara en tidsfråga. Hans fall var solklart. Därför hade han redan börjat lära sig svenska. Han gick på kvällskurs två gånger i veckan.

Jag berättade att jag jobbade på banken, att jag bodde i stan. Han var väldigt artig, trevlig och uppmärksam. Inte det minsta påflugen eller dryg. Ändå höll jag mig lite avvaktande. Jag har svårt för att andra försöker para ihop mig med folk jag inte känner.

Efter middagen hjälptes vi tjejer åt att städa upp och diska.

– Tycker du han är trevlig? viskade Helena nyfiket i mitt öra medan jag stod och torkade glas tillsammans med en kvinna från Santiago.

Jag torkade frenetiskt och aningen besvärat på glaset.

– Muhammeds kompis? Ja, visst, för all del, jättetrevlig, jätteartig, vill du komma på bröllopet?

Hon skrattade och svepte ut ur köket.

Killarna satt ute i vardagsrummet och pratade. De drack kaffe och spelade orientalisk musik på stereon. Den var mystisk och mycket vacker – moderna instrument som spelade på den karakteristiska, arabiska trekvartstonskalan.

Sedan vi plockat undan sällade vi oss till männen i vardagsrummet. De rökte, drack mer kaffe och hade övergått till att prata arabiska. Jag slog mig ner i soffan och pratade med paret från

Santiago. De hade just fått asyl och skulle förmodligen flytta från stan nu. Jag lyckönskade dem och bjöd in dem till mig på en kopp te innan de åkte.

Jag gick samtidigt som chilenarna. Vi tackade och sa hej då till värdparet, jag kramade om Helena. Precis när jag var på väg ut genom dörren kom han fram till mig, tog min hand och tackade för trevligt sällskap. Han var mycket artig, korrekt och belevad.

Och han hade blixtrande, nästan brinnande, svarta ögon.

Julen firade jag tillsammans med min familj. På julafton var jag och mina systrar, både den äldre och den yngre, hemma hos mamma och pappa.

Jag älskar julmaten, särskilt julskinkan. Mamma gör ett julbord som ingen annan. Sillsallad, pressylta av ett svinhuvud, lutfisk, röd och grön kål. Vi åt hela helgen. Vi såg på Kalle Anka klockan tre och Karl Bertil Jonsson klockan sex och öppnade klapparna före risgrynsgröten.

På juldagen åkte vi över till min äldre syster och åt lunch, sedan spelade vi sällskapsspel och åt mer av mammas julbord. Sent på juldagskvällen ringde jag till huset i Dalarna. Kvinnan smög upp till telefonen på bottenvåningen i huset, vi önskade varandra en god jul.

På annandagen gick jag och min syster på bio. Faktiskt tänkte jag inte på honom en enda gång sedan jag lämnat Helenas fest.

Jag jobbade som vanligt under mellandagarna. Det är alltid mycket som ska göras på banken inför årsskiftet. På nyårsafton var jag och några av mina vänner inbjudna på en stor baluns som arrangerades av flyktingförläggningens festkommitté.

Sisse kom hem till mig vid tretiden på eftermiddagen. I ena handen höll hon en ståltrådsgalje med sin lilla svarta i en plastpåse direkt från kemtvätten. I den andra dinglade en påse från Systembolaget.

– Jag tog med en fuskskumpa, sa hon och viftade med kassen.

Jag gissar att du glömde gå på systemet.

Jag log ursäktande.

– Hur kunde du ana...?

Hon gav mig en menande blick och skakade på huvudet.

– Jobbar Henrik hela natten? frågade jag.

Hon suckade.

– Han var ledig på julafton i år i alla fall.

Resten av eftermiddagen ägnade vi oss åt den form av lyx som bara tjejer kan göra tillsammans: vi tog var sitt långt skumbad, lade upp varandras hår på stora spolar, fnittrade och kokade te.

Sisse var, och är, min allra äldsta vän. Vi kände varandra redan innan vi började skolan. Sedan gick vi i samma klass i alla år. Så länge någon kunnat minnas har hon varit tillsammans med Henrik. Han jobbade på kommunens tekniska kontor, körde alltid omkring i en stor vit skåpbil. Han var ofta jouransvarig och arbetade en hel del tillsammans med brandkåren. Så också denna natt.

Halv åtta tog vi en taxi bort till festlokalen.

– Lyd ett gott råd, sa chauffören när vi satte oss i bilen. Beställ en bil tillbaka redan nu. Det kommer inte att finnas en taxi att få tag på efter midnatt.

Sisse och jag tittade på varandra.

– Äsch, sa jag sedan. Det ordnar sig. Vi kanske får skjuts av någon. Henrik kanske kan hämta oss.

Chauffören ryckte på axlarna och lade i växeln.

– Okey. Som ni vill.

Ibland undrar jag vad som hänt om vi låtit chauffören göra en förbeställning för att köra oss hem den där natten. Det är mycket möjligt att mitt liv blivit helt annorlunda om vi gjort det.

Festlokalen badade i ljus. Det strömmade röster och musik genom den öppna dörren. Jag kände att detta skulle bli en rolig fest!

Lokalen, som i vanliga fall användes till enklare arrangemang som bingo och danskurser, var omsorgsfullt förvandlad till ett osannolikt nöjespalats. Arrangören hade överträffat sig själv i ambitionen att blanda stilar, kulturer, traditioner, årstider och flaggor. Överallt rörde sig människor, hundratals festklädda människor, och nästan ingen var svensk.

– Otroligt, eller hur? sa en röst bakom våra huvuden.

Det var Helena, för kvällen iförd en sanslös knallröd festblåsa med massiv urringning.

– Fullständigt fantastiskt! höll jag med och kunde inte låta bli att le. Hur har de burit sig åt?

– Om ni ser Muhammed, så säg att jag är inne i damrummet och boxas. Vi ses senare – om jag överlever...

Hon försvann i mängden.

– Vi går väl in, sa Sisse.

Långsamt började vi bana oss fram genom folkhavet. Längst bort till vänster i salen spelade en löst sammansatt orkester på en provisorisk scen. Instrumenten varierade från synt och elgitarr till ud, den grepplösa arabiska lutan. Där fanns flera klassiska, arabiska instrument som vassrörsflöjten nay, trumman darabukka som såg ut som en vas och cittran qanun. Några latinamerikanska män spelade panflöjt, två andra var sin gitarr – den stora guitarrón och den lilla charangon. Till sist fanns en stor, svart man på elbas.

Gästerna var klädda i allt från nationaldräkter till västerländska kostymer och cocktailklänningar. Dansen skulle troligtvis bli lika blandad som inredningen och klädedräkten – från arabisk zurna till gammal chilensk cueca och svensk foxtrot.

– Nej men godafton, sa någon på engelska in i mitt vänstra öra.

Jag snurrade runt ett kvarts varv.

Det var Muhammeds kompis, min bordskavaljer från Helenas fest.

– Åh, godafton, svarade jag.

– Så trevligt att träffa er igen.

– Detsamma, sa jag artigt.

Hans ögon blixtrade svart.

– Ska du inte presentera mig för din väninna? sa han.

– Naturligtvis, svarade jag snabbt och vände mig mot Sisse –

Sisse, Muhammeds kompis, Sisse, min gamla vän.

De skakade hand. Jag och Sisse gjorde oss redo att mingla vidare.

– Kan jag hämta damerna något? Ett glas champagne, kanske?

Vi bytte ett snabbt ögonkast.

– Visst, varför inte? sa jag.

Vi stod kvar på golvet medan mannen trängde sig iväg mot baren.

– Vilka ögon, sa Sisse.

– Ja, de svartaste jag sett, sa jag.

Jag såg hans huvud komma guppande tillbaka i mängden. Han var längre än de flesta. Ovanför sig balanserade han en bricka med tre champagneglas. Jag kunde inte låta bli att le.

– Skål för det nya året, mina damer, sa han när han räckte fram glasen.

– Jag trodde inte du drack alkohol, sa jag.

Han hejdade glaset och log ett snett leende.

– Ser jag ut som en fanatisk muslim?

Jag kände hur jag rodnade. Så klumpigt sagt av mig!

– Nej då, jag menar, jag tänkte... stammade jag.

Han skrattade bort min förlägenhet.

– Jag dricker faktiskt inte särskilt mycket, sa han. Bara fin champagne vid högtidliga tillfällen. Till det nya, svenska året!

Vi slog ihop våra glas.

Musiken blev verkligen så blandad som vi förutspått. Kvalitén måste sägas ha varit något skiftande, men det uppvägdes av musikernas goda humör. Jag dansade hela kvällen. De gamla utländska nationaldanserna hade jag givetvis lite svårt att hänga med i, men både jag och Sisse drogs med i den allmänna festyran.

Vid tolvslaget samlades alla festdeltagare ute på planen framför huset. Jag såg inte Sisse någonstans. Efter några misslyckade försök lyckades festkommitténs ordförande få iväg några präktiga raketer.

– Gott nytt år, Maria.

Jag hade inte sett honom på ett tag, men nu stod han framför mig igen.

De brinnande ögonen log. Jag besvarade leendet med mina egna gröna.

– Gott nytt år.

En raket med röda flammor exploderade på himlen bakom hans huvud. Ljuset från fyrverkeriet lade hans ansikte i komplett mörker. Effekten blev slående – från hans huvud sprutade kaskader av röda flammor. Trots kappan frös jag till.

– Här, sa han snabbt, drog av sig sin rock och lade den runt mina axlar. Samtidigt slocknade den röda blixten på himlen, och hans ansikte fick anletsdrag igen.

– Jag tror jag vill gå in, mumlade jag.

Efter tolvslaget började gästerna droppa av. Familjerna med barn gick hem till sina rum och lägenheter på förläggningen. De första taxibilarna kom för att hämta upp sina kunder. Orkestern tunnades ut, champagnen hade tagit slut.

– Vilken afton, Mia, vilken afton! flämtade Helena, torkade dramatiskt en osynlig svettdroppe ur pannan. Muhammed lade armarna runt hennes runda axlar. Hon viskade någonting i hans öra, han nickade kort.

– Mia, skulle vi inte kunna träffas snart? I morgon kväll, kanske? Och äta middag?

– Visst, sa jag. Jag ringer.

De försvann i mängden, ömt omslingrade.

Jag stötte ihop med festkommitténs ordförande, en liten rund, latinamerikansk man som såg ut mer som en kamrer än som en festprisse. Han var en av de allra första flyktingar som kom till förläggningen i vår lilla stad i slutet av sjuttitalet. Nu hade han permanent uppehållstillstånd sedan flera år, men hade stannat och fortsatte sitt engagemang i förläggningen.

– Maria, sa han och slog ut med armarna. Har du haft roligt?

– Ja, det har varit fantastiskt trevligt, sa jag varmt.

– Jag vill, på detta årets allra första skälvande timme, tacka dig för den vänlighet, förståelse och hjälp som du bidragit med under de gångna åren, sa han och tog min hand mellan båda sina. Ditt engagemang har i högsta grad hjälpt till att överbrygga klyftan mellan svenskarna och invandrarna i den här staden. Det är flera människor, främst ur den spansktalande kolonin, som berättat att de står i stor tacksamhetsskuld till dig. Jag ville bara berätta detta, och samtidigt framföra mitt varma tack.

Jag blev riktigt rörd av hans ord.

– Det är jag som ska tacka, sa jag och log mot den lille mannen. De människor som kommit hit till staden har i högsta grad berikat vårt samhälle. Det ser vi ständigt nya prov på – inte minst nu i kväll. Kommittén har verkligen överträffat sig själv!

– Roligt att du trivdes, Maria. Men nu ska jag kanske hjälpa dig att få tag i en taxi?

Samtidigt som jag drog på mig handskarna kom kommitténs ordförande fram till mig igen.

– Jag är ledsen, Maria, sa han ursäktande. Alla taxibilar i staden är förbeställda till klockan sju i morgon bitti. Hur ska du ta dig hem?

Jag tog ett djupt andetag och tänkte efter. Det var ungefär fem grader kallt ute och tre, fyra kilometer att promenera. Det skulle inte bli särskilt kul, men det skulle fungera.

– Ska du *gå* hem? sa mannen med de brinnande ögonen bakom mig.

– Ja, förmodligen är det just vad jag ska, sa jag och skrattade mot hans svarta blick.

– Inte ensam väl? Mitt i natten? sa han.

– Det är inte så farligt, sa jag. Jag är en stor flicka. Dessutom händer det aldrig något i vår stad.

– Kommer inte på fråga, sa han bestämt. Jag går med dig.

Jag protesterade inte. Det kändes bra att få sällskap.

I damrummet drog jag på mig långkalsonger och raggsockor under cocktailklänningen. Han väntade utanför porten. Han var barhuvad och utan handskar och med samma lågskor som han dansat i.

– Ska du gå så där?! utbrast jag.

Han log.

– Jag har snart varit här ett år nu. Jag är härdad.

– Här, sa jag, virade upp min halsduk och kastade den runt hans nacke. Ta den här åtminstone.

Han skrattade.

Vi gick raka vägen hem till mig genom vinternatten. Vi gick fort utan att tala. Andedräkten stod som vita moln ur våra munnar.

– Tack för sällskapet, sa jag och vände mig mot honom utanför min port.

Då såg jag hur han frös.

– Tokstolle! sa jag. Du kommer att dra lunginflammation på dig. Kom med upp så ska jag koka en kopp te.

Han kom med utan att svara.

– Varför flydde du till Sverige? sa jag när vi satt mitt emot varandra med Earl Grey i kopparna och marmeladfrallor på assietterna.

Han drog lite på svaret.

– Jag deserterade ur armén, sa han sedan. Jag vill helst inte tala om det. Jag hoppas du inte tar illa upp.

Jag mötte hans blick, såg forskande på honom.

– Okey, sa jag.

Vi talade om festen, berömde och skrattade åt den röriga utstyrseln av lokalen, pratade om de olika danserna, musiken, människorna, hans grannar och vänner på förläggningen. Men jag ville inte släppa frågan om hans bakgrund. Min nyfikenhet var väckt.

– Vad gör din familj i Libanon? frågade jag därför.

Han svarade snabbt och glatt.

– De har en uraffär. Säljer och reparerar klockor.

– En universell verksamhet, sa jag och log.

Pratet om klockor fick mig att kasta en blick på min klocka på köksväggen. Halv fem! Herregud – vart hade den här natten tagit vägen?

– Oj! utbrast jag. Han följde min blick och höjde förvånat på ögonbrynen han också.

– Nej, nu är det verkligen dags för mig att gå.

– Har du slutat frysa? sa jag.

Han log.

– För länge sedan. Här är så varmt.

På något sätt var hans svar dubbeltydigt. Jag följde honom ut i hallen, letade fram ett par lovikkavantar och en toppluva som han fick låna. Några skor som passade hade jag inte. Han fick lov att gå hem i sina dansskor.

– Du ska få tillbaka dem, lovade han.

Då mindes jag plötsligt Helenas middagsförslag.

– Helena och Muhammed ville att vi skulle träffas, sa jag impulsivt. Du kanske har lust att komma med?

Han blev glad, det märktes.

– Väldigt gärna.

– Då hörs vi, sa jag.

Han öppnade ytterdörren, sedan vände han sig om. Hans ögon brann.

– Maria, viskade han.

Jag kände hjärtat slå. Han lyfte handen och strök mig med lovikkavanten över håret.

– Tack för i kväll, sa han lågt.

Blodet susade. Han böjde sig fram och kysste mig lätt. Ögonen brann. Så var han borta.

Helena och Muhammed kom först. Helena var klädd i en lång, mjuk velourklänning som smet åt på de rätta ställena och framhävde hennes vackra, kurviga kropp.

– Mia, älskling, det doftar rosmarin i hela trappuppgången! Säg inte att du gjort din örtgryta! Jag äter ihjäl mig!

Han kom lite sent, med en enorm bukett röda rosor.

– Tack för lånet, sa han lågt och lade mina lovikkavantar på hatthyllan.

Jag log med en värme som kändes i hela kroppen.

Vi åt inne i vardagsrummet. Jag hade flyttat ut mitt köksbord, förlängt det med en iläggsskiva och lagt en stor linneduk över.

– Fantastiskt gott, sa han, och hans ögon brände sig in i mina.

Hjärtat slog.

Vi åt konserverade päron med glass och kolasås till efterrätt. Till kaffet ställde jag fram en ask After Eight som gjorde stor succé.

Sedan diskade jag och Helena medan killarna drack en sista kopp kaffe och stoppade en kassett i stereons bandspelare. Samma vackra, mystiska musik som från luciafesten hemma hos Helena fyllde vardagsrummet och sipprade dovt ut i köket där vi stod.

– Hur har ni det, du och Muhammed? frågade jag.

Helena drog ett djupt andetag och lät tallriken och handduken sjunka.

– Helt fantastiskt! sa hon lågt. Att vara tillsammans med honom är att stiga in i en ny värld. Ny musik, nya värderingar, nya seder... Jag älskar honom verkligen.

Så blev hon allvarlig.

– Jag vet att han är mannen i mitt liv.

Vi var alla ganska trötta efter gårdagens fest, och sedan vi druckit ur sista kaffet och pratat en stund började Helena gäspa.

– Muhammed, älskling, ska vi röra på oss?

– Om du vill så, sa han.

Vi bröt upp och gick ut i hallen. Helena och Muhammed drog på sig sina ytterkläder, tackade för mat och dryck, jag och Helena kramade om varandra och så var de borta.

Det blev tyst när de gick. De brinnande ögonen såg in i mina.

– Jag borde väl också gå, sa han lågt.

Min hall är ganska trång. Vi kunde inte undgå att stå rätt nära varandra. Han var nästan huvudet längre än jag. Hans bröstkorg spände under tröjan, axlarna breda, armarna starka.

– Ja, du borde väl det, sa jag, och min röst var bara en viskning.

Han brände i min kropp.

– Maria, du är så vacker!

Jag lyfte blicken, in i hans. Han sträckte fram sina händer, tog ett varligt tag om mina axlar, drog mig intill sig och kysste mig.

– Eller, å andra sidan, så kunde du ju stanna här i natt, sa jag.

Han log, och hans ögon blixtrade.

6

FRU G FÖDDE SITT BARN på ett stort sjukhus i Mellansverige ett par dagar efter nyår.

Hon togs emot på förlossningsavdelningen av en speciell barnmorska som skrev in henne under falskt namn och med falska personuppgifter. Därefter behandlades kvinnan som vilken annan omföderska som helst. Ytterligare ett par personer ur personalen kände till hennes rätta identitet och omständigheter, bland annat den förlossningsläkare som skrev ut henne tre dagar senare.

De ringde till mig på eftermiddagen, strax efter att jag kommit hem från jobbet.

– Det blev en pojke, sa kvinnan, och hennes röst hade klang av jubel.

– En son, grattis! Åh, vad roligt!

Jag blev så glad att ögonen fylldes med tårar.

– Hur mår ni? Hur gick det? Var det jobbigt?

Kvinnan skrattade mjukt.

– Nu när det är över känns det inte så farligt, sa hon.

Kvinnan berättade att hon hade vaknat med värkar på natten. Jag visste att de av naturliga skäl inte kunde åka till det sjukhus som låg närmast.

Gossen vägde tre och ett halvt kilo och var 51 centimeter lång, en stor baby för att vara född av en sådan liten kvinna. Jag lyckönskade herr G också och log åt hans stolta tonfall. Till sist talade jag med kvinnan igen, och just innan vi skulle lägga på hörde jag ett stråk av oro färga hennes röst.

– Maria, vad händer om vi blir utvisade? frågade hon tyst. Pojken kommer ju inte att bli registrerad någonstans. Om vi blir hittade och tillbakaskickade kommer han inte att släppas in i Chile. Det kommer inte att finnas några papper alls på honom. Jag kanske inte ens kan bevisa att han är min son. Vad gör jag då?

– Du kommer inte att bli hittad och tillbakaskickad, sa jag lugnande. Och det kommer att finnas papper på gossen, även om han inte registreras någonstans just nu. Din förlossning och eftervård på BB-avdelningen kommer att dokumenteras precis som vilken annan födelse som helst. Skillnaden i ditt fall är att papprena inte kommer att arkiveras. Du kommer att få med dig din journal när du lämnar sjukhuset. Den ska du spara tills den dag du får svenskt uppehållstillstånd och kan registrera pojken hos de svenska myndigheterna på vanligt sätt.

– Kommer inte personalen som hjälpt mig här att råka illa ut då?

– Nejdå, sa jag. Din förlossning kommer att registreras som födelse i hemmet. Ingen kommer att få reda på att du fött ditt barn på sjukhuset. Du kan vara alldeles lugn. Du är inte den första undangömda flykting som fått hjälp på svenska sjukhus. Det händer varje dag.

Hon lät betydligt lugnare efter dessa besked. Jag gratulerade henne ännu en gång och sedan avslutade vi samtalet. Nu skulle jag ut och handla babykläder!

Mannen med de svarta ögonen kom hem till mig allt oftare. Varenda gång hade han någonting med sig, blommor, en chokladask, en scarf eller bara en påse saltlakrits. Han öppnade dörrar, drog ut stolar och var uppvaktande på ett sätt jag aldrig upplevt förut. Det kändes ovant och lite högtidligt, jag tyckte mycket om det.

Vi umgicks mycket med Helena och Muhammed. Vi gick på bio, åt middag tillsammans eller träffades på något fik inne i stan. Helena ringde mig varje dag igen. Vi pratade i evigheter om våra killar, om folk vi träffat, om muslimska seder och bruk som var nya för oss. Faktiskt hade jag inte bara fått en pojkvän, jag hade fått min väninna tillbaka också.

En kväll i februari hade vi en riktigt stor middag hemma hos mig för alla hans vänner.

Jag och Helena hade lagat mat i flera dagar. Först olika heta dipsåser med skurna grönsaker och majschips, därefter citronkyckling med vitlökspotatis, sedan hela fat med ost och frukt och sist små kladdiga bakelser med turkiskt kaffe.

– Det doftar underbart! sa min kärlek och kysste mig i nacken.

Jag vände mig om, lindade armarna runt honom och besvarade hans kyss. Då hårdnade hans tag, hans andedräkt blev het.

– Gästerna kommer snart, mumlade jag.

– Låt dem komma, viskade han och drog mig mot sovrummet.

Jag skrattade lågt. Hur kunde jag protestera?

Vi hade precis hunnit klä på oss när Muhammed och Helena kom.

– Är allt klart? sa Helena.

Jag ordnade till mitt hår och skrattade.

Min älskade stod bredvid mig medan gästerna anlände. Han presenterade mig för alla sina vänner med stolthet i rösten.

Jag visste inte att den arabisktalande kolonin i vår stad var så stor, och att alla kände varandra så väl. De hette Ali och Samir och Abdullah och Ahmed och Muhammed i en salig röra. Några av männen hade svenska fruar eller flickvänner, andra arabiska. De muslimska kvinnorna var märkligt men mycket vackert klädda. De hade stora schalar, massor av guldsmycken – och pumps. Alla pussade varandra på kinden, män och kvinnor, pratade högt på arabiska med stora gester. Det var spännande och exotiskt att se dem trängas i mitt lilla vardagsrum.

– Varsågoda och slå er ner vid borden! ropade jag ut över folksamlingen.

Sedan hjälptes jag, Helena och en kvinna som hette Kristina åt att servera.

– Det var verkligen otroligt gott, sa min älskade och kysste mig sedan vi serverat kaffet.

Jag log mot honom.

– Vad roligt att du tyckte om det!

Efter middagen spelade männen arabisk musik. Alla skrattade och skojade, några par började dansa. Flera av kvinnorna hjälpte oss att diska så att jag och Helena också skulle kunna hinna umgås lite med gästerna. Jag var faktiskt riktigt slut när jag äntligen fick sjunka ner i en fåtölj. Då kände jag min älskades mun mot mitt öra.

– Kom nu ska vi dansa!

Och som genom ett under fick jag nya krafter, dansade och skrattade ända till den bleka, svenska vintermorgonen började gry.

Den lyckade middagen hemma hos mig blev inbjudningskortet till en rad liknande fester inom den arabiska kolonin i staden. Ofta gick vi på stora tillställningar med massor av folk. Det som skilde dessa middagar från dem jag brukade ha med mina svenska vänner var avsaknaden av alkohol, griskött och manlig hjälp i köket. Det enda jag verkligen saknade av dessa tre var grisköttet. Jag älskar fläskfilé, julskinka och kotletter. Men i sammanhanget var detta försumbart. För jag var oerhört förälskad i mannen med de brinnande ögonen. Han höll om mig, kysste mig, visade för hela världen att jag var det bästa som fanns. Visserligen var han envis, hade han bestämt sig för någonting så fanns ingenting som kunde ändra på detta. Jag skrattade ofta åt hans hårdnackade, kompromisslösa hållning över småsaker. Tokstolle där! brukade jag säga och ruska om hans hår.

I början av mars skulle jag åka bort över helgen, upp till huset i Dalarna för att hälsa på familjen G och deras nya baby. Jag hade inte träffat dem sedan pojken föddes. Nu var jag emellertid tvungen att åka dit. De senaste veckorna hade jag fått flera mycket alarmerande rapporter från Berit. Både mannen, kvinnan och flickan höll på att gå under därnere i det fönsterlösa rummet. Ingen av dem skilde på dag och natt längre. Babyns skrik gjorde inte saken bättre. Situationen hade blivit helt ohållbar.

Nu hade Sonja, kvinnan som mött oss vid bensinmacken den natten jag körde upp familjen G till Dalarna, hittat ett annat gömställe åt familjen. Det nya stället var mycket bättre, berättade Berit. Hon ville inte säga mer, varken till mig eller till familjen, innan vi kom dit.

Han var mycket sur över att jag skulle åka iväg.

– Vem ska du träffa? frågade han misstänksamt.

– Några flyktingar som jag har hjälpt, svarade jag sanningsenligt. De har blivit mina vänner.

– Manliga vänner? frågade han hotfullt.

Jag skrattade. Så svartsjuk han var! Vad han måtte älska mig!

– Ja, om du nu verkligen vill veta det, sa jag. Två av vännerna är faktiskt manliga. En är en familjefar på 35 år, den andra är hans son – en baby på två månader. De andra vännerna är hans fru och dotter.

– Jag vill inte att du åker, sa han surt.

– Jag måste, sa jag. Jag är hemma sent på söndag kväll. Stanna i lägenheten över helgen, om du vill. Och kom ihåg att jag älskar dig.

Jag kysste honom på näsan. Han kysste mig inte tillbaka.

Det nya gömstället var rena himmelriket jämfört med rummet i källaren. Det låg på övervåningen i en stor herrgårdsbyggnad utanför ett litet samhälle, ungefär en timmes bilresa från huset i Dalarna. Husets ägare, ett gråhårigt par i sextiårsåldern, stod på den utsirade förstukvisten och tog emot oss när vi körde upp på gårdsplanen. Runt omkring den pampiga uppfarten låg en rad andra hus och uthus. Där fanns en liten rödmålad bagarstuga med fönsterluckor och spröjsade fönster och två långa, faluröda längor, stall, vagnslider och höskulle. Längst bort, vid början av uppfarten, låg en liten grindstuga.

Familjen G klev tveksamt ut ur bilen. Mannen höll flickan i handen, kvinnan hade babyn i famnen.

– Välkomna, välkomna, har resan gått bra? Så roligt att se er! Jag heter Oscar, och det här är min hustru Dagny.

Fraser utbyttes, vi skakade hand, Sonja fick en stor kram. Tydligen kände hon dessa människor väl.

Familjen G tittade sig skyggt omkring och gjorde sig redo att skynda in i huset.

– Det är ingen fara, sa Oscar lugnande när han såg deras blickar. Här finns ingen som ser er. Det är över en kilometer in till byn. Och även om någon från byn skulle gå förbi, så är det ingen som skulle undra. Här bor så mycket konstigt folk jämt! Han skrattade skrockande.

Jag översatte, och familjen G tittade tvivlande på den gråhårige farbrorn. Kunde de vistas utomhus?!

– Ni behöver kanske inte åka in till byn och handla, sa Dagny. Men ni kan gå omkring härute bland husen hur mycket som helst. Till sommaren ska vi gå ut och plocka bär och svamp i skogen. Om ni vill följa med mig, så ska jag visa er er våning.

Jag och Sonja lyfte ut familjen G:s torftiga ägodelar ur bilens bagageutrymme och följde efter värdparet. Dagny fick bära azalean.

– Här är det, sa Oscar.

Han öppnade dörren och lät familjen G gå först.

– Det... det är alldeles fantastiskt, sa mannen.

Han steg åt sidan och släppte in mig. Familjen G hade verkligen kommit till himlen. Jag klev in i en stor, vacker trerummare med eget kök och badrum. De höga fönstren lät rummen bada i sol och ljus. Möblerna var moderna, komfortabla och antika i en smakfull blandning.

– Ja, sa jag. Det är verkligen alldeles fantastiskt.

Jag vände mig mot kvinnan. Hon skakade av gråt. Men herr G, han bara log. Han skulle inte behöva överdosera sin medicin mer.

Våren kom. Mitt nya förhållande blev alltmer etablerat. Han träffade mina systrar, mina föräldrar, alla mina vänner. Den första, vanvettiga förälskelsen höll fortfarande i sig.

Vi tillbringade nästan all tid hemma hos mig. Han fick fortfarande inte jobba, eftersom hans asyl lät vänta på sig.

– Jag förstår inte varför det dröjer så här, sa han.

Jag fick väldigt lite tid över för mina egna vänner. Sisse träffade jag så ofta jag kunde. Vi gick och fikade, om vi hann, eller så pratade vi bara i telefon. Hon och Henrik flyttade till ett hus den här våren, en äldre trävilla utanför stan. På den vildvuxna tomten fanns äppelträd, gungor och en lekstuga.

– När kommer barnen? retades jag.

Jag kunde inte ta semester i juli det här året heller, så sommaren fick vi tillbringa i min hemstad. Vi solade, badade och gick och fikade på alla uteserveringar.

En varm lördag i mitten av juli skulle vi ut och bada tillsammans med min syster och hennes kille. Jag stod och packade picknickkorgen när han kom ut i köket, kramade om mig bakifrån och kysste mig i nacken.

– Älskling, sa han och blåste mig i örat. Det är en sak jag vill be dig om.

– Jaha, sa jag distraherad. Kan du ge mig påsen med äpplen, är du snäll?

Han räckte mig påsen.

– Jag vill inte att du visar dig på stranden i baddräkt idag.

Jag stannade mitt i en rörelse, med äppelpåsen i ena handen och potatissalladen i den andra.

– Varför inte det?! sa jag förvånat. Jag har ju precis köpt en ny. Du var ju med mig!

Han höll båda armarna om min midja, log, ögonen blixtrade.

– Jag älskar dig verkligen, Mia, sa han. Men den där baddräkten är inte direkt... smickrande för din figur.

Jag blev alldeles paff.

– Du tyckte ju själv att jag var jättesnygg i den. Varför säger du så här nu då?

Han släppte mig, ögonen fick en hård yta.

– Tänk att du inte kan göra mig till viljes en enda gång.

Jag slog ut med händerna, fattade ingenting.

– Menar du att jag inte ska få ha baddräkt när jag badar? Vad ska jag ha då? Flytväst?

Han vände ryggen mot mig, gick ut ur köket.

– Det går inte diskutera med dig, sa han.

– Hallå där! sa jag, och nu började jag bli arg. Vad är det här för trams?

Han flög runt. Ögonen brann som eldar.

– Jag tycker inte om när du vältrar dig på stranden i bara mässingen så att alla andra män kan se dig. Det är inte passande!

Jag kastade huvudet bakåt och gapskrattade. Jaså, var det inget annat!

– Men snälla vän! sa jag och gick fram och lade armarna om hans hals. Du vet att du inte har någon anledning att vara svartsjuk. Jag älskar bara dig!

Han stötte bort mig.

– Du älskar mig inte! sa han upprört. Inte om du inte kan ge upp en sådan struntsak som en baddräkt för min skull.

Jag lät armarna falla.

– Du menar faktiskt allvar? sa jag och kunde fortfarande inte riktigt tro att det var sant.

Han stirrade kallt.

– Dessutom är den där trasan fruktansvärt missklädsam, sa han hånfullt. Jag förstår inte hur du kunde köpa den, du med dina lår.

Nej, nu gick det för långt.

– Och vad är det för fel på mina lår nu då? skrek jag. Hur kan du säga så här? Du tyckte ju baddräkten var jättefin?

Han tog ett hotfullt steg mot mig, skummande av raseri. Det såg ut som om han tänkte säga något riktigt elakt. Men så ändrade han sig tydligen, för plötsligt vände han på klacken och gick ut.

– Vart ska du? ropade jag och sprang efter honom. Snälla, vart ska du gå?

Han slet upp ytterdörren, vände sig om och stirrade på mig, iskallt.

– Jag ska gå någonstans där man uppskattar mig bättre, sa han och smällde igen dörren.

Jag var alldeles perplex. Vad i allsindar var det som hade hänt? En lång stund stod jag och stirrade in i den stängda ytterdörren. Allting inombords kändes upp och ner. Jag sprang in i sovrummet och började storgråta. Där låg jag en stund och tyckte synd om mig själv. Sedan satte jag mig upp, torkade tårarna på påslakanet och tänkte efter. Han var alltså svartsjuk för att jag hade baddräkt på stranden. I hans kultur var det förstås inte så vanligt att kvinnor solbadade, men han hade ju själv tagit avstånd från den fördömande attityden hos de fundamentalistiska muslimerna? Det här måste vara något annat, en önskan att bara han skulle få vara nära min nakna hud. Jag snyftade lite. Det var ju faktiskt inte så farligt. Det tog sig visserligen ett konstigt uttryck, fast egentligen var det nästan lite gulligt.

Jag reste mig upp, gick till garderoben och tog fram min nya, aprikosfärgade baddräkt. Jag tittade eftertänksamt på den. Färgen kanske inte var så fin, trots allt? Jag drog av mig kläderna, tog på mig baddräkten och ställde mig framför hallspegeln. Det var väl inget fel på den här? Eller såg mina lår konstiga ut? Jag vände och vred på mig, försökte se efter om benen såg underliga ut bakifrån. Då ringde telefonen.

– Var håller ni hus?! Vi har väntat i tre kvart!

Det var min syster. Jag svalde.

– Har det hänt nåt? sa hon oroligt.

– Va? Nejdå, vi har bara grälat lite, sa jag.

– Nå, kommer ni snart eller ska vi åka ensamma? Solen hinner ju försvinna!

Jag drog ett djupt andetag.

– Jag kommer själv, sa jag. Jag är där på fem minuter.

Jag kastade på mig en sommarklänning över baddräkten, tog med mig den färdigpackade picknickkorgen och gick ut till min lila Crescent.

Det var en underbar sommardag. Massor av människor gick omkring och åt glass, satt på parkbänkar och lapade sol eller drack kaffe på uteserveringarna. Jag trampade förbi alla sommarrusiga turister utan att egentligen se dem. Min syster och hennes kille var lite sura när jag kom.

– Varför kommer inte din karl? sa syrran.

– Han rusade ut, sa jag. Han blev jättearg för att jag skulle ha baddräkt på stranden.

Min syster såg skeptisk ut.

– Driver du med mig? sa hon.

Jag ryckte på axlarna.

Resten av sommaren bjöd på varmt och soligt väder, men av någon anledning åkte vi inte och badade mer. I stället gjorde vi saker som han tyckte om – vi gick på fotboll, träffade Helena och Muhammed och hade middag för hans vänner.

Faktiskt, när jag tänker efter, så använde jag aldrig mer den aprikosfärgade baddräkten.

Familjen G stortrivdes i den vackra herrgården. Nu behövde jag inte längre få andrahandsrapporter om deras välbefinnande – jag kunde ringa dem direkt.

Kvinnan hade börjat driva upp plantor på fönsterbänkarna i våningen. Under våren hade hon och Oscar förfärdigat ett något provisoriskt men fungerande växthus. Där odlade hon sedan allt från tomater till aprikoser, persikor och paprika.

Flickan mådde bättre. Hon fick undervisning i svenska och matematik av Dagny varje dag. Hon hade ju redan missat ett år i skolan och hade mycket att ta igen. Babyn växte precis som han skulle. Han fick sina vaccinationer av en sköterska från en barnavårdscentral några mil bort.

Ibland fick familjen lämna gården helt och hållet. De gjorde utflykter i grannskapet tillsammans med Oscar och Dagny. De brukade också åka och besöka Sonja. Mannen fortsatte med sin medicinering, men tog inga fler överdoser.

Jag önskade att jag kunde åka och hälsa på dem, men min mörkögde man ville inte det.

Jag hade semester i augusti. Vi hade talat om att resa iväg någonstans någon vecka då, kanske till Öland eller Gotland. En morgon vid frukostbordet drog jag upp frågan om vår semestertripp.

– Vart skulle du vilja åka? sa jag och vecklade upp den lokala morgontidningen.

Han gäspade och sträckte sig efter en tekaka till.

– Jag ska inte åka någonstans, sa han. Jag har skaffat en lägenhet. Jag flyttar in på måndag.

Jag trodde inte mina öron.

– Vad är det du säger?

Sedan insåg jag det underbara.

– Du har fått uppehållstillstånd! Din asyl är klar!

Jag rusade upp och kramade om honom. Han lösgjorde sig bryskt från mina armar.

– Nej, sa han. Asylen är inte klar. Jag har ordnat lägenheten via mina kompisar.

Jag satte mig ner igen, förstod inte riktigt vad som hände.

– Men... sa jag. Du bor ju här. Vi ska ju skaffa en lägenhet tillsammans. Det har du ju sagt.

– Jag behöver något eget, sa han kort.

Jag stirrade tyst på honom en stund.

– Vår semester då? sa jag.

– Jag har inte råd, sa han. Jag behöver pengarna till hyran.

På det svarade jag inte. Det var ju ändå jag som betalade allting, inklusive vår semester. Under demonstrativ tystnad vecklade jag upp lokaltidningen igen.

Efter en stund bröt han tystnaden.

– Vad läser du? sa han vänligt.

Jag beslöt mig för att gå honom till mötes och sluta fred.

– En artikel om en häst som rymt från ridskolan. Titta här, sa jag och höll fram tidningen mot honom.

– De fick stänga av trafiken i en halvtimme innan de fick tillbaka den till stallet, sa jag och försökte låta glad.

– Vilket jävla trams, sa han.

Jag tittade upp på honom.

– Menar du att du sitter och läser sån skit? Är det sånt ni fyller er tid och era tidningar med i det här landet? Artiklar om förrymda kreatur?

Han fnös föraktfullt.

Nu blev jag arg.

– Vad är det som är så tramsigt med det? Du frågade vad jag läste och jag svarade!

Han såg på mig och log lite.

– Lilla Mia, sa han sedan. Dina vyer är verkligen inte särskilt vida. Läs en bok för omväxlings skull.

Jag kände mig alldeles snurrig.

– Jag läser ju alltid böcker, sa jag. Men det hindrar väl inte att jag läser lokaltidningen?

Han ställde sig häftigt upp, slet till sig tidningen och skrek:

– Du fattar ju för helvete ingenting! Alltid ska du göra dig så jävla märkvärdig!

Han rusade ut ur köket, drog på sig ett par jeans, skor och skinnjacka och sprang ut. Dörren åkte igen med en smäll.

Jag satt kvar, fortfarande med lokaltidningen uppslagen framför mig. Den stegrande hästen flinade föraktfullt mot mig. Jag slängde tidningen bort mot diskbänken, slog händerna för ansiktet och grät lite.

– Varför gör du så här? sa jag högt till honom någonstans där ute. Varför förstör du allting på det här viset?

Han var borta hela dagen, hörde inte av sig.

På kvällen cyklade jag hem till mina föräldrar och åt en underbar middag. Min syster och hennes pojkvän var också där. Efteråt satt vi och pratade och skrattade i soffgruppen i vardagsrummet tills klockan var över elva. Det var länge sedan sist, vi hade mycket att ta igen.

Han stod i hallen när jag kom hem, svart i ansiktet av oro och ilska.

– Var har du varit? sa han uppfordrande.

Jag tittade honom rakt i ögonen.

– Jag har ätit middag hos mina föräldrar, sa jag. Du var också bjuden. Om du hade hört av dig under dagen så hade du också kunnat komma med.

Han vände på klacken och gick in och satte sig i vardagsrummet. Jag gick efter och slog mig ner bredvid honom. Han hade slagit på tv:n och stirrade oseende på ett nattcaféprogram från Göteborg.

– Vi måste prata med varandra, sa jag. Vi får inte låta sådana här gräl om småsaker förgifta vårt förhållande.

Motvilligt slet han blicken från tv-rutan och tittade oförstående på mig.

– Vilka gräl? Vilken förgiftning? Det är väl inte så konstigt om jag blir orolig när du bara försvinner bort en hel kväll? Bara du ber om ursäkt är ju hela saken ur världen!

Jag svalde. Skulle jag be om ursäkt när det var han som sprungit ut? Skulle jag be om förlåtelse för att jag besökte mina föräldrar? Jag satt tyst. Han stirrade på tv:n. Hur länge skulle det här hålla på? Plötsligt kände jag bara att jag inte orkade bråka längre. Jag hade ingen fånig prestige att upprätthålla, detta var inget slag jag absolut måste vinna.

– Förlåt mig, älskling, sa jag.

Han vände de brinnande ögonen mot mig och log. Sträckte armarna mot mig och drog mig varligt intill sig. Jag lade armarna om hans hals, han kysste mig på håret, på örsnibben, på munnen.

– Låt det inte upprepas, bara, sa han.

Jag stirrade in i tapeten medan han kysste mig i nacken. Det var ingen idé att svara.

Måndagen efteråt fick han nycklarna till sin nya, egna lägenhet. Den var en liten etta på andra sidan stan, alldeles i utkanten av flyktingförläggningen.

– Vi kan hjälpas åt att ställa i ordning, om du vill, sa jag.

– Det behövs inte, sa han.

– Jag kan sy gardiner, sa jag.

– Det behövs inte! sa han.

Sedan frågade jag inte mer. Faktum är att jag bara var inne i hans lägenhet ett fåtal gånger. Den mesta tiden fortsatte vi att tillbringa hemma hos mig.

Min semester verkade ta slut innan den ens hade börjat. Någon resa kom vi aldrig iväg på. I stället tillbringade vi alltmer tid tillsammans med hans vänner. Numer talade de bara arabiska med varandra. Jag förstod givetvis inte ett dugg. Som tur var var Helena nästan alltid med, och hon och jag brukade sitta och prata ute i köket medan killarna diskuterade i vardagsrummet.

Hösten kom snabbt. Det var som om kylan, rusket och mörkret lade sordin på våra smågräl från i somras. Vi gick långa promenader, kurade framför tv:n, umgicks med hans vänner. Jag kände mig oerhört älskad. Och nästa gång min prenumeration på lokaltidningen gick ut så förnyade jag den inte.

Så en dag i mitten på oktober var han borta. Jag ringde Muhammed och Helena. De hade inte sett till honon. Jag ringde hans lägenhet, flyktingförläggningen, hans andra kompisar. Utan resultat. Jag lagade middag för mig själv på kvällen. Han kom inte.

När han varit borta tre dygn ringde jag till mamma och grät.

– Varför hör han inte av sig? Tänk om det har hänt honom någonting?

Jag ringde alla sjukhus på tjugo mils omkrets. Ingen som passade in på hans beskrivning hade lagts in där de senaste dygnen. Jag slutade sova, kunde knappt jobba.

Hade han blivit utvisad? Kidnappad? Mördad?

När jag kom hem på femte dagen satt han i vardagsrumssoffan

och tittade på tv.

– Hej älskling! ropade han glatt.

Jag snyftade till och rusade fram till honom, kastade mig runt hans hals och kramade honom.

– Var har du varit? Åh, varför har du inte ringt?

Han kramade mig tillbaka, vaggade mig sakta.

– Har du varit orolig? sa han, och han lät nästan nöjd.

– Vad tror du? sa jag och torkade tårarna. Var har du hållit hus?

Han lösgjorde sig från mina armar.

– I Motala, sa han.

– Motala! sa jag häpet. Jag visste knappt var det låg. Vad i allsindar har du gjort där?

– Hälsat på kompisar, sa han. Det finns en flyktingförläggning där.

Han reste sig ur soffan och gick in i köket. Jag hörde hur han öppnade kylskåpsdörren.

– Du, sa han. Vad får vi till middag? Det är alldeles tomt i kylen!

Jag reste mig och följde efter honom.

– Fattar du hur rädd och ängslig jag har varit? sa jag upprört. Vad skulle du ha gjort om jag hade försvunnit?

Han såg likgiltigt på mig.

– Nu är jag ju här igen, sa han. Vill du inte det?

Han stängde kylskåpsdörren, vände ryggen mot mig och gick mot hallen och ytterdörren.

– Nej! ropade jag spontant. Gå inte!

Jag ville verkligen inte att han skulle gå. Jag ville att han skulle kyssa mig, krama mig, förklara för mig varför han varit försvunnen, berätta vad som hänt, be mig om förlåtelse, försäkra att alltsammans varit ett fruktansvärt missförstånd, någonting som aldrig någonsin skulle hända igen.

Han stannade, vände sig om och sa:

– Okey, jag stannar. Men då får du sluta skrika åt mig. Har du tänkt laga någon middag, eller...?

Jag såg in i hans ögon, kämpade med mig själv.

– Det är inte jag som gjort något fel! sa jag sedan lågt och med eftertryck. Det är du som betett dig som en idiot, och det är du som ska be om ursäkt. Inte jag!

Branden i hans ögon tog fart. Han ryckte på axlarna.

– Som du vill, sa han och tog på sig sin skinnjacka och gick ut.

Jag vände mig om, ögonen fylldes med tårar. Skulle det sluta så här? Skulle han gå ut ur mitt liv nu, försvinna, inte bara i fem dagar – utan för alltid?

Förvirrad rusade jag upp, kastade upp ytterdörren, flög nedför trapporna i strumplästen och hann upp honom ute på gatan.

– Snälla, flämtade jag och tog tag i hans arm. Gå inte igen. Snälla, stanna kvar.

Han vände sig mot mig och log.

– Kom, sa han, lade armarna runt mina axlar och kysste mig i pannan. Vi hämtar dina ytterkläder, och så går vi ut och äter. Jag har lite pengar, ser du.

Jag kände värmen från hans starka kropp genom skinnjackan. Den spred sig till mina axlar, armar och hela vägen in till mitt hjärta. Jag var hans kvinna.

Han talade mer och mer om sin kultur och religion. Det lät spännande och intressant. Jag lyssnade ivrigt, hans berättelser födde en längtan efter att veta mer. Bland annat lånade jag en bok på biblioteket som handlade om islams syn på räntor och bankväsende – en intressant fråga för mig som yrkesmänniska. Enligt Koranen är ränta förbjudet. Detta har vållat vissa problem för de islamitiska bankerna.

Det lackade mot jul och jag tog upp frågan om högtiden med honom i god tid. Jag var orolig för hur han skulle reagera. Hur skulle jag föra fram alltsammans så att han inte blev arg? Islam har ju inget direkt julfirande, men å andra sidan är Jesus en av profeterna. Även om muslimerna inte tror att Jesus dog på korset och återuppstod på den tredje dagen så måste de ju tillstå att han fötts, eftersom de tror att han levt.

Jag hade nästan ont i magen innan jag äntligen tog sats och fick fram frågan.

– Fira hur du vill, sa han och kramade mig. Jag har en annan sak som jag skulle vilja uppmärksamma.

Han såg mig allvarligt i ögonen.

– På nyårsafton är det ett år sedan vi träffades, sa han. Jag skulle vilja att vi förlovade oss då.

Jag blev alldeles stum, såg in i hans svarta ögon. Han tog upp min vänstra hand, kände på mitt ringfinger.

– En symbol för vår kärlek med ringar i guld, sa han. Vill du inte det?

– Ja, javisst, väldigt mycket, sa jag.

Han kysste mig. Till min egen fasa kände jag en dov ton slå an inombords – en malande oro som jag inte kunde förklara. Varför kände jag ett tvivel? Varför var detta inte den lyckligaste dagen i mitt liv?

– Jag tänker inte acceptera att ni negligerar honom på det här viset! skrek jag åt min mamma i telefonen. Ni räknar inte med att han finns! Han är min sambo, mamma!

Vår julhelg tillsammans hade varit fullständigt misslyckad. Han hade vägrat att äta jullunch med mina föräldrar, i stället kom han lagom till julklappsutdelningen. Ingen i min familj hade köpt någon present till honom.

Mamma försvarade sig fåordigt och trumpet.

– Vi visste ju inte om han skulle komma. Det passar ju inte honom att umgås med oss.

– Vadå passar? Han har aldrig firat jul! Det är väl inte så konstigt att han inte vet precis hur man gör. Vet du hur man beter sig under Miraj?

– Vet du vad, Mia? sa mamma bestämt. Du är arg över att vi inte öser presenter och pengar över honom på det sätt som du gör. Du är vuxen nu, och du är i din fulla rätt att göra vad du vill med vem du vill, spendera ditt liv och dina känslor på vem du behagar. Men du kan inte kräva av oss att vi ska älska honom som en svärson. Jag har träffat honom tre gånger.

– Så du har bara träffat honom ett par gånger – är det skäl nog att inte låtsas om honom? Att inte ge honom åtminstone en symbolisk present på julafton?

– Mia, har du tänkt på en sak? sa min mor. Hur många julklappar hade han köpt till oss? Till mig? Till pappa, till dina systrar, till din gamla sjuka mormor? Hur mycket bryr han sig om oss? Jag har velat lära känna honom, Mia. Jag har ansträngt mig för att träffa honom. Det har inte han gjort. Det är inte mig du ska skälla på. Ta ut din besvikelse på rätt person.

Jag slängde på luren. Hon fattade ju ingenting. Nåja. På nyårsafton skulle hon minsann få se.

Jag satte snabbt på mig ytterkläderna innan jag sprang iväg till banken. Precis innan jag drog på mig handskarna sneglade jag på mitt vänstra ringfinger. Det skulle bli fint att vara förlovad.

Nyårsaftonen kom, gnistrande snövit och klar. På kvällen skulle vi på fest i samma lokal och med samma arrangör som året innan. Vi satte på oss ringarna direkt på morgonen, kysstes en massa och låg i sängen till långt in på eftermiddagen.

– Älskling, sa han när jag kom ut ur duschen. Du har väl inte tänkt ha den där blå klänningen i år igen?

Jag gick på festen i långärmad blus och byxor. Han hade samma kostym som förra året.

Den första jag träffade var Helena, precis som året innan. Kanske var det just det sammanträffandet som gjorde att jag plötsligt slogs av hur mycket hon hade förändrats. Hon lyste fortfarande upp när hon fick syn på mig, men några kramar var det inte tal om.

– Min kära vän, sa hon, tog båda mina händer i sina och kysste mig på kinderna. Hon var klädd i en stickad tröja, hade en fotsid svart kjol och pumps. Håret var tillbakabundet i nacken, ansiktet rent från smink. Jag mindes den vanvettigt röda blåsan med den hisnande urringningen från året innan.

– Vad kul att se dig, sa jag. Hur är festen i år?

Hon såg sig förvånat omkring, som om hon inte kommit ihåg att titta efter ännu.

– Åh, sa hon. Jättetrevlig, tror jag. Nu måste jag hitta Muhammed. Ursäktar du?

Hon gled vidare i mängden.

Arrangemanget var sig märkligt likt, åtminstone till det yttre. Men när jag började granska deltagarna såg jag ändå en förändring. Största delen av orkestern var utbytt. Det kunde bara bero på en sak – de människor som ingick i orkestern i fjol hade antingen fått asyl och flyttat från vår stad, eller så hade de utvisats. Över huvud taget kände jag igen mycket färre människor det här året än året innan.

– Står du och spanar på karlar? sa han och lade händerna runt min midja.

Jag låtsades slå honom i huvudet.

– Kom, sa han. Vi måste berätta att vi förlovat oss.

Uppståndelsen blev stor, varm och ljudlig när han annonserade vår förlovning bland sina vänner. Alla män klappade honom på ryggen, alla kvinnor kysste mina kinder.

Vid tolvslaget hurrade alla och gratulerade mig och min fästman ytterligare en gång.

– Det är något som vi också skulle vilja tala om, ropade Muhammed i den allmänna festyran.

Sorlet avstannade lite och alla tittade på Muhammed och Helena.

– Vi ska ha barn, kungjorde han högtidligt. Helena ska föda mig en son.

Nu stegrades jublet. Alla måste kyssa Helena, krama henne, lyckönska Muhammed och hans kvinna.

– Vad roligt, grattis! sa jag varmt till min väninna och kramade om henne. Hur mår du?

Hon grimaserade lite.

– Jag mår rätt illa, tillstod hon. Det enda som hjälper är att äta hela tiden. Jag har redan gått upp fyra kilo.

– I vilken månad är du? frågade jag.

– Andra bara, vecka nio, sa hon. Jag ville vänta med att berätta det för hans vänner. Tänk om jag får missfall! Alla skulle bli så vansinnigt besvikna på mig.

Jag stirrade på henne.

– Jamen herregud! utbrast jag. Det är väl inte ditt fel om du skulle få missfall! Hur kan du tänka så?

– Vems fel skulle det annars vara? sa hon.

Festkommitténs ordförande avbröt vårt meningsutbyte. Det var dags att skjuta upp de obligatoriska raketerna. Efter fyrverkeriet gick vi hem. Vi fick promenera, precis som förra året. Skillnaden var att han var klädd för promenaden den här gången.

Jag ringde min syster. Hon tog emot beskedet om förlovningen med måttlig entusiasm.

– Så kul då, om det är det du vill, sa hon bara.

– Är du fortfarande sur för att jag klådde dig i Nya Finans? sa jag skämtsamt.

– Tror du verkligen det, Mia? sa hon allvarligt.

Jag avslutade snabbt samtalet och ringde till min mamma. Hon blev alldeles tyst i luren när jag berättat nyheten.

– Mia, sa hon bara. Vet du vad du gör?

Jag blev ögonblickligen alldeles rasande.

– Vad menar du med det?

– Jag tycker ni går för fort fram, sa hon. Jag tycker ni ska vänta. Se hur förhållandet utvecklar sig.

– Vi har ett fantastiskt förhållande, skrek jag. Vi älskar varandra!

– Varför har ni då så bråttom? insisterade mamma.

– Hur vågar du kritisera mig och min fästman? sa jag. Det är bara för att han är muslim. Erkänn!

– Det har onekligen en del med saken att göra, sa mamma. Ni kommer från två olika kulturer, och sådana förhållanden är alltid skörare än andra. Därför kanske ni borde vänta lite extra...

– Var har du läst det? sa jag hånfullt. I Allas veckotidning?

Hon suckade – det lät nästan som en snyftning.

– Mia, jag vill bara ditt bästa! sa hon tyst.

– Jag är faktiskt jäkligt besviken på dig, mamma! sa jag. Jag trodde du hade en vidare syn på människor än vad du visat nu. Jag trodde faktiskt inte att du var rasist!

Nu blev hon arg.

– Nej vet du vad! sa hon. Det här har ingenting med rasism att göra! Din man får ha precis vilken hudfärg han vill, tillhöra vilken religion som helst, han får vara grön, ha tre ben och spröt på huvudet – bara han är snäll mot min flicka!

Hon började gråta högt.

– Mia, han är ju inte snäll mot dig!

– Jag trodde du var tolerantare än så här, sa jag och slängde på luren.

Mina händer skakade lite efteråt. När jag såg upp mötte min blick hans.

– Vad var det där om? sa han nyfiket, granskade mitt upprörda ansikte.

Jag drog ett djupt andetag.

– Det var min mamma. Jag har varit lite osams med henne på sistone.

– Inte så konstigt, sa han och lade armen om mina axlar. Jag tycker hon verkar vara en riktig hagga.

Jag nickade bara, men tänkte i mitt stilla sinne: Hur kan du veta det? Du har ju knappt pratat med henne.

7

Mitt under en långfilm på trettondagsafton gick min tv sönder. Vi satt tillsammans och tittade när alla färger plötsligt blev omvända, som på ett färgkortsnegativ.

– Nej! stönade jag. Inte det också! Det här var precis vad jag inte behövde efter alla utgifter i jul, en dyr tv-reparation.

– Bry dig inte om det, sa han. Du kan få köpa en tv av mig.

Jag tittade förvånat på honom.

– Jag fick köpa en billigt efter ett par som blev utvisade, sa han. Du kan få ta den för en tusenlapp.

– Suveränt! sa jag.

Vi hämtade tv:n dagen därpå. Den var verkligen jättefin. En stor 28 tums Philips med fjärrkontroll, text-tv och stereo.

– Tack, älskling! sa jag och kysste honom.

I slutet av januari drabbades jag av en häftig maginfluensa. Mitt i natten fick jag rusa upp och kräkas, och sedan fick jag varken behålla mat eller vatten. Det höll på i tre dagar. Jag blev alldeles slut. Jag ringde vårdcentralen och frågade vad jag skulle göra, hur länge viruset brukade hålla i sig.

– Vi har ingen epidemi av maginfluensa just nu, sa doktorn.

Men en virussjukdom med kräkningar och diarré ska hur som helst vara över inom ett par dygn. Blir du inte bra tills i morgon måste du komma hit.

– Vi förstår inte vad det är för fel på dig, sa läkaren sedan han undersökt mig på alla tänkbara vis. Kan du vara gravid?

– Med barn? Nej, inte en chans, jag har spiral, sa jag.

– Jag tror vi ska ta ett graviditetstest i alla fall, sa läkaren. Du får gå ner på labbet och lämna ett urinprov, så får du svaret på mödravården efter klockan fyra. Ska vi säga så?

– Ja, visst, sa jag, fast jag visste att det var bortkastad tid.

– Det är mycket ovanligt att man blir så här sjuk av att vara gravid, sa barnmorskan lugnt och höll mig i handen. Du kan inte fortsätta på det här viset. Om du vill fortsätta graviditeten måste du läggas in på sjukhus med näringsdropp på en gång.

Allting snurrade. Jag vet inte vad som gjorde mig mest vimmelkantig – vätskebristen eller beskedet att jag väntade barn.

– Men... protesterade jag. Jag har ju spiral.

– Det är ganska ovanligt, det är sant, sa barnmorskan. Men två till tre procent av kvinnorna som använder spiral blir gravida varje år. Så är det. Jag tycker att du ska läggas in med dropp tills du beslutar hur du ska göra med det här barnet, om du vill genomföra graviditeten eller göra abort.

– Jag måste tala med min fästman, mumlade jag.

Han reagerade knappt när jag berättade för honom att han skulle bli pappa.

– Vad bra att det blir samtidigt som Muhammed och Helena får sin son, sa han bara.

– Är du inte glad då? undrade jag.

– Visst, sa han likgiltigt.

Vi diskuterade aldrig abort. Jag kände från första stund att jag verkligen ville ha barnet, trots att det inte var planerat.

– Du kanske kommer att må så här illa under hela graviditeten, hade barnmorskan varnat.

– Det gör inget, svarade jag bestämt. Det spelar ingen roll hur sjuk jag blir. Den här babyn ska vi ha.

Dagen därpå lades jag in på lasarettet i vår stad. Jag fick ett eget rum med tv och telefon, ordinerades konstant näringsdropp och önskekost.

Min mamma och pappa var de första som besökte mig.

– Älskade vän, sa mamma när hon kom in i rummet. Hon gick direkt fram och kramade om mig.

Mina ögon fylldes av tårar. Vi hade inte talats vid sedan nyårsdagen. Jag skämdes när jag tänkte på vårt samtal – jag hade verkligen varit gräslig mot henne.

– Tack för att ni kom, viskade jag.

– Vad är det som har hänt? sa pappa oroligt.

– Jag är med barn, sa jag bara.

– Men, sa mamma. Varför ligger du här för det? Är det något fel på babyn?

– Nej nej, sa jag lugnande. Jag mår så illa, bara. Jag får näringsdropp och önskekost, rena semestern!

– Så roligt att du ska ha barn! sa pappa. Grattis, Mia.

Jag blinkade bort tårarna och log.

– Nu blir du morfar.

Båda mina föräldrar kramade mig igen och gratulerade mig.

– Det är ditt liv, Mia, sa mamma. Jag kanske inte samtycker med alla dina beslut. Men en sak ska du veta, särskilt nu när du också ska bli mamma: jag och pappa kommer alltid att ställa upp för dig, vad än det må gälla. Vad du än behöver hjälp med så kan du alltid komma till oss. Tveka aldrig att be oss om stöd eller tröst. Du behöver inte upprätthålla någon fasad eller låtsas inför oss. Blir det för svårt, så ställer vi upp.

– Tack, viskade jag. Jag älskar er.

Och som de fick ställa upp. De besökte mig praktiskt taget varenda dag på sjukhuset, antingen mamma, pappa eller båda två. De hade med sig mat som jag kunde tänkas peta i mig, godis, choklad, böcker, tidningar, en videobandspelare och packar med hyrfilmer. Min syster kom förbi minst två gånger i veckan. Hon bidrog med en freestyle, musikkassetter och stans skvaller. Helena kom nästan varje vecka. Sisse och Henrik kom upp och hälsade på ibland. Sisse väntade också barn.

– Tala om baby-boom! sa syrran. Det är bara jag som inte är på smällen.

Min fästman ville däremot inte komma och besöka mig.

– Jag hatar sjukhus, sa han. De ger mig klaustrofobi. Du vill väl inte utsätta mig för det?

Nej, det ville jag givetvis inte. Vi talade med varandra i telefon ibland i stället. Trots att jag låg i samma rum och hade samma telefonnummer under hela min graviditet lärde han sig aldrig numret.

Dagarna på sjukhuset flöt snart ihop i rutinens töcken. Jag fick näringsdropp dygnet runt via en nål i handen. Varje eftermiddag fick jag järninjektioner i benet. När som helst på dygnet, så snart jag kände att jag kanske skulle kunna äta en bit mat, fick jag ringa på sköterskan.

Varje dag kontrollerades babyn med ultraljud.

– Det går ingen nöd på honom, sa läkaren. Det är du som tar stryk.

– Det gör inget, bara bebisen klarar sig, sa jag.

I slutet av februari fick jag min första helgpermission. Mamma hade varit hemma och städat hos mig. Hon hade torkat golvet och putsat fönstren. På kylskåpsdörren satt en liten lapp. ”Handlade lite saker som jag vet att du tycker om”. Lilla mamma, så rart av henne!

Min fästman kom hem, kysste mig på kinden och sa:

– Klä på dig. Vi ska gå på fest.

– Varför gör du så här? sa jag. Jag är ju hemma för första gången på flera veckor. Kan inte du och jag vara hemma tillsammans här i kväll och titta på tv? Jag är ju sjuk!

– Hur länge ska du hålla på och sjåpa dig på det här viset? sa han. Jag har berättat för alla mina kompisar att vi kommer och att du är med barn. De vill ju lyckönska oss, och du bara förstör allting hela tiden!

Jag böjde huvudet och tänkte över vad han sagt. Naturligtvis ville han visa upp mig nu när jag varit borta så länge.

– Jag ska försöka, sa jag och tog mig för pannan. Kallsvetten började sippra fram.

– Bra, sa han och gick före mig ut ur lägenheten.

Det var en stor och högljudd fest med massor av arabisk mat; couscous, kött, fett, ris och grönsaker. Allting verkade frityrkokt. Vanligtvis tycker jag om den arabiska maten, men den här kvällen fick den mig att må sämre än någonsin.

Helena var där, hon var verkligen enorm. Hon gick omkring i ett brunt, tältliknande hölje som räckte från hakan ända ner till handlederna och fotknölarna.

– Det är hijab, anständighet, förklarade hon för mig.

Jag kände mig liten som en myra bredvid henne. Efter fyra veckor utan att få behålla en matbit var jag smalare än jag någonsin varit i mitt liv. Det var fler än jag som tänkte så. Flera av kvinnorna jämförde oss, sa till mig:

– Så du ser ut! Se på Helena, så ska en gravid kvinna se ut.

Min fästman stod plötsligt framför mig med en stor tallrik.

– Ska du inte äta? sa han och stack en flottig köttbit under min näsa.

Instinktivt vände jag mig bort. Jag klarade inte flottyrlukten.

– Du måste äta, sa han. Annars förolämpar du värdfolket.

Jag drog efter andan för att förklara varför det inte gick när han tryckte in köttbiten i min mun. Reaktionen blev ögonblicklig. Jag fick rusa till toaletten och kräktes som en galning, bara galla, eftersom jag inte hade någonting i magen.

– Jag måste hem, flämtade jag efteråt. Jag var inte medveten om att jag grät, men tårarna rann på mina kinder.

Någon var barmhärtig nog att ringa efter en taxi. Jag tog mig hem och tumlade i säng.

Han kom hem flera timmar senare.

– Är du verkligen med barn? sa han när han klev in i sovrummet.

– Nej, sa jag. Jag låtsas spy så här bara för att det är roligt.

– Det var flera av mina vänner som undrade om du verkligen är gravid. De tycker att du var så smal jämfört med Helena.

– Jo tack, jag vet det, sa jag.

– Hur tror du det kändes för mig? skrek han. Hur tror du det är att få höra att ens fru inte ser ut som en riktig kvinna?

– Jag är inte din fru, sa jag. Vi är inte gifta.

Sedan kände jag hur jag inte orkade bråka längre. Jag ville bara sova.

Han gick ut i köket, jag hörde hur han öppnade kylskåpsdörren. Plötsligt small det till därute. Han kom inrusande i sovrummet och såg alldeles vansinnig ut.

– Vad i helvete är det här? skrek han och viftade med en vit frigolitförpackning från Ica.

Det var en liten bit fläskfilé. Min mamma måste ha köpt den och lagt dit den i hopp om att den skulle ge mig matlusten tillbaka. Hon vet att jag älskar fläskfilé.

– Det är... griskött, sa jag.

– Just det, griskött! vrålade han. Det är orent, orent! I mitt kylskåp!

Det var inte hans kylskåp, det var mitt.

– I väg och skura kylen, skrek han och drog upp mig ur sängen.

– Sluta, bad jag.

Benen vek sig.

– Våga inte sluta förrän kylen är ren. Skura!

Jag stapplade ut i köket, rev ut innehållet, sprutade diskmedel in i kylen, torkade och grät. Diskmedlet kladdade, trasan fastnade på luckan till frysfacket. Jag kräktes i vasken. Innan jag gick och lade mig igen spolade jag bort den gröna gallan.

Dagen därpå åkte jag raka vägen tillbaka till sjukhuset.

En eftermiddag dök plötsligt min fästman upp på sjukhuset.

– Det är en sak jag vill be dig om, sa han.

– Jasså, sa jag. Vad då?

Han satte sig ner i fåtöljen, drog fram den till min säng och tog min hand i sina. Han såg mig djupt i ögonen.

– Älskling, sa han. Jag vill att du konverterar.

Jag stirrade in i hans svarta ögon, fick inte fram ett ord. Han tog det tydligen som ett tyst samtycke.

Tankarna virvlade runt i mitt huvud. Konvertera till islam! Tanken hade aldrig slagit mig. Jag hade tagit för givet att vi skulle leva tillsammans med var sin religion, fira och respektera varandras högtider, uppfostra vårt barn med bägge våra kulturer. Nu ville han att jag skulle ge upp min tro, min kultur, min tradition. Jag skulle aldrig ha kommit på tanken att kräva det av honom, att be honom bli kristen. Om jag sa precis vad jag tyckte skulle han omedelbart lämna mig ensam på rummet igen, det visste jag. Han skulle bli arg, skrika åt mig, förolämpa mig och aldrig ringa mer.

– Men, jag vet ju inte hur man gör...

Han tog fram en kasse och drog upp en tjock bok med hårda pärmar, med mörkgrön botten och ett mosaikartat mönster i silver och svart. En svensk översättning av Koranen.

– Börja med att läsa den här och lär dig vad som står. Här finns alla regler för hur man tjänar Allah, sa han glatt.

– Att läsa Koranen gör mig väl inte till muslim, sa jag.

– Nej, sa han och log hemlighetsfullt. Men Helena ska också konvertera. Hon har redan valt sitt muslimska namn. Hon kommer att heta Fatima.

– Jag kan visst läsa Koranen, sa jag. Jag har faktiskt länge tänkt göra det. Men jag heter Maria, och jag är kristen och svensk. Jag tänker inte konvertera, så mycket du vet det.

Jag tittade upp och mötte hans brinnande blick. Han stirrade tillbaka, övervägde tydligen hur han skulle reagera. Till slut ryckte han på axlarna och reste sig.

– Okey, sa han. Börja med att läsa Koranen.

Han lämnade mig snabbt efter detta.

Jag låg länge den kvällen och läste denna den sista uppenbarade boken, den eviga och ofelbara. Översättningen från arabiskan var gjord av en K. V. Zetterstéen år 1917. Det gjorde språket otympligt och svårt att läsa, precis som gamla översättningar av Bibeln.

Jag förvånades över hur liten skillnaden var mellan Koranen och Bibeln. Båda böckerna talar om en enda allsmäktig och god Gud i himlen, om både Satan och helveteselden. Förklaringen till detta fann jag i bokens förord. Där framgick att en del av Koranens innehåll är hämtat från kristna och judiska källor. Speciellt domedagspredikningarna anses vara resultatet av ett kristet inflytande. Koranen är ju profeten Muhammeds uppenbarelser från Mekka och Medina. Den kom till nästan 700 år efter Kristus och är kortare än Nya testamentet. Boken är uppdelad i 114 olika suror eller kapitel. Såvitt jag förstod var boken helt enkelt ett både juridiskt och religiöst rättesnöre för muslimer.

Det första som riktigt fångade mitt intresse var fjärde suran, om kvinnorna. Där fanns en rad konkreta och rättsliga regler och lagar som fortfarande tillämpas i den islamitiska världen. Bland annat fanns detaljerade beskrivningar över hur kvinnor och män ärver. Hur man dömer våldtäktsmän (fyra manliga muslimska vittnen måste intyga att våldtäkten begåtts) och att straffet är döden. Att incest är förbjudet.

Det handlade om att behandla faderlösa och efterblivna barn med respekt och rättvisa. Om en kvinna hade faderlösa barn var det helt accepterat att gifta sig med henne, även om man redan var gift. Upp till fyra fruar fick man ha. Men kände man inte att man kunde vara rättvis mot alla, så skulle man bara ta en enda, stod det. Den som knyckte ägodelar från en faderlös skulle få eld i buken och förtäras i helveteselden.

Där framgick också med all önskvärd tydlighet att mannen är kvinnans föreståndare. I fjärde surans 38:e vers stod att de rättskaffens kvinnorna ska vara undergivna och aktsamma. Och fruktade mannen uppstudsighet så skulle han varna sin kvinna. Lydde hon fortfarande inte fick han skilja henne från bädden och aga henne.

Men lydde hon, så skulle han vara snäll.

Det var ju rart, att inte slå henne om hon lydde. Jag gäspade, slog ihop boken och släckte nattlampan ovanför min sjukhussäng. Bibeln hade ju sannerligen sina konstigheter om kvinnor, den också. Stod det inte någonstans att hon inte fick vistas bland folk om hon hade mens?

Det skulle bli nyttigt att läsa Koranen. Jag skulle lära mig mer om hans kultur, bättre förstå hans beteende. Detta var kanske början till något nytt, något bättre.

Jag somnade gott.

Det dröjde innan min fästman besökte mig igen. När han kom hade han sin advokat med sig.

– Din fästman har fått regeringsavslag på sin ansökan om asyl, förklarade advokaten. Jag behöver ett intyg från din läkare där det framgår att du är gravid.

– Vad menas med detta? sa jag.

– Jag är desertör, sa min fästman. Jag fick ingen asyl.

– Varför sa du ingenting?!

– Äsch, sa han, kom fram till mig, satte sig på sängkanten och tog mig i sina armar. Jag ville inte oroa dig. Nu ordnar sig ju allt i alla fall.

Min fästman fick uppehållstillstånd till slut. Skälet var att han skulle ha barn med mig.

Våren kom och övergick i försommar. Jag såg på tv och video, läste Koranen och mängder med andra böcker, veckotidningar, kvällstidningar och lokaltidningar. En dag fastnade min blick på en notis i någon av tidningarna. En stor stöldhärva hade avslöjats på flyktingförläggningen i Motala. Fem personer var gripna för stöld och inbrott på förläggningen. De hade kommit över mängder med elektriska apparater, datorer, möbler och pengar. Motala, tänkte jag. Det var där han sa att han varit när han var försvunnen förra hösten. Hade han inte kompisar där? Undrar om han kände någon som var inblandad?

Fortfarande kunde jag inte behålla en matbit. Slangen försåg mig och det växande knytet i min mage med den näring vi behövde.

Första helgen i augusti lämnade jag sjukhuset vid lunchtid på lördagen. Jag åkte direkt hem och lade mig. Min syster fyllde år den helgen, och min mamma skulle komma hem till mig under kvällen.

Min fästman kom hem vid tretiden.

– Mina kompisar kommer hit. Du får laga middag åt oss, sa han.

Jag suckade ohörbart. Så det började igen.

– Jag får inte laga mat, sa jag. Du vet ju det. Jag får inte vara uppe.

Han gick fram till sängen och lutade sig över mig. Hans ögon brann.

– Det var då märkvärdigt, sa han. Att du inte kan lära dig att uppföra dig som en anständig kvinna och lyda din man. Jag säger ju åt dig att du ska ställa dig upp på benen och gå ut i köket och laga mat. Att det ska vara så förbannat svårt att fatta.

Han reste sig tvärt och gick en snabb lov runt sängen. Han knöt och öppnade händerna, tuggade med käkarna i ett växande raseri.

– Jag vet inte vad jag gjort för att drabbas av en kvinna som du, malde han på, mer för sig själv än till mig. Varför kunde inte jag ha fått en vanlig, normal hustru som lydde mig och respekterade mig och gjorde som hon blev tillsagd?

Han satte sig ner på sängen med armbågarna på knäna, händerna mot huvudet och blicken riktad ner i korkmattan.

– Du har gjort allt för att förstöra mitt liv ända sedan vi förlovade oss. Du vägrar att acceptera min minsta önskan, vägrar att sköta om mig, vägrar att lyda Allah och konvertera. Ingenting som jag säger lyssnar du på. Du ligger som en jävla padda på det där sjukhuset och låter din jävla syster passa upp dig här hemma. Jag, som är din man, får inte komma i närheten av dig. Varför skulle jag stå ut med detta? Varför?

Han vände blicken mot mig.

– Svara! skrek han.

Jag ryggade tillbaka, tryckte mig in mot kuddarna.

Han tog tag om mina axlar och drog upp mig ur sängen. Jag fick inte fram ett ord, benen vek sig under mig. Han tryckte upp mig mot sovrumsväggen och vrålade. Hans ansikte var två centimeter från mitt. Det slog lock för mina öron.

– Din lata hynda! skrek han. Vad har jag gjort för att förtjäna ett beläte som du?

Jag blundade, drog ihop axlarna, försökte göra mig så liten som möjligt.

– Ut i köket! sa han och knuffade mig mot dörren.

Jag snubblade, slog huvudet i dörrposten. Det snurrade till ordentligt. Jag ramlade, knät slog i kanten på tröskeln.

– Upp med dig! skrek han och vred upp mina armar på ryggen. Jag hörde mig själv kvida. På något sätt kom jag på fötter, stötte höften i hallbyrån.

Jag fick ytterligare en knuff i ryggen, tog emot mig med händerna mot badrumsdörren.

– Jag ska lära dig att lyda! sa han.

Jag vände mig om, min blick mötte hans. Jag mer anade än såg knytnäven som klöv luften, kände bara den fruktansvärda kraften som landade på vänstersidan av min haka. Mitt huvud flög bakåt och slog i badrumsdörren med en väldig kraft. Någonting krasade. Jag kände att jag gled neråt. Då kom nästa knytnäve. Jag såg den komma, och jag försökte sätta händerna för.

– Neej, skrek jag, men jag kunde inte hålla emot.

Slaget träffade mig rätt i magen. Jag tappade luften totalt, vek mig dubbel. Babyn! tänkte jag. Allt blev svart.

När jag kvicknade till var han borta. Jag låg på sidan på golvet nedanför min stängda badrumsdörr, knäna uppdragna under hakan. Drygt en och en halv meter upp fanns en stor skada på dörren, märket efter mitt huvud. Jag kräktes bland ytterskorna.

Efteråt tog jag mig inte upp. Stanken från min egen galla fick det att vända sig i magen igen. Jag spydde mera. Babyn sparkade, det gjorde fruktansvärt ont. Bra! Då var den inte död i alla fall.

Mödosamt fick jag tag på telefonen.

– Pappa, du måste skjutsa mig till sjukhuset!

Jag lyckades torka upp det värsta innan han kom.

– Vad är det som har hänt? sa pappa när jag satt i bilen och grät.

– Jag är så ledsen, sa jag bara. Det är så jobbigt.

– Din mage är alldeles blå! sa sköterskan förskräckt när jag låg på min säng och hade dragit upp kläderna. Vad är det som har hänt?

– Jag har gjort illa mig, sa jag bara.

– Vad har du gjort i ansiktet då?

Jag svarade inte.

– Jag går efter doktorn, sa hon.

Ett par dagar senare kom han upp för att hälsa på mig. Han hade med sig blommor och choklad, något han inte haft sedan den allra första tiden vi var tillsammans.

– En chokladask, sa jag konstaterande när han satte sig i fåtöljen. Du vet att jag inte kunnat äta en matbit på åtta månader, och så kommer du med en chokladask. Har du inte begripit någonting?!

– Det var inte meningen att göra illa dig, sa han.

– Gå härifrån och ta chokladen med dig, sa jag.

Han gick utan ett ord. Efteråt darrade jag lite. Tänk, jag hade vågat säga emot honom!

Efter den helgen åkte jag inte hem mer. Jag tillbringade resten av graviditeten på sjukhuset. Babyn växte, allt var som det skulle.

Jag fick nyheter om familjen G, både roliga och tråkiga. De hade fått uppehållstillstånd och flyttat till en flyktingsluss i Mora. Där blev det snabbt känt att herr G varit militär. Familjen frystes omedelbart ut ur gemenskapen. Sedan herr G blivit misshandlad fick de flytta vidare, ut från förläggningen. Nu hade de i stället fått en egen lägenhet i en annan stad, och herr G hade fått ett jobb.

– Ni kommer att klara er fint! sa jag till fru G på telefon.

– Jodå, sa hon. Men sitt förflutna kan man aldrig springa ifrån, inte ens om man börjar om i ett nytt land.

Så fick Helena sitt barn. Det blev en flicka. Muhammed var väldigt besviken. Han hade hoppats på en son. Sedan fick Sisse barn. Också hennes baby var en tös. Min fästman kom upp och hälsade på mig dagen efter att Sisse fött sin dotter.

– Det här är en pojke, det vet jag, sa han och klappade mig på magen.

Han ville ha en son. Kanske tyckte han att han skulle få igen lite status om jag fick en pojke. Så besviken han blev.

Emma föddes en onsdag i oktober.

Jag hade åkt ner till ett undersökningsrum på förlossningsavdelningen för dagens rutinmässiga ultraljud. På vägen ner sa jag till sköterskan:

– Det är något konstigt med magen. Det bubblar, liksom. Det gör lite ont.

Flickan föddes på sängen i undersökningsrummet. Jag hade något som kunde likna värkar i tio, femton minuter. Både jag och personalen var alldeles oförberedd. Här hade jag legat på lasarettet i nio månader och väntat på att bebisen skulle födas, och så hann vi inte vara med när den kom.

– Du är som gjord att föda barn, sa doktorn efteråt. Men du ska definitivt inte vara gravid!

Jag tog flickan i mina armar. Hon var helt underbar. Ganska liten och mycket mörk, massor av svart hår på huvudet. Det räckte henne ända ner på axlarna. Personalen hade satt upp det i en tofs med en liten vit rosett.

Jag såg ner på det lilla knytet. Hon var vaken. Hon mötte min blick med ögon som var mörkt blå. Hon tittade på mig med en förundran som överglänste allt i hela världen. Mitt barn! Min lilla dotter! Mina ögon fylldes med tårar. Jag kramade knytet och drog in hennes doft.

– Älskade lilla flicka!

Jag stannade bara på BB i två dygn. Jag hade legat så länge på sjukhuset att jag inte kunde bärga mig att komma hem på riktigt. Min pappa hämtade oss med bilen.

– Lycka till nu, Mia, och ta det lugnt! Ring oss om du behöver hjälp med något!

För första gången på två månader kom jag in i min lägenhet. Jag höll på att vända i dörren. Alla krukväxter var döda. Kläder, saker, tidningar, skräp och tomma läskburkar låg i drivor överallt. Det hade inte blivit dammsuget på månader. Min fästman hade verkligen lyckats ordna ett alldeles speciellt mottagande för mig.

Mjölken hade runnit till och flödade över alla bräddar. Aldrig trodde jag väl att jag skulle mäta mig med Dolly Parton, men de första dagarna efter att Emma föddes, då var det nära. Jag hade precis ammat klart och bytt på flickan när min fästman kom hem.

– Klä på dig och ungen, sa han. Vi ska på fest.

Jag suckade trött.

– Jag har precis kommit hem från BB. Allt är i en enda röra, och du vill gå på fest!

– Ja, vi ska vara hemma hos Helena och Muhammed.

Jag funderade ett ögonblick.

– Det kanske inte är någon dum idé, sa jag. Det är inte så långt. Vi kan ta en promenad dit med babyn. Pappa har ju kört hit vagnen.

– Nej, sa han. Vi ska inte gå. Jag har köpt en bil.

Jag tappade hakan. Han flinade.

– En Volvo, en svensk bil. Kom ner och titta!

Jag klädde på babyn, drog på mig kappan och stövlarna och gick ner till porten. Bilen var en Volvo 244, metallicblå med skinnklädsel och automatlåda. Den var högst två, tre år gammal.

– Hur i allsindar har du haft råd med den här? utbrast jag.

Han blängde surt på mig.

– Är det det första du tänker på? sa han. Jag har faktiskt fått pengar hemifrån, från Libanon.

– Men så här mycket?

– Vi har ju uraffär, sa han. Jag har ärvt.

Han låste upp dörren och satte sig bakom ratten.

– Men... du har ju inget körkort!

– Har inte jag? sa han, klev ut ur bilen igen, rev upp någonting ur sin plånbok som han demonstrativt stoppade under näsan på mig.

– Vad är det här då? sa han.

Det var ett papper, stort som ett Sverigekuvert ungefär, med en mängd arabiska tecken och ett foto på honom.

– Det skulle kunna vara precis vad som helst.

– Det är ett arabiskt körkort, din idiot, sa han och stoppade undan handlingen.

– Du har varit här längre än ett år. Det innebär att du inte får köra på det längre, sa jag.

– Skitsnack, sa han. Hoppa in.

– Nej, sa jag. Jag ska gå.

Jag promenerade med barnvagnen till Helena och Muhammed. Det var min första riktiga promenad på nio månader. Jag vet inte vad som gjorde det, om det var ansträngningen, luften eller glädjen, men promenaden gjorde att jag fick en fruktansvärd hicka!

Dagarna gick. Det var underbart att vara hemma, att få gå ut när jag ville, att inte må illa. Min lilla flicka var fullständigt fantastisk. Jag kunde aldrig se mig mätt på henne. Hon var värd varenda sekund på sjukhuset, varenda droppnål, varenda järninjektion. Enda smolket i min glädjebägare denna första vecka hemma var att min fästman inte brydde sig om vår tös. Han vägrade ta i henne, sa att han inte kunde.

– Det är klart att det känns ovant när du aldrig har försökt! sa jag. Se här, ta henne!

Han backade.

Inte blev han snällare mot mig heller, trots att jag försökte laga all mat han tyckte om. Det räckte att jag kryddat steken för lite för att han skulle slå mig.

Doktorn granskade mitt ansikte med allvar i blicken.

– Kom inte och säg att du gått in i en dörrpost, Mia, sa han.

Jag slog ner ögonen, önskade intensivt att den gräsliga blånaden runt högra ögat skulle blekna och försvinna.

– Men jag mår bra nu, sa jag. Illamåendet släppte i samma ögonblick som flickan föddes.

– Du måste lämna honom, Mia! sa mamma. Nu finns det ingen återvändo.

Hon grät.

– Han kommer ju att slå ihjäl dig! Du måste gå ifrån honom medan tid är!

Jag svalde.

– Ja, sa jag. Jag ska försöka.

Nästa gång han kom hade han fyra kompisar med sig. Det var en måndag förmiddag, flickan var nu två och en halv vecka gammal.

– Kom ska ni få se henne! sa han och ledde in allesammans i vardagsrummet, där jag satt och ammade babyn.

Jag kände hur jag stelnade till när han kom in i rummet. Jag slog ner blicken, ordnade till min klädsel.

– Ta hit henne, beordrade han.

– Hon äter ju... protesterade jag lamt.

Jag sneglade försiktigt upp. Han stod lutad över mig. Hans ögon brann.

Jag stack försiktigt in mitt finger i babyns lilla mun för att bryta vakuumet som bildades när hon sög på mitt bröst. Han tog tag i babyn, höll henne under nacken och under rumpan. Jag knäppte blusen.

– Var försiktig! bad jag.

– Få se på henne, sa en av hans kompisar, Ali hette han.

– Okey, sa min fästman. Här. Ta.

Från min position, sittande i soffan, såg jag sedan underifrån hur han först sänkte babykroppen, sedan stannade upp och tog sats.

Jag hörde mitt eget skri.

– Neej!

Jag vet inte hur jag kom upp ur soffan. Det kändes som att jag flög, men jag hann inte. Han kastade babyn i en hög båge tvärs över rummet. Jag kände inte igen rösten som skrek, men den var min.

– Åh, Guud!

Den lilla kroppen flög genom rummet. Hon skrek rätt ut. Den medfödda omfamningsreflexen fick hennes kropp att röra sig spasmiskt i luften. Ali fångade henne, fumlade och var nära att tappa henne. Han skrattade.

– Snälla snälla, skrek jag panikslaget, tårarna började rinna. Snälla snälla.

– Vem vill? ropade Ali och höjde flickan högt ovanför sitt huvud.

Jag rusade fram mot honom, sträckte upp armarna mot flickan. Hon skrek hysteriskt.

– Jag! Jag! Här! ropade flera röster bakom mig.

– Ge mig babyn! skrek jag.

Han skrattade, släppte babyn med ena handen och använde den till att knuffa bort mig.

– Catch! ropade han och kastade iväg flickan som om hon varit en mjölpåse.

Återigen rörde sig flickans kropp i de makabra spasmerna. En kort sekund, medan hon flög genom luften, tystnade hennes skri. Hon fick inte luft. Bara de små armarna fäktade förtvivlat för att få fäste någonstans. Jag rusade efter och ramlade över vardagsrumsbordet. Hon slog hårt i den tredje mannens bröstkorg. Skriet som kom från den lilla kroppen lät som ett litet djurs. Männen skrattade.

Jag grät så att hela kroppen skakade. Jag tror aldrig jag varit så rädd i hela mitt liv.

– Ge mig flickan, bönade jag.

Min fästman hojtade glatt:

– Hit igen!

Jag stod på knä bredvid vardagsrumsbordet och skulle inte hinna fram den här gången heller. Mitt knä blödde. Flickan flög genom luften igen. Jag såg inte längre någonting för alla tårar.

– Gode Gud! ropade jag och knäppte mina händer. Låt dem inte tappa henne, låt dem inte tappa henne!

Jag reste mig upp samtidigt som min fästman bollade henne vidare till Ali igen. Jag hamnade mitt emellan dem, lyckades få tag i benen på den lilla kroppen precis innan Ali hann fram.

– Era djävlar! skrek jag och tårarna sprutade.

Jag lade bägge mina armar runt babyn och rusade handlöst ut ur rummet, kryssade mellan de skrattande männen, bort, bort. Barnet skrek hysteriskt. Jag skakade av chock och gråt. Ute i hallen stod min nya, fina barnvagn. Jag sprang runt den, rev ner min kappa och lillans åkpåse. Jag hörde min fästman komma efter mig, slet förtvivlat på mig skorna med ena handen samtidigt som jag höll ytterkläderna och den gallskrikande babyn med den andra.

– Mia, för helvete, varför är du så arg? Det var ju bara på skoj!

Jag hade fått på mig skorna och reste mig upp. Min blick måste ha brunnit med samma låga som hans.

– Kom igen nu, Mia, sa han och räckte händerna mot mig.

Jag slog bägge armarna om babyn och vrålade:

– Våga inte komma hit ditt svin!

Jag backade mot dörren, kände den mot min rygg.

– Mia.

Han kom emot mig.

Jag vände mig om och lyckades vrida om låset. Jag sparkade upp dörren och rusade nerför trapporna. Nere i porten stannade jag, trädde på babyn hennes åkpåse och krängde på mig kappan.

Jag promenerade genom hela stan, bort till mina föräldrar. Jag bar flickan hela vägen och grät hela tiden. Barnet skrek utan uppehåll. Jag kunde inte sluta gråta ens när jag kom fram och satt i mina föräldrars kök med en kopp kaffe.

– Jag ska gå och lära honom ett och annat, sa pappa.

– Nej, sa jag. Snälla pappa, gör inte det. Det blir bara värre. Dessutom är de fem stycken.

– Jag tänker inte låta honom behandla dig och flickan på det här viset.

– Pappa, du vet inte vem du har att göra med. Tro mig, jag vet inte heller.

Babyn fick kolik. Hon ville inte sluta skrika. Jag bar och bar, vyssjade, matade, gungade. Hon fick medicinen Minifom på barnavårdscentralen. Den hjälpte inte.

Det dröjde innan min fästman visade sig igen.

– Vi måste prata om det som hände sist, sa jag. Jag gick och bar babyn i sovrummet och hade precis fått henne att somna mot min axel.

Han stönade.

– Vilket jävla tjat! Det var ju bara på skoj! Du fattar ju inte vad som är roligt. Jävla tråkmåns.

Jag valde mina ord, var rädd att han skulle bli arg och slå mig igen.

– Det fattar du väl att man inte kan kasta ett spädbarn, sa jag försiktigt.

– Helvete! skrek han. Jag vill inte prata mer om det. Det var inget märkvärdigt att vi bollade lite med henne. Så gör vi i vår kultur!

– Ursäkta, sa jag, men det tror jag inte ett ögonblick på.

Då small det. Knytnäven landade mitt på munnen. Mina tänder slog sönder insidan av läppen. Svalget fylldes med blod. Jag stapplade baklänges, höll krampaktigt i babyn. Hon vaknade med ett illtjut. Han kom emot mig. Ögonen brann. Jag hade backat så att jag stod mot kanten på sängen. Snabbt vände jag mig om, lade ner babyn på sängen och lade mig över henne med armbågarna på var sin sida om hennes huvud. Händerna lade jag runt mitt eget huvud som skydd.

– Du är för jävla patetisk! skrek han. Du skulle bara se dig själv! Jävla fega råtta!

Gode Gud, tänkte jag. Han är inte klok!

Han smällde igen dörren när han gick. Sängkläderna var röda av blod när jag reste mig upp.

– Nu sätter vi stopp för det här, Mia! sa läkaren upprört. Du kan inte bära barnet dygnet runt och sedan... komma hit och se ut på det där viset.

Området runt mitt öga hade bleknat till en sjuklig mörkgul nyans, men nu var min läpp groteskt uppsvullen och blåsvart. Jag visste att resten av mitt ansikte var gråblekt av sömnbrist.

– Jag vill ta kontakt med kommunen, sa han. De kan ordna en stödperson åt dig tills allt det här har lugnat ner sig. Någon som kan hjälpa dig med babyn och se till att misshandeln upphör. Vad säger du om det?

Jag tittade ner, sa inget.

– Mia, jag har sett det förr. Mammor som inte orkar med barnskrik, hot och livsångest. Tro mig, du behöver hjälp! Nå, får jag ringa kommunen?

Jag tvekade en sekund. Sedan nickade jag.

Hon hette Marianne, var i fyrtioårsåldern, snygg och välklädd. I socialtjänstens akt kom hon att kallas min hemma-hos-terapeut.

– Vilken trevlig lägenhet! utbrast hon spontant och slog ihop händerna när hon kom och besökte mig första gången.

– Jag trivs väldigt bra här, sa jag generat. Jag hade nästan glömt hur det var att ta emot beröm.

Jag visade henne runt innan vi gick in i köket och drack kaffet jag gjort i ordning.

– Ge mig tösen, sa hon och tog emot den skrikande babyn medan jag serverade kaffet.

Jag satte fram några kanelbullar som jag haft i frysen.

– Maria, du vet att jag har tystnadsplikt. Allt som du berättar för mig stannar oss emellan, såvida du inte vill att det ska föras vidare.

Jag nickade igen. Babyns skrik mattades. Snart somnade hon.

Jag drog ett djupt andetag, orkade inte försvara honom och ljuga.

– Han slår mig, sa jag bara.

– Typiskt, mumlade hon och såg ingående på mitt ansikte, på det blåa ögat och den halvläkta läppen. De siktar mot munnen som anklagar och ögat som granskar. Har han slagit dig i magen också?

– Ja, och sparkat, sa jag.

Hon nickade.

– Mycket vanligt när kvinnan är gravid.

Jag sa inget. Jag skämdes, över min svaghet, förödmjukelse, utsatthet. Över mitt idiotiska val av far till mitt barn, att jag gått på hans insmickrande uppvaktning, över att jag blivit kär.

Marianne anade vad jag kände. Hon lade sin hand över min.

– Det är inte ditt fel, Maria, sa hon med betoning på varje ord. Det kan hända precis vilken kvinna som helst. Det är inte du som provocerat honom att slå. Det är han som har problem, inte du! Han har slagit dig, och han kommer troligtvis att slå nästa kvinna också. Du får inte ta på dig skulden för det som hänt.

Jag började gråta. Hon reste sig, gick runt bordet och kramade om mig.

– Vi ska hjälpas åt att få slut på det här, Maria.

Då vaknade babyn. Jag gjorde en ansats att resa mig.

– Nej, sa Marianne. Jag tar henne. Gå och lägg dig, du.

Marianne stannade hos mig ett par timmar den där första eftermiddagen. Hon vyssjade babyn, gav henne mjölk som jag pumpat ur och fryst in. Jag sov en djup och drömlös sömn.

– Jag kommer igen efter helgen, sa hon när hon gick.

Den kvällen ringde min fästman.

– Ska vi äta middag i kväll? sa han glatt.

Jag visste inte vad jag skulle säga. Sa jag ja så skulle han kanske hitta en anledning att slå mig eller skada babyn. Sa jag nej tog han det omedelbart som trots och skulle genast ge sig på mig.

– Jaa, sa jag tveksamt, jag kanske kan göra i ordning någonting.

– Nej, jag är trött på att jämt komma till dig. Du får komma till mig, sa han.

Vi bestämde en tid. Det kanske skulle gå bra den här gången.

Han hade köpt hämtpizza åt oss. Jag tycker om pizza och åt med god aptit. Det blev en ganska trevlig kväll. Han var rar och uppmärksam. Ändå var jag lite avvaktande, kunde inte låta bli att vara rädd för honom.

– Mia, sa han och drog mig intill sig. Varför är du så stel? Slappna av!

Jag kröp in i hans famn. Den var stark och varm, precis som förr.

– Jag älskar ju bara dig, mumlade han mot min hals.

Jag slöt ögonen och drog händerna genom hans hår. Han var min man, mitt barns far. Kanske alltsammans skulle bli bra igen. Nu när babyn kommit och jag blivit frisk igen skulle vi kanske hitta tillbaka till varandra.

– Vi ska alltid vara tillsammans, viskade han och kysste mig hett.

Då ringde det på dörren.

– Ska du inte öppna? sa jag.

Han släppte mig.

Jag gick ut i den lilla hallen och låste upp dörren. Där utanför stod Irene! Jag kände henne inte, men en kvinna med hennes fritidsintresse blir snabbt en visa i en liten stad som vår. Hon var, kort sagt, känd som stadens madrass.

– Vad vill du? sa jag.

Hon bytte fot.

– Jag skulle träffa... Vi skulle träffas... Jag har suttit och väntat hela kvällen. Jag vet att han inte vill att jag ska komma hit, men...

Så skärptes hennes blick.

– Och vem är du? sa hon skarpt. Vad gör du här?

Detta var inte sant! Insikten drabbade mig som ett blixtnedslag. Hon hade ihop det med min fästman! Min fästman var otrogen med stans fnask!

– Jag är hans fästmö, sa jag. Jag är mor till hans barn. Jag är här tillsammans med vår dotter.

Jag flyttade mig och gjorde en gest med handen.

– Kliv på, för all del! sa jag.

Hon tvekade, sedan steg hon in. Hon såg spak och förvirrad ut.

Jag gick in i det enda lilla rummet.

– Du har besök, sa jag, och jag hörde istapparna klirra i min röst.

Snabbt tog jag på babyn åkpåsen och klädde på mig ytterkläderna. Irene stod tyst och perplex innanför ytterdörren. Min fästman satt tyst i soffan och stirrade in i tv:n.

– Jag går nu, sa jag bara.

Han såg inte upp.

Jag gick snabbt hemåt genom den tomma, tysta staden. Babyn somnade i vagnen. Alla affärer hade fått upp sin julskyltning. Glitter, tomtar och klappar trängdes överallt. Skammens heta tårar rann nedför mina kinder. Det fanns tydligen ingen gräns för hur mycket han skulle förnedra mig.

När Marianne kom nästa gång berättade jag om hans andra kvinna.

– Jag känner mig som en dörrmatta, sa jag. Något man trampar på och torkar av skit på.

– Det är du som är förlovad med honom, sa Marianne allvarligt. Det är bara du som kan bestämma om du ska fortsätta att vara det.

– Jag vet, viskade jag.

Jag tittade upp och mötte hennes kloka blick.

– Jag vill ju bara att allt ska vara som förr!

Det blev lucia, tvåårsdagen av vårt första möte. Jag gick och bar babyn när han kom. Flickan skrek och skrek. Jag var helt vimmelkantig av trötthet. Det kändes som att jag kunde somna stående.

– Så bra att du kom, flämtade jag. Jag orkar inte bära henne mer nu.

Jag räckte fram babyn mot honom, men han ryggade tillbaka.

– Jag har tänkt på en sak, sa han.

Hur kunde jag vara så dum att jag trodde jag skulle få någon hjälp av honom?

– Jag känner mig så snärjd av dig, sa han. Du är bara en belastning. Jag har ju ingen nytta av dig. Vad ska jag med dig till?

Jag tittade upp på honom. Tröttheten skingrades i min hjärna. Vad var det han höll på att säga?

– Jag måste ha min frihet, sa han. Därför vill jag att vi bryter vår förlovning.

Jag gapade.

– Va? sa jag.

– Kan jag få tillbaka ringen? sa han.

– Men... började jag.

– Nu! sa han.

Jag räckte honom den.

– Okey, sa han och stoppade den i bakfickan. Hej då!

Jag rusade upp, sprang in med babyn i sovrummet, lade henne i vaggan och slet upp hans garderob. Raskt samlade jag ihop de plagg han hade kvar hos mig. De var sanningen att säga inte särskilt många.

– Här, sa jag. Du glömde dina grejer.

Han tog sina saker och stängde ytterdörren med en hård smäll. Flickan började skrika värre än någonsin. Så det var så här det skulle sluta!

Jag hämtade babyn och gick tillbaka till soffan, började automatiskt gunga henne igen. Jag stirrade tomt ut i luften. Inte ens den här förnedringen besparade han mig. Han lämnade mig för att jag var så värdelös. Jag började gråta, tyst och stilla. Nu är det i alla fall över, tänkte jag.

Ack, vad jag bedrog mig!

Dagen därpå kontaktade jag Marianne. Jag berättade att han gjort slut.

– Vad gör jag om han kommer tillbaka? sa jag.

– Vi byter lås, sa Marianne bestämt. Och så ska vi installera ett sjutillhållarlås, ett titthål och en säkerhetskedja.

Julen stod för dörren. Jag plockade upp mina julsaker, pyntade så gott jag kunde. Det var inte lätt när babyn skrek dygnet runt, men min mamma, min syster och Marianne hjälpte mig med henne.

Jag och min syster julstädade i vardagsrummet några dagar före julafton. Plötsligt upptäckte syrran att tv:n stod snett på sin ställning.

– Den håller på att braka i backen! ropade hon och böjde sig ner för att kika under den. Fort! Hämta en skruvmejsel! Ett av benen har lossnat.

Jag stönade och stängde av dammsugaren.

Med gemensamma krafter fick vi tv:n upp och ner. De andra benen behövde också skruvas fast. Precis när vi skulle vända den rätt igen fastnade min blick på några små krumelurer på undersidan av apparaten.

Det var ett tresiffrigt nummer och några förkortningar som blivit ingraverade med den sortens vibrerande penna man kan få låna av polis och försäkringsbolag för att stöldskyddsmärka saker.

– Helt obegripligt, sa syrran och gjorde en ansats att vända tv:n rätt.

Jag kände att jag blev alldeles blek.

– Nej, sa jag. Det är inte obegripligt. Numret är ett serienummer i Operation Märkning.

– Och? sa syrran oförstående.

– Den här tv:n är stulen, sa jag. Och jag är ganska säker på när, var, hur och av vem.

Jag gick raka vägen och ringde polisen. Jag berättade om tv:n, sa att jag köpt den av en god vän och läste upp serienumret och resten av inskriptionen.

– Är den stulen? sa jag.

Polisen kollade det, kom tillbaka och sa:

– Den försvann vid ett inbrott mot flyktingförläggningen i Motala i oktober i fjol.

Jag mindes notisen i tidningen jag läst i somras.

– Jag vet att fem personer gripits för inbrottet, sa jag. Jag undrar om den jag köpte tv:n av var en av dem?

Jag gav polisen min ex-fästmans namn och personnummer.

– Eftersom han har erkänt brottet så kan jag bekräfta det på en gång, sa polisen.

Det snurrade till i mitt huvud.

– Bra, sa jag. Tack för hjälpen.

Jag kände hur jag höll på att koka över inombords. Till råga på allt annat var han en simpel tjuv också!

Tillsammans lyckades jag och syrran släpa ner tv:n till bilen. Vi vräkte in den i baksätet och körde bort till polisstationen.

– Det här är den stulna tv:n som jag ringde om alldeles nyss, sa jag flämtande och strök håret från ansiktet.

– Men... sa polisen. Du behöver inte lämna igen den. Den är din. Du har uppenbarligen köpt den i god tro.

– Det spelar ingen roll, sa jag. Jag vill inte ha den. Gör vad ni vill med den.

Vi lämnade apparaten stående vid disken för passansökan.

Hela jul- och nyårshelgen tillbringade jag hemma hos mina föräldrar. Hemma ville jag inte vara. Jag var rädd att han skulle dyka upp. Min syster kom förbi varje kväll. Vi spelade spel, såg på tv och videofilmer.

Jag började sticka ett vårset till Emma, en tunn kofta och sparkbyxor i gult. Det fick mig att koppla av.

Efter nyår åkte jag hem. Han ringde på trettondagsafton.

– Jag tänkte komma över till dig ikväll, sa han.

– Tyvärr, jag ska bort, sa jag.

Jag skulle äta middag hemma hos Sisse och Henrik.

– Jamen, sa han, jag vill se på tv med dig ikväll.

– Jag har ingen tv. Stöldgodset som du sålde till mig har jag lämpat av hos polisen. Och så ska jag, som sagt, åka bort.

– Du har inte rätt att göra så här mot mig, tjöt han.

– Du har ju lämnat mig, sa jag. Har du glömt det?

– Jag har rätt att träffa min dotter, skrek han. Hon är min lika mycket som din!

– Självklart! sa jag. Du kan komma och hämta henne med en gång.

Han kom av sig lite.

– Vadå hämta?

– Du får jättegärna ta hand om henne i eftermiddag, så får jag sova lite, sa jag.

Han lät väldigt snopen när han svarade.

– Det var inte så jag menade.

– Jaså? sa jag. Hur menade du då? Du tyckte att du skulle komma hit och leka familj i kväll?

– Du kan inte göra så här! skrek han.

– Inte? sa jag och lade på luren.

Det dröjde tre sekunder innan det ringde igen.

– Hora! skrek han.

Jag drog ur jacket.

Andra veckan i januari meddelade min förre fästman att han vägrade erkänna att han var Emmas far.

– Vad innebär detta nu då? undrade jag trött.

– Vi måste ta ett större blodprov på flickan och jämföra det med din förre fästmans, sa Marianne. Svaret kan ta upp till ett år.

– Grattis, sa jag. Precis vad jag behövde.

Att han nekade till faderskapet hindrade honom inte från att ringa mig praktiskt taget varje dag och kräva att få träffa flickan.

– Visst, sa jag varje gång. Du kan få hämta henne på momangen. Men varför vill du etablera en kontakt med ett barn som du inte tror är ditt?

Han brukade muttra något ohörbart.

– Jag menar allvar, sa jag. Du får väldigt gärna komma och hämta din dotter. Hon har rätt att träffa sin far.

Nu blev han misstänksam.

– Vad har du tänkt göra medan jag har hand om henne?

Jag suckade.

– Ja, inte vet jag. Dricka kaffe. Dammsuga. Ta en promenad.

– Du är just en snygg mor, du! skrek han. Kasta över ungen på mig så att du ska kunna roa dig på egen hand!

– Detta är ju helt sjukt, sa jag för mig själv. Varför håller jag på och diskuterar med den här dåren?

– Vad säger du nu? Vad sa du? Vad sa du? skrek han.

Han kom upp och ringde på nästan varje dag. Om jag var ensam hemma öppnade jag inte. Om jag hade någon hos mig – mamma, min syster, Marianne eller min granne Katarina – kunde jag öppna dörren med säkerhetskedjan på och fråga vad han ville. Var han lugn och städad släppte jag in honom. Vi fikade och pratade nästan som vanligt. Han var rar och gullig, men han brydde sig inte om Emma.

Andra gånger var han inte riktigt klok.

– Du kan inte stänga mig ute från min lägenhet! kunde han stå och tjuta.

– Det är jag som bestämmer om det ska vara slut mellan oss! var ett annat av hans argument.

– Du har ju gjort slut, sa jag alltid.

– Ja, från min sida, men inte från din! svarade han då.

Vad svarar man på det?

Till sist tog han alltid till Emma.

– Jag har rätt att träffa min dotter!

Mitt svar blev som alltid:

– Givetvis. Börja med att erkänna faderskapet.

Ibland försökte han slita upp dörren när vi kom så långt i vårt tradiga resonemang. Andra gånger muttrade han bara och gav sig iväg. Faktiskt så såg jag mer av honom nu än när vi var förlovade.

Emmas kolik gick över i slutet av januari. Hon blev som en helt annan baby. Hon sov lugnt, snusade stilla i sin fina vagga. När hon var vaken log hon som själva solen.

När jag tog upp henne ville hon alltid stå och hoppa på tårna.

– Det här blir en balettdansös! sa mamma.

Jag köpte ett babygym som hon fick ligga och sprattla under.

Snart lärde hon sig att figurerna började dansa om hon viftade till dem med handen. Bara någon vecka senare upptäckte hon sina fötter. Hon kunde ligga i timmar och undersöka dessa underverk. Jag skrattade högt åt henne. Hon var för underbar!

Jag umgicks mycket med Katarina, min granne som bodde under mig, den här våren. Hon hade en pojke som bara var tre veckor äldre än Emma. Vi gick ofta ut på stan med våra barnvagnar, fikade hos varandra.

Marianne träffade jag två gånger i veckan. Antingen träffades vi ute på stan eller hemma hos mig. Vi talade mycket om Emmas pappa, hur jag skulle möta hans mer och mer horribla krav.

En härlig vårdag i början av mars ringde han på dörren. Jag hade tagit på mig ytterkläderna och var precis på väg ut. Emma låg nedbäddad i liften.

– Släpp in mig! gormade han.

– Gå härifrån! skrek jag.

– Du har fem sekunder på dig att öppna dörren! tjöt han.

– Jag vill inte ha dig här! ropade jag ilsket genom dörren. Du slår sönder mina saker och ger dig på mig. Varför skulle jag släppa in dig?

Han svarade inte. I stället började ett knackande rytmiskt ljud fylla min hall. Jag höll andan och lyssnade.

Vad i allsindar var det som lät? Det kom från dörren. Han gjorde något med dörren!

Jag sprang fram till telefonen som stod på hallbyrån och slog mammas nummer med skakande fingrar. Signalerna började gå fram.

Knackningarna bytte ställe, började höras nere vid golvet.

Två signaler. Tre signaler.

Knack knack knack.

Fyra signaler. Fem signaler.

Panik!

– ... hallå?

Hon måste ha varit ute.

– Mamma han gör något med dörren! Han gör något med dörren! Kom och hjälp mig! Hjälp! Hjälp!

Knackningarna upphörde. I stället hördes ett hasande ljud.

Babyn! Hon låg i liften precis innanför dörren. Jag kastade luren och grep tag i liftens bägge handtag. I ögonvrån såg jag hur dörren började öppnas, från fel håll! Jag nästan kastade in liften i badrummet och drog igen dörren.

Han stod i dörröppningen med min ytterdörr i nävarna. Leendet var fullständigt triumferande, ögonen brann.

– Du ska inte tro att du kan stänga mig ute! jublade han.

Jag begrep ingenting. Hjärnan stod helt stilla. Munnen var kruttorr.

– Vad har du gjort med dörren? skrek jag skräckslaget.

Han svarade inte, vräkte den i stället åt sidan. Den slog i stengolvet med en fruktansvärd smäll.

– Har jag inte sagt att du inte ska trotsa mig? sa han och klev in i min hall.

Jag stod helt paralyserad, trodde inte att detta verkligen hände.

Han gick fram och tog tag i mitt hår med sin högra hand, drog mig intill sig så att våra ansikten nästan slog ihop. Jag slutade andas. Knäna vek sig under mig. Han drog upp mig i håret, värmen av ett slag vid tinningen spred sig över ansiktet.

– Jag kommer och går här precis som jag vill. Lär dig det!

Och så var han borta.

Sven, fastighetsskötaren, kom och lyfte tillbaka dörren.

– Sprintar, sa Sven förklarande och höll upp dem. Han knackade loss sprintarna och lyfte av dörren. Lätt som en plätt.

– Men... sa jag. Hur kan det vara möjligt!

– Dörrarna ser ut så här i alla fyrtitalshus, sa fastighetsskötaren. Gamla gångjärn, utåtgående dörrar. Inget att göra åt.

– Du ska inte stanna här, sa Marianne, som just kom upp i trapphuset.

– Vart ska jag åka då? sa jag trött. Till mina föräldrar, så att han kan lyfta av dörrarna där också?

– Nej, sa Marianne. Du ska till kvinnojourens hemliga hus. Du måste lova att aldrig berätta för någon var det ligger. Hela syftet med huset är förstört om de misshandlande männen får reda på vart kvinnorna flyr.

– Självklart, mumlade jag.

Vi körde iväg till grannstaden och stannade utanför ett stort, vitt tvåfamiljshus i centrala staden.

– Tjejerna som jobbar här är proffs på att ta hand om kvinnor i din situation.

Jag svalde. Detta kändes så definitivt. Jag hade aldrig egentligen tillstått inför mig själv att jag var ett misshandelsoffer, en i raden av dessa svaga, förödmjukade, hunsade kvinnor med blåmärken och skygga ögon.

Marianne följde mig in. En liten smärt kvinna med kortklippt, mörkblont hår mötte oss.

– Jag heter Inger. Välkommen!

Vi tog i hand, jag mumlade mitt namn, kände mig lite bortkommen och generad. Högra ögat hade svällt upp så att jag såg dåligt. Tänk om jag såg för gräslig ut. Inger såg min blygsel och log varmt.

Det var en ljus och fridfull stämning i det gammeldags köket. Golvet var av trä, inredningen gick i dalablått. Huset bestod av två fulla våningsplan. Det undre fungerade som kök, samlingsrum och kvinnojourens kontor. På övervåningen fanns flera enskilda sovrum.

– Det här blir ditt, sa Inger och öppnade en utsirad spegeldörr.

Rummet var ljuvligt, hade trägolv och rosentapeter. I hörnet stod en vit kakelugn. Det var enkelt men funktionellt möblerat. Tre sängar, en större, en tältsäng och en liten spjälsäng, en fåtölj, en stol och ett litet skrivbord.

– I de andra rummen bor andra kvinnor. Just nu har vi två andra gäster, två kvinnor som har var sitt barn.

Jag började gråta. Vad gjorde jag här?

– Alla vi som jobbar här har själva misshandlats av våra män, sa Inger när tårarna hejdats något.

Jag tittade förvånat upp.

– Har du?

Hon log lite.

– Varför skulle det vara så konstigt?

– Du verkar så...

Jag tystnade.

– Normal? fyllde hon i. Hon skrattade lite. Jo, sa hon, jag är ganska normal. Ungefär som du, skulle jag tro.

Hon granskade mig vänligt.

– Du har fått en smäll på ena ögat, sa hon.

Jag slog ner blicken.

– Säg bara till om du vill prata, sa hon och lämnade rummet.

Mörkret föll. Jag kunde höra smältvattnet skvala ute på gatan. Jag tände en liten lampa i fönstret. Den spred ett svagt sken över de blommiga väggarna närmast fönstret. Borta i hörnen ruvade skuggor, varma och mjuka.

Jag satte mig i sängen, lutade mig tillbaka mot kuddarna. Emma sov i sin spjälsäng. Jag smakade på tanken, såg sanningen i vitögat: jag var ett misshandelsoffer. Stilla började jag gråta. Den man jag hade älskat slog mig. Han förnedrade mig på alla sätt han någonsin kunde. Hur kunde det gå så här långt?

Jag grät mig till sömns den kvällen.

När jag vaknade morgonen därpå kändes allting mycket bättre. Efter frukosten gick jag och Inger in på hennes kontor.

– Egentligen borde jag ha förstått vart detta barkade för länge, länge sedan, sa jag. Jag har gjort alla fel man bara kan.

Jag tystnade.

– Hur då? sa Inger.

– Alla signaler fanns där nästan från början, sa jag. Jag såg dem, men ville inte fatta.

– Berätta, sa Inger.

– Min aprikosfärgade baddräkt, sa jag. Lokaltidningen. Han började med att kritisera sönder mitt självförtroende. Han fick mig att tro att jag var fet, ful, oduglig och korkad. Han, och ingen annan än han, skulle någonsin kunna älska mig. Jag skulle vara glad och tacksam för att han brydde sig om en sådan misslyckad person som jag.

– Är du misslyckad? sa Inger.

– Inte alls! hörde jag mig själv säga med övertygelse. Jag har ett jättebra jobb på en bank. Jag pratar flera språk flytande, jag har en underbar familj, massor med vänner. Jag bor i en trea i ett äldre hus mitt i stan. Jag kunde inte ha det bättre!

Plötsligt började jag gråta igen.

– Han har förstört hela mitt liv! rasade jag. Han tog ifrån mig mina vänner, baktalade min familj, förbjöd mig att äta den mat jag ville, att läsa det jag ville, krävde att jag skulle ge upp min tro, mina traditioner och min kultur. Hur kan man göra så mot en människa man påstår sig älska?

– Du vet ju att det är han som gjort fel. Varför tar du då på dig en del av skulden? sa Inger.

– Jag satte inte stopp, sa jag. Jag gav efter för hans argument. När han tvingade mig att be om ursäkt för att jag hälsat på mina föräldrar så gjorde jag det. När han sa åt mig att ta på mig andra kläder så lydde jag. När jag blev tillsagd att läsa hans böcker i stället för mina egna så protesterade jag inte. Och för varje gång jag tryckte ner min egen vilja och fogade mig efter hans så blev det värre och värre. Om jag bara sagt ifrån tidigare, hållit på min rätt!

Inger var barsk när hon svarade.

– Det är inget fel med att vara generös i ett förhållande! Att anpassa sig, respektera sin mans önskningar, ge kärlek och tillit, det är ju det som ett förhållande går ut på: förutsatt att det är ett normalt förhållande. Att du kunde sträcka dig så långt som du gjorde visar bara att du skulle fungera alldeles utmärkt, med en vanligt funtad man. Den här karln är liten, tokig, maktgalen. Han var tvungen att kompensera sitt eget bristande självförtroende genom att krossa ditt. Om han lyckades krympa en självständig, begåvad kvinna som du till ett minimum så trodde han att han skulle växa. Det gjorde han inte. Han bara sjönk ytterligare i sina egna ögon, eftersom han skadar den han älskar.

– Han älskar inte mig! utbrast jag.

– Jo, sa Inger, det absurda är att han gör det. Ju mer han älskar, desto hårdare måste han kontrollera dig.

– Men han bröt ju vår förlovning!

– Förmodligen för att såra dig. Han vill ju inte mista dig.

– Nej, jag ser mer av honom nu än när vi var ihop.

– För din egen säkerhet så måste du vara ifrån honom ett tag, sa Inger. När brukar han slå?

– När något inte passar, sa jag. När jag inte gör som han vill. När han känner för det.

När jag slutat prata satt Inger tyst en lång stund. Till sist sa hon:

– Jag har hört många berättelser genom åren. Maria, jag vet vad jag pratar om. Frågan är om du inte borde lämna stan, sa hon.

– Aldrig! sa jag. Han ska aldrig driva mig bort från min hemstad! Aldrig någonsin! Då får han mörda mig först. Jag ska inte låta honom vinna!

Nästa kväll, efter middagen, frågade jag Inger:

– Har du någon erfarenhet av muslimska män?

– Lite grann. Vi får en del av deras kvinnor hit.

– Varför är det så? undrade jag. Är de överrepresenterade bland män som misshandlar?

Hon funderade ett ögonblick, slog upp kaffet ur tv-kannan.

– Jag har inga vetenskapliga siffror på det, men det är möjligt att det är så.

– Varför? frågade jag igen.

Hon suckade.

– Ja, det är inte religionens fel i alla fall, sa hon. Islam är ingen våldskultur. Men en person som är uppvuxen i en viss kultur, muslimsk eller inte, kulturkrockar ofelbart när han bosätter sig i vår. Jag tror det är själva kollisionen som utlöser våldet. Osäkerhetskänslorna, att inte kunna, inte räcka till, vara längst ner på samhällsstegen.

Hon bet i en chokladbit.

– Men i Koranen står det att mannen får aga kvinnan om hon är uppstudsig, sa jag.

– Jo, sa Inger och torkade sig med en servett i mungipan. Det har diskuterats hur det ska tolkas. Läser man Koranen, och hela Suran om kvinnorna, så framgår det mycket tydligt att alla människor – kvinnor, faderlösa, sinnesslöa – ska bemötas med respekt och tålamod. Mannen är imam, familjens överhuvud. Det ger honom ansvaret över kvinnorna och barnen. Det innebär inte, efter vad jag förstår, att han får plåga dem. Och vad innebär uppstudsig? Att hon slår sina barn? Missbrukar droger? Inte kan handskas med pengar? I sådana fall är det kanske meningen att han ska ta tag i kvinnan och tillrättavisa henne. Han är ju hennes chef, så att säga. Varför undrar du egentligen? Brukar han skylla på sin kultur när han slår dig?

Hon såg på mig över kanten på kaffemuggen.

– Ibland, sa jag. Men jag har inte trott honom. Jag har väl tolkat Koranen ungefär som du. Som ett rättesnöre för muslimer, inte som en handbok i våld. Allah är ju en god, allsmäktig gud, precis som vår.

– Det är så lågt, sa Inger, nästan för sig själv. Att använda en Guds bok för att ursäkta att man plågar dem man håller av.

Dagen därpå åkte jag hem. Min mamma kom och hämtade mig med bilen. Jag vinkade genom bakrutan när vi körde ut på gatan. Så konstigt. När jag kom till kvinnohuset kände jag mig inte som ett misshandelsoffer. Nu gjorde jag det, och ändå mådde jag mycket bättre.

Det lönar sig aldrig att ljuga, inte ens för sig själv, tänkte jag.

Jag hade hunnit vara hemma två timmar innan han ringde.

– Var har du varit? skrek han.

Jag suckade och lade på luren. Sedan ringde jag Televerkets kundtjänst. Där begärde jag att omedelbart få ett nytt, hemligt telefonnummer. Jag höll jacket urdraget tills mitt nya nummer började fungera. Nu skulle det bli slut på hans telefonterror.

Jag hade haft mitt hemliga nummer i exakt nio dagar innan han ringde nästa gång. Jag ringde genast och beställde ett nytt, hemligt nummer, mitt andra. Det kostade ytterligare någon hundralapp, men det skulle det vara värt.

Mars gick mot sitt slut. Dagarna blev varma och soliga. Varje dag gick jag ut med Emma. Hon var nästan ett halvår nu, en pigg, glad och ljuvlig tjej. En dag pallade jag upp henne bakom ryggen så att hon kunde se bättre när hon låg i vagnen. Efter det vägrade hon att ligga ner. Hon hoppade och jazzade med hela kroppen när hon såg världen svischa förbi. Jag var tvungen att köpa en sele så att hon inte skulle trilla ur vagnen.

Efter att koliken gett med sig hade hon lagt ordentligt på hullet. Hon hade fått börja äta puréburkarna från fem månader och uppåt. Nötköttspuré, slottstekspuré, kycklingpuré, skinkpuré, kalkonpuré. Hon älskade dem, ville helst äta dem med fingrarna.

Jag och Katarina fortsatte att umgås. Sisse och jag hade fått en nystart i vår vänskap. En som jag däremot totalt tappat kontakten med var Helena. Jag provade att ringa till henne någon gång, men hon avbröt samtalet nästan omgående. Sista gången jag ringde var det Muhammed som svarade. Han sa rätt ut vad som gällde:

– Sedan du svikit din man är du inte välkommen hos oss längre.

Jag blev ledsen, även om jag kunde ha väntat mig det. Helena hade stått mig nära.

Marianne och jag träffades mer och mer. En dag när hon kom hem till mig var hon blek och rödgråten.

– Men vad är det som har hänt? utbrast jag förskräckt.

Hon drog efter andan och talade snabbt.

– Du kommer att få en ny kontaktperson från kommunen. Hon

heter Mona. Jag har arbetat tillsammans med henne tidigare, hon är en mycket...

– Hallå hallå! avbröt jag. Vad är det du säger?

Marianne började gråta.

– Jag är sjuk, sa hon. Jag har cancer. Skelettcancer. De vet inte om jag kommer att klara det. Oddsen är inte så där jättebra.

Jag blev alldeles perplex.

– Men... hur länge har du vetat det?

Hon torkade tårarna, samlade ihop sig och blev sitt vanliga, lugna, kompetenta jag.

– I ett halvår ungefär, sa hon.

– Ett halvår? Men varför har du inte sagt någonting?

– Det har tillhört mitt privatliv. Det har inte varit något jag ville tynga dig med.

Jag nästan skämdes. Här hade jag vältrat över allt mitt elände på en kvinna som hade det mycket värre än jag. Jag var ju åtminstone fullt frisk.

– Jag vet vad du tänker! sa Marianne och hytte med pekfingret mot mig. Gör inte det! Jag måste få professionell hjälp att ta mig ur det här. Du är i samma behov, men av en annan anledning. Jag tänker inte ha dåligt samvete om min cellgiftsdoktor har ett helsike hemma. På jobbet ska han klara mig ur min soppa. Begrips?

Den eftermiddagen ringde det på dörren. Jag kikade i titthålet, det var han som stod där.

Så började det igen, och den här gången visste jag vad det var: knackningarna när han slog ut sprintarna på ytterdörren. Jag stod som förstenad och såg honom lyfta av dörren. Jag kom mig inte för att skrika, ringa någon eller ens gå in i sovrummet och stänga dörren. Den här gången vräkte han inte omkull dörren. Han lutade den mot väggen intill öppningen till min lägenhet. Jag bara stod där med babyn i famnen när han klev in genom hålet, kunde knappt andas.

– Hej, sa han glatt. Vilket underbart väder vi haft idag!

Han torkade av skorna ordentligt på dörrmattan, hängde av sig jackan på min hatthylla, gick fram till min hallspegel och slätade till håret med händerna.

– Jag tänkte sätta på lite kaffe, sa han. Vill du ha?

Jag svarade inte, stod som förstenad. Skräckslaget stirrade jag på hålet där min ytterdörr suttit. Ljuset från fönstret i trapphuset föll in i min hall. Jag hörde kylskåpsdörren öppnas. Han började rota runt därinne. Jag gick tillbaka och lade ner flickan i spjälsängen, samlade ihop allt mitt mod och gick ut i köket. Hjärtat dunkade.

Han stod med soppåsen i handen och höll på att rensa kylen.

– Det finns en massa svinmat här, sa han vänligt förklarande. Kotletter, karré, allt möjligt.

Han höll fram soppåsen så att jag fick se. Där låg min helgmat bland gamla kaffefilter och trasiga äggskal.

– Aha! sa han och drog fram pålägget. Rökt skinka, läste han.

Den obrutna förpackningen åkte ner i påsen. Jag sa fortfarande ingenting.

– Få se här då, sa han och öppnade frysen.

Där hittade han en bit djupfryst kassler, en förpackning blandfärs och ett halvt kilo fläskfilé som jag köpt på extrapris. Soppåsen började bli full. Sedan frysen var genomsökt granskade han köket. Blicken stannade på skafferiet.

– Titta här, sa han och höll upp lillans barnmatsburk.

Skinkpurén. Herregud! Han knöt till påsen ordentligt, gick ut i trapphuset och slängde den i sopnedkastet.

– Sådärja! sa han glatt och slog ihop händerna. Då är nog kaffet klart!

Han tog sig en mugg från skåpet och fyllde den till brädden. Han satte sig ner vid köksbordet och drack med välbehag.

– Ska du inte ha en kopp, Mia? Det var väldigt gott!

Jag skakade bara på huvudet, rörde mig inte ur fläcken, stod kvar i öppningen mellan köket och hallen medan han drack ur sitt kaffe. Sedan sträckte han på sig, gäspade och sa:

– Nej, nu tror jag att jag tar mig en lur!

Sedan travade han förbi mig, ut i hallen och in i mitt sovrum. Han tog av sig skorna och sträckte ut sig på min säng.

– Kom och kramas lite, Mia! sa han och höll armarna mot mig.

Är det jag som håller på att bli tokig, eller är det han? tänkte jag.

Han gick efter ungefär en timme. Så fort jag hört porten slå igen därnere ringde jag till Sven, fastighetsskötaren.

Jag hade haft mitt andra, hemliga nummer i knappt tre veckor när han ringde nästa gång.

– Hej! sa han. Jag vill att du kommer hit och äter middag ikväll.

Detta var inte sant! Han hade lyckats få reda på mitt nummer igen!

– Jag vill inte äta middag med dig, och jag vill inte att du ringer hit. Hej då, sa jag och lade på.

Jag hann inte slå numret till Televerket innan han ringde nästa gång.

– Du är min fru! tjöt han. Du ska göra som jag säger!

– Jag är inte din fru. Jag var din fästmö en gång, men du spolade mig. Dessutom har du ju en annan tjej, Irene.

Jag lade på och gick ner och ringde Televerket från Katarinas telefon. De skulle genast koppla in ett nytt, hemligt nummer. Mitt tredje.

Den här gången fick jag ha mitt nya nummer i fyra dagar innan han ringde. Så snart jag hörde hans röst lade jag på. Vem i all sin dar försåg honom med mina nya nummer hela tiden?

– Ja inte är det jag, sa mamma, syrran, Sisse och Marianne.

Vem var det då? Jag fixade ett nytt nummer, mitt fjärde.

En ljuvlig förmiddag i början av april gick jag ut på stan med barnvagnen. Jag skulle äta lunch med Sisse på vår gamla stamkrog där jag jobbat en gång i tiden. Jag gick hemifrån i god tid, strosade långsamt längs gatorna, lät solen värma mitt ansikte. Jag öppnade jackan, fällde ner suffletten på vagnen så att Emma fick känna på de ljumma vindarna. Vilket härligt väder! Jag hade solen i ögonen och såg inte att jag höll på att kollidera med ett par med en barnvagn. Det var Helena och Muhammed!

– Nej men hej! utbrast jag glatt. Åh, så länge sedan! Hur är det med tösen?

Jag hade stannat, böjde mig fram för att kika ner i deras barnvagn. Helena öppnade munnen för att säga något, men Muhammed ryckte hårdhänt tag i hennes arm.

– Kom Fatima, sa han.

Helena slog ner blicken. Jag stod och såg deras ryggtavlor avlägsna sig. Solen lyste på Muhammeds svarta hår. Helena bar en sjalett över huvudet. Jag kände mig tillplattad, överkörd, förödmjukad.

– Mia? Är det inte Mia Eriksson? Herre jesses, det var inte i förrgår! Tjenare! Var har du hållit hus de sista åren?

Jag snurrade runt, fick solen i ögonen och såg inte ett dugg.

– Det är ju jag, Anders! Jag känner Staffan, din syrras kille, kommer du inte ihåg mig? Vi åkte vattenskidor för några somrar sedan? Åkte dit i min Citroën?

Ja, just det, en kille i en Citroën, hette han Anders?

– Hej, sa jag och log. Nu minns jag. Det var ett tag sedan.

– Har du fått barn? sa han förvånat när han noterade min vagn.

Intresserat gick han fram och kikade på Emma.

– Nämen, vilken gullig unge! sa han entusiastiskt och betraktade den sovande lilla gestalten.

– Ja, hon är min älskling! sa jag stolt.

– Grattis! sa han varmt. Vad kul!

Jag kastade en blick på klockan. Oj! Var den så mycket?

– Jag ska inte uppehålla dig om du har bråttom, skyndade han sig att säga. Jag ska ändå gå och käka nu.

– Jag ska också äta, sa jag. Med Sisse, på krogen. Känner du henne?

– Framför allt känner jag Henrik, hennes kille. Vi jobbade tillsammans på kommunen tidigare. Nu har jag ett eget företag, ska vi göra sällskap bort till lunchhaket?

Vi slog följe bort till krogen, pratade glatt om ditt och datt hela vägen. Han åt en snabb dagens och lämnade oss sedan. Jag och

Sisse satt kvar tills lunchen var slut och personalen körde ut oss. Allt skulle nog bli bra till slut!

Den natten vaknade jag plötsligt vid tretiden. Jag vet inte vad det var som väckt mig, plötsligt var jag bara vaken, klarvaken. Jag såg honom inte först, men kände hans närvaro i rummet.

Plötsligt lösgjorde han sig från skuggorna borta vid garderoberna, hoppade upp i min säng och slet av mig täcket. Jag fattade inte vad som hände, kände bara en ofattbar skräck fylla hela rummet. Jag skrek.

– Jävla hora! gastade han och tog tag i min arm.

Paniken exploderade i mitt huvud. Jag försökte slita mig loss, bort.

– Hjälp!

Babyn vaknade och grät. Han slet ner mig på golvet, jag landade hårt på höften.

– Snälla snälla.

Mardröm, mardröm, jag vaknar snart, jag vaknar snart.

– Tror du att du kan behandla mig hur fan som helst!

Smärta. Skräck. Skrik.

– Vad har jag gjort, vad har jag gjort?

Han tog tag i halsringningen på den stora t-shirt jag sovit i. I ett enda tag rev han sönder den från axelsömmen till nedre fållen.

– Jag vet vad du har gjort, det var folk som såg dig. De såg dig! Jävla hora, du kommer aldrig undan mig. Fattar du inte det?

Han vred upp min vänstra arm på ryggen, drog upp mig på fötter och kastade mig in i sovrumsväggen. En tavla ramlade ner från väggen. Glaset krossades. Babyn skrek. Jag dråsade ner i golvet igen. Han kom efter. Jag försökte krypa in i hörnet, in under nattduksbordet. Han tog tag i mitt ben och drog ut mig. Bordet välte. Väckarklockan och ett inramat foto på Emma välte. Jag fick tag i ett av sängens ben, försökte hålla mig fast. Han sparkade på mina fingrar.

– De såg dig stå och prata med en karl på stan. En vilt främmande karl, mitt på gatan, och min unge hade du med dig. Han tittade på min unge! Jävla hora!

Han sparkade mig på benen, i ryggen, i axeln. Babyn skrek hysteriskt. Jag låg stilla, försökte inte kämpa emot mer, höll händerna och armarna skyddande runt huvudet.

– Snälla, snälla...

Bara han inte gav sig på barnet! Jag låg stilla tills sparkarna upphörde. Det susade i huvudet, jag visste inte om han hade gått. Jag hörde flickans förtvivlade gråt långt borta, någonstans bakom bruset och suset i mitt huvud.

Försiktigt försökte jag ställa mig upp. Det gick inte. Någonting i höften vek sig. Med ett stön sjönk jag tillbaka mot golvet. Den här gången hade han tydligen lyckats ha sönder någonting.

– Älskling, mamma hör dig, mamma är här, såja gumman, lilla vännen, mammas rara...

Sakta kröp jag bort till spjälsängen. Med stöd av spjälorna lyckades jag dra mig upp på benen. Nej, ingenting var brutet. Jag var bara öm. Jag lyfte upp babyn och satte mig på sängen. Långsamt blev hon lugn igen. Tystnaden lade sig. Mörkret var kompakt. Ett kallt drag svepte in i sovrummet från hallen. Ytterdörren! Han måste ha lyft av den igen. Plötsligt tändes lyset ute i trapphuset. Ljuset föll in i min hall. Flera tunga fötter började trampa i trappan. Tänk om han kom tillbaka! Jag kröp så långt upp i sängen jag kunde komma, drog upp täcket till axlarna med babyn tätt intill mig. Strömbrytaren i min hall vreds om. Plafonden spred sitt klara ljus, slog sönder mörkret i mitt sovrum.

– Är det någon här?

Jag spärrade upp ögonen, började skrika av skräck.

– Snälla, snälla, inte mer...

Babyn började gråta igen. Taklampan i sovrummet tändes.

– Men kära nån! sa mannen förskräckt och tittade från mig till röran i rummet.

Det var en uniformerad polis, en ung aspirant. Bakom honom stod en äldre kollega. Jag tystnade tvärt. Vad var det här!

– Maria Eriksson? Din granne ringde. Hon sa att det lät som att något höll på att komma genom taket.

Katarina! Hon och Lasse hade sitt sovrum under mitt!

– Vad är det som har hänt?

Jag undvek att svara, vyssjade babyn till sömns igen.

– Kan ni vara så snälla och lyfta på dörren igen? sa jag. Det blir så kallt härinne.

Poliserna gick ut och satte dörren på plats.

– Du borde säkra dörren i dörrposten, sa den yngre polisen när de var klara och jag lagt ner babyn i spjälsängen igen.

– Man slår in några kraftiga stålpluggar i bakre kanten på dörren och borrar motsvarande hål i dörrposten. Då kan inte dörren lyftas av på det här viset.

Jag stod som ett frågetecken.

– Varför har ingen sagt det tidigare? sa jag förbluffat. Är det verkligen så enkelt att stänga honom ute för gott?

– Menar du att detta hänt förut? sa den äldre polisen.

Jag svarade inte.

– Jag tycker du ska göra en anmälan, sa den äldre polisen.

Jag skakade på huvudet.

– Nej. Ni känner inte honom. Det skulle bara bli etter värre. Han slutar väl någon gång.

Den äldre polisen såg granskande på mig under några långa sekunder. Sedan sa han:

– Det är ditt val. Visserligen faller ett sådant här brott under allmänt åtal, men om du inte vill berätta för rätten vad som hänt så är det svårt att få honom fälld.

– Här kan du inte stanna i alla fall, sa den yngre polisen. Du borde åka bort tills dörren är säkrad.

– Det vore kanske bäst, mumlade jag.

– Vi kan skjutsa dig till ett kvinnohus i grannstan. Det är fint där! sa han övertygande, nästan bedjande.

– Jag vet, sa jag. Jag har varit där förut.

Polisbilen stod parkerad utanför min port. Den svartvita lacken, de blå lyktorna på taket, de stora bokstäverna på dörrarnas sidor, jag kände att jag tvekade lite.

– Du får sitta bak, sa den äldre konstapeln.

Han höll upp dörren för mig, hjälpte mig in i baksätet.

– Jag måste öppna utifrån när du ska kliva ur, sa han och log. Dörrarna är bovsäkra.

Jag satte mig tillrätta, placerade liften ovanpå mina knän. Emmas sovande, rofyllda ansikte hamnade precis intill mitt eget. Bilen körde iväg, rullade bort i natten.

Marianne ordnade så att min dörr försågs med stålpluggar. Det tog ett par dagar. Under tiden bodde jag i det vackra vita huset med kakelugnarna.

– Jag säger det igen, sa Inger. Du borde överväga att flytta någon annanstans.

– Aldrig, sa jag bara.

Jag ringde och bad Sven försöka lyfta bort min dörr. Han misslyckades. Då tordes jag åka hem.

Jag hann vara hemma ett par dagar innan det började knacka i gångjärnen igen. Raskt tog jag upp babyn och gick ut i hallen. Det skulle bli intressant att se om pluggarna fungerade. Han knackade och knackade och snart fick han ut sprintarna. Så var det dags att ta tag i dörren och lyfta av den från gångjärnen. Han tog ett grabbatag och slet till. Ingenting hände. Han tog sats och försökte ytterligare en gång. Jag kunde inte låta bli att le. Nu började han förstå att någonting var galet.

– Vad fan har du gjort med dörren? Jävla hora!

Han öppnade brevlådan och började skrika och svära. Jag gick in i sovrummet och stängde dörren, orkade inte höra på hans vrål. Då satte han igång att slå och sparka på dörren i stället. Jag satte mig på sängen med Emma i knät och sjöng med hög och klar röst. Flickan skrattade och klappade i händerna av förtjusning. Jag skulle inte ge upp. Jag skulle överrösta våldet med Blinka lilla stjärna.

Nästa dag hade jag honom i telefonen igen. Jag bytte genast nummer, till mitt femte.

Emma lärde sig sitta upp utan stöd. Hon började krypa, tog sig plötsligt överallt. Pincettgreppet satt där, snart hade hon munnen full av bortglömda brödsmulor och smaskiga dammtussar.

– Lilla gourmén, sa jag och grävde skräpet ur hennes mun. Hon protesterade högljutt.

Så en dag ställde jag upp dörren för att mamma skulle komma förbi. På den tiden kunde jag göra sådant. Ibland fick jag för mig att världen var normal, att man kunde ställa upp sin ytterdörr när man badade sin baby.

Han kom in utan att ringa på, utan att säga ett ord. Jag hörde att någon kom, hörde att det var han, de välbekanta ljuden när någon kommer hem till sig: man sparkar av sig skorna, stökar i köksskåpen, häller upp kaffe, harklar sig, drar ut köksstolar, bläddrar i en tidning medan man dricker upp kaffet som någon gjort i ordning i tv-kannan.

Där satt han tills jag kom ut med Emma, som jag lindat in i ett stort rosa badlakan. Hennes mörklockiga lilla huvud stack upp ur frottén som ett jublande utropstecken.

– Vad vill du? sa jag.

– Jag tycker vi ska gifta oss, sa han.

Jag höll på att ge upp ett flatskratt men hejdade mig.

– Jaha, sa jag. Varför det?

– Muhammed och Fatima ska gifta sig. Jag tycker att vi också gör det.

– Har du inte tänkt fråga mig vad jag tycker om det? sa jag och satte mig på en köksstol. Jag tittade inte på honom, koncentrerade mig på att torka den blöta lilla babyn.

– Okey, sa han, reste sig och gick till min sida av bordet.

Han tog min hand mellan båda sina och sa:

– Mia, vill du gifta dig med mig?

Jag drog bort min hand och svarade:

– Nej tack.

– Varför inte det? skrek han.

– Du är elak mot mig, sa jag lugnt och mötte hans brinnande blick. Du skrämmer mig och slår mig. Därför vill jag inte gifta mig med dig.

Han satte sig ner och drog fingrarna genom håret.

– Okey, förlåt då, sa han. Det är inte meningen att slå dig. Men jag måste ju, fattar du inte det? Du tvingar mig ju till det!

– Jaså, sa jag. Hur då?

– Genom att inte lyda. Du gör ju inte som jag säger!

– Så du slår mig sönder och samman i uppfostrande syfte?

Han såg på mig en lång stund. Sedan reste han sig och gick utan ett ord. Väggen skakade till när han slog igen dörren.

8

JAG BÖRJADE PLANERA för min framtid. Mammaledigheten skulle vara slut till hösten. Det var hög tid att söka dagisplats åt Emma. Eftersom jag var ensamstående mor lovade barnomsorgsassistenten att jag skulle få förtur i dagiskön.

I samråd med chefen på banken bestämde vi att jag skulle gå en vidareutbildning under hösten. Efter jul skulle jag tillbaka till mitt ordinarie arbete. Gick utbildningen bra skulle jag kanske befordras.

– Ska det bli kul att börja jobba igen? undrade syrran.

– Jo, sa jag. Men först vill jag ha en lång, härlig sommar med Emma!

Marianne blev sjukskriven i slutet av april. Hon fick strålning och cellgifter, tappade håret och gick ner i vikt. Jag började träffa en ny stödperson, en kvinna som hette Mona. Hon var yngre än Marianne, mörk, lång och smal. De första gångerna träffades vi tillsammans med Marianne. Vi kom bra överens från första stund. Sedan träffades vi två, tre gånger i veckan. Det förtroende jag tidigare haft för Marianne innefattade snart också Mona. Hon fick snabbt en mycket klar bild över min livssituation.

– Det är du som måste bestämma dig för om du ska polisanmäla honom eller ej, sa hon alltid.

Hon ville inte fatta det beslutet åt mig.

En ljuvlig kväll vid sjutiden ringde min syster och hörde om jag gjorde något särskilt.

– Jag och Staffan och några till har köpt en låda korv och öl och franska baguetter och undrar om vi får komma och våldgästa...

– Visst! Kom ni!

Min syster och hennes pojkvän hade med sig sex, sju personer som jag kände mer eller mindre väl sedan förut. Två av killarna var med på den där vattenskidåkningen för ett par år sedan, Anders med Citroënen och en rödhårig kille som spelade gitarr, och så Staffans brorsa, hans tjej och hennes kompisar.

Mina soffor fylldes av glammande människor.

– Är det okey om vi öppnar fönstren? För bebin?

Den rödhåriga killen plockade fram sin gitarr. Han slog ett par ackord och stämde upp House of the rising sun. En av tjejerna var vokalist i ett av stans dansband, hon tog snabbt på sig förstastämman. Alla stämde in, Emma också.

– Här kommer ost och korv och knaper, sa Staffan och balanserade brickorna.

– Sätt dig, Mia, sa en av tjejerna och gjorde plats bredvid sig i soffan.

Jag satte mig ner, tog tösen i knät. Alla var vi tydligen hungriga, vi kastade oss över brickan med plockmaten. Det var som om försommarvärmen mjukat upp våra sinnen, fått tempot att stiga i våra vintertrötta hjärnor.

– Hur länge har du jobb på sågen?

– Ska du tävla nåt i år?

– Nähä, vad sa du då?

– Bara 250 spänn, gud vad billigt! Hade de några kvar?

– Kan du skicka salamin? Nej, inte den, den mögliga... Tack!

– När ska du börja jobba?

Först uppfattade jag inte frågan. Jag trodde att den ställdes till någon annan. När jag vände på huvudet och mötte Anders blick förstod jag att det var mig han talat med.

– Inte förrän efter jul, sa jag. Jag ska gå en vidareutbildning under hösten. Den börjar i september, så fram till dess ska jag vara ledig.

– Det måste var jättehärligt att få vara hemma med en liten unge, inte bekymra sig för någonting i hela världen!

Han sa det så naturligt, som om det inte fanns någon ondska i världen, inga dårar som lyfte av dörrar mitt i nätterna, som slog och hotade och bryggde kaffe när jag glömt låsa dörren.

Hans ansiktsuttryck förändrades.

– Vad är det? sa han. Har jag sagt något fel?

Jag skyndade mig att le.

– Nej då, sa jag. Nej, inte alls.

Jag reste mig upp, gick ut i köket för att göra i ordning Lillans kvällsvälling.

Största delen av sällskapet gick vid elvatiden. Bara syrran, hennes kille och Anders stannade kvar och hjälpte mig att röja upp.

– Är det någon som vill ha en kopp te? undrade min syster.

– Ja, det vore jättegott, sa Anders.

– En till mig också, sa jag.

Hon försvann ut i köket igen. Jag sjönk ner i en soffa. Anders gick bort till det öppna fönstret. Han drog in den klara luften, andades in hela den ljusa försommarnatten. Ljuden nere på gatan blev större i den stillastående kvällen, rullade in i mitt vardagsrum, en hund som skällde, en bil som körde förbi, en grupp fulla studenter som skrålade om den ljusnande framtid som var deras.

– Det kommer att bli regn i morgon, sa Anders. Han vände sig om mot mig och förtydligade: Jag känner det på lukten.

Han stängde fönstret. Ljuden dämpades, blev med ens så avlägsna.

– Du kommer inte härifrån från början, eller hur? sa jag.

– Nej, jag är född i Norrland, sa han.

– Min pappa är från Östersund, sa jag. Vi tillbringade hela somrarna däruppe när jag var barn.

– Nähä, var då?

Vi förlorade oss i detaljer kring små bruksorter och nedlagda Konsumaffärer.

– Här var det te, sa syrran.

De gick strax efteråt. Det var vanlig arbetsdag i morgon, semestrarna började inte ännu på flera veckor.

– Vi ses, sa Anders.

– Jag ringer i morgon, sa syrran.

Det kunde hon inte, för min förre fästman ringde först.

– Undrar du inte hur jag bär mig åt för att få tag i alla dina hemliga nummer? sa han.

Jag svarade inte.

– Du betalar extra för att Televerket inte ska lämna ut dem, eller hur? Du skulle bara veta! De talar om dina nummer varenda gång jag ringer nummerbyrån!

Jag lade på med hans skratt ringande i örat. Jag väntade tills telefonen knäppt till och samtalet brutits. Sedan slog jag numret till nummerbyrån.

– Nummerupplysningen Gunilla, sa en röst.

– Hej! sa jag vänligt. Jag skulle vilja veta numret till Maria Eriksson.

– Maria Eriksson... hon knappade på en dator.

Så hittade hon det tydligen.

– Ja, tyvärr, abonnenten har begärt att numret ska vara hemligt, så jag kan inte lämna ut det.

– Nej men tusan också! utbrast jag. Så förargligt! Jag är en väninna till henne, och hon har bett mig ringa idag på förmiddagen. Nu är det så att jag har tappat bort hennes nummer, och hon sitter och väntar på att jag ska ringa. Usch så förargligt!

– Jaaaa... sa hon på nummerbyrån.

– Vad ska jag göra? sa jag bedjande. Hon sitter ju och väntar!

– Ja, sa rösten, eftersom du är en väninna till henne så kan jag ju lämna ut det till dig.

Och så, i mitt öra, hörde jag den hemliga sifferkombinationen. Mitt eget, hemliga nummer!

– Det här inte sant! utbrast jag. Hur kan du lämna ut det där numret? Det är jag som är Maria Eriksson, och jag har betalat extra för att det där numret inte ska lämnas ut!

Kvinnan i andra änden blev knäpp tyst.

– Vad var det du hette? Gunilla? Jag kommer att gå vidare med det här, det kan du vara alldeles oerhört förvissad om.

Jag lade på innan hon hann protestera. Sedan ringde jag alla chefer på Televerket som jag bara kunde få tag på. Alla bad så hemskt mycket om ursäkt, lovade att det aldrig skulle upprepas, kunde inte förstå vad som tagit åt den där Gunilla på nummerupplysningen. Innan dagen var till ända hade jag fått ett nytt nummer, mitt sjätte.

Gratis, den här gången.

En eftermiddag kom Anders förbi.

– Vill du ha kaffe? sa jag. Eller vill du käka lite kalops?

Han tänkte efter ett ögonblick.

– Kalops låter underbart!

Jag satte ner Emma i hennes höga Hokus-pokus-stol.

– Här har du, sa jag och stack åt henne ett Mariekex.

– Var det gott? sa Anders och tittade ingående på flickan.

– Hon har ju tänder! utbrast han. Två stycken! Jag såg dem, de var som risgryn! Därnere, i underkäken.

Jag skrattade högt åt hans entusiasm.

– Hon har haft dem i sex veckor. Jag tror de är på gång i överkäken också. Hon kliar sig så där uppe.

Jag dukade snabbt fram ytterligare en tallrik, glas och bestick.

– Vill du ha en öl?

– Ja, hemskt gärna, om du har.

Jag plockade fram två kalla Pripps blå. Vi skålade högtidligt i mina Duralexglas:

– För en evig sommar!

Anders diskade medan jag lade Emma. När jag kom ut ur sovrummet hade han bryggt en kanna kaffe och dukat i vardagsrummet. Han såg lite osäker ut.

– Du sa ju att du ville ha kaffe – jag hoppas att du inte misstycker...

– Inte alls, sa jag. Jag är inte van att bli uppassad, bara...

Vi satte oss i var sin soffa.

– Staffan har pekat ut Emmas pappa för mig, sa han. Han var visst inte så snäll mot dig.

Jag tvekade en sekund, sedan sa jag:

– Nej, det var han inte. Faktum är att han tagit sig in i min lägenhet mitt i natten och slagit mig sönder och samman – för din skull...

Jag berättade.

– Du kan inte mena allvar! sa Anders fullständigt förbluffad. Blev han arg för att jag hälsade på dig på stan?

– Ja, sa jag glatt. Jag får inte se andra män i ögonen. Dessutom var jag barhuvad. Han vill att jag ska vara anständig.

Nu skrattade jag högt, kunde inte låta bli att roas av det absurda.

Anders såg förfärad på mig.

– Hur kan du skratta? Det är ju hemskt!

Jag skrattade ännu mera. På något sätt kunde jag göra det. Här, med honom, var jag så trygg.

– Ja, sa jag, vad sjutton ska jag göra då? Storgråta?

Jag skrattade ännu mer, och långsamt började det rycka även i hans mungipor. Jag berättade om den gången han gick in utan att knacka, satte på kaffe och slängde allt mitt griskött.

– Det är ju helt rubbat! flämtade han.

Vi såg en bra film på tv. Sedan berättade han om sin familj som bodde kvar uppe i Norrland, om sin bror och sin syster, mamma och pappa. Hur han lämnat sin hembygd för att utbilda sig, hur han fått praktikplats i vår stad, jobbat på kommunen, startat företaget och blivit kvar.

– Nu bor jag i en etta i de gamla arbetarbostäderna, sa han. Du vet, de där gamla husen strax utanför stan som yuppiefierats och gjorts om till bostadsrätter.

– De är ju jättecharmiga! sa jag.

– Ja, de är skitfina, fast väldigt små, måste jag säga.

Plötsligt var klockan fyra.

– Du kan sova på soffan, om du vill, sa jag.

Han såg allvarligt på mig.

– Är det säkert att du inte får problem om jag gör det?

– Jag gör som jag vill, sa jag och gick och hämtade täcke, kudde och sängkläder.

Han hade gått när jag vaknade. På köksbordet låg en lapp:

"Tack för kalopsen och sällskapet. Vi ses!"

Jag sjöng medan jag kramade ihop papperet till en boll och slängde det i soppåsen.

9

En måndag i mitten av juni hade vi bestämt att vi skulle träffas och äta lunch ute på stan. Det var Mona och Marianne från kommunen, Sisse, min syster, Katarina och jag. Vi parkerade oss med barnvagnar och skötväskor på krogens uteservering.

– Så härligt! suckade Sisse och blundade mot solen bakom sina solglasögon. Jag vill att det alltid ska vara sommar!

– Vad ska du ha? undrade Mona och tittade på Marianne. Kan du äta vad som helst?

– Jag tror jag tar en soppa bara, sa Marianne.

– Jag tar en dagens, sa jag.

Katarina granskade menyn.

– En räksallad, tack. Och ett stort glas isvatten.

Mona informerade mig om när hon skulle ha semester under sommaren, Marianne berättade senaste nytt om läkarnas prognos på hennes sjukdom, Sisse, Katarina och jag jämförde vällingsorter.

Jag hade precis fått in min schnitzel när jag hörde någon säga Hej Mia bakom min rygg. Jag vände mig förvånat om. Det var Helena. Hon stod på utsidan av serveringens staket med sin lilla flicka i famnen, osäker och generad.

– Helena! utbrast jag. Det var inte igår! Hur är det med dig?

Hon försökte sig på ett leende, men det blev mest en grimas. Hon bar solglasögon och var barhuvad. Någonting måste ha hänt, hon var inte hijad.

– Vill du inte sitta ner här hos oss? sa jag. Sisse, kan du hämta en stol? Mona, det här är Helena som jag talat om.

Helena kryssade sig fram till vårt bord med babyn.

– En kopp kaffe, bara, sa hon till servitrisen.

– Hur är det med dig? undrade jag försiktigt.

Till svar tog hon av sig glasögonen. Hon var alldeles sönderslagen kring ögonen. Blåsvarta ringar och hemska svullnader täckte området från ögonbrynen och ner på kinderna.

– Herregud, viskade jag.

– Jag polisanmälde honom igår, sa hon tyst.

Mona tittade vaksamt på henne, men sa inget.

– Vad hände? sa jag.

Hon sneglade skyggt runt omkring sig, satte på sig solglasögonen igen.

– Vi grälade, sa hon bara.

I samma stund såg jag dem komma.

De gick bredvid varandra, med långa steg och käkar stela av ilska. De var fortfarande ganska långt borta, jag såg deras gestalter flimra mellan människorna. Så lösgjorde de sig ur mängden, forsade fram de sista metrarna rakt mot vårt bord. Min förre fästman hann fram först. Hans händer flög rätt in i mitt hår. Han tog tag i nackhåret och ryckte till, hade jag inte haft stolen lutad mot serveringens räcke så hade den vält.

Sisse skrek, Mona sprang upp. Muhammed slog till Helena med en knytnäve rakt på hakan. Hon tumlade åt sidan och höll på att tappa babyn. Lunchätarna på krogen trodde inte sina ögon. En karl i kavaj började skrika:

– Ring polisen, ring polisen!

Flera personer ställde sig upp, osäkra på var de skulle ta vägen.

– Ta hit ungen! skrek min förre fästman. Han fick tag i Emmas ben och började dra.

Flickan skrek till av smärta och förvåning. Hon hade en liten klänning, knästrumpor och sandaler. Greppet satt på låret, på hennes bara hud. Jag knyckte på nacken, gång på gång, för att få honom att släppa taget om mitt hår. Jag kände hur hårstråna lämnade sina hårsäckar. Jag såg greppet om barnets ben hårdna, huden omkring hans hand bli blå. Hon skrek i panik.

– Hjälp! ropade jag. Han sliter av henne benet.

I ögonvrån såg jag Muhammed försöka nå Helena över serveringens räcke. Hon hade kastat sig framåt och gömde sig under bordet. Uteserveringen befann sig nu i fullständigt uppror. Människor tumlade om varandra för att komma ut. Muhammed hade hoppat över staketet och var på väg in under bordet till Helena. Han skrek att hon skulle lämna över tösen, annars skulle han slå ihjäl henne.

Till slut lyckades jag slita mig lös från min förre fästman. Han stod med näven fullt av rågblont hår.

– Jävla hora! skrek han.

Jag försökte desperat krångla mig förbi havet av stolar och in på själva krogen, men han hann få tag i min blus. Jag snurrade runt, ärmsömmen sprack.

– Du ska inte ha min dotter! tjöt han. Jag har rätt att träffa min dotter.

Vi hörde inte när polisen kom. Plötsligt stod de där, tre stycken som höll honom i ett gemensamt grepp.

Jag var fri, försökte rätta till min klädsel. Samtidigt mumlade jag tröstande ord till Emma, smekte henne över huvudet, pussade, gullade, sjöng lite. Det kändes som om jag stod i ögat på en orkan.

– Ska det aldrig bli annorlunda? viskade jag.

De skickade iväg Helena och hennes baby i den första polisbilen. Emma och jag fick åka i den andra. För tredje gången på några månader hamnade jag i det vita huset med kakelugnarna.

Jag fick samma rum som de två tidigare gångerna, det vackra, ljusa rummet med rosentapeterna. Så snart jag stod på tröskeln till rummet med handen på spegeldörren spred sig ett stort lugn inom mig. Ena fönstret stod på glänt, de genomskinliga vita gardinerna vajade lite i sommarbrisen.

Jag satte mig ner på sängen med tösen i knät. En solstråle föll på hennes hår. Det var glimmande svart. Jag smekte henne över huvudet, kysste henne, nynnade lite. Tiden stod stilla här. Så såg jag märket på hennes lår. Avtrycket från hans fingrar satt kvar i hennes mjuka babyhud. Hela låret var blått. Jag vaggade henne.

– Varför kan inte din pappa vara snäll mot dig?

Helena reagerade inte alls som jag över att hamna i det vita huset. Jag hittade henne nere i samlingsrummet sedan jag lagt Emma i hennes spjälsäng. Helenas baby satt inne i köket och fick mat av någon ur personalen. Själv stod hon och stirrade oseende ut genom ett av fönstren som vette ut mot trädgården. Hon hade bundit en duk över sitt huvud igen.

Jag gick fram till henne, lade min hand på hennes arm.

– Hur är det med dig?

Hon drog sig undan lite. Hennes ögon var torra inne bland alla blåsvarta svullnader.

– Jag har trotsat min man, sa hon och fortsatte att stirra in i gardinen.

– Han måste vara rättvis mot dig, sa jag. Tycker du att han har varit det?

Hon svarade inte, fingrade tyst på en guldlänk hon hade runt halsen.

– Ditt ansikte ser förskräckligt ut, sa jag. Tycker du att du förtjänat det?

Hon vände sig om, bort från mig, gick och satte sig i en av sofforna. Jag satte mig mitt emot henne, väntade på en reaktion. Den kom inte.

Hon tittade i golvet.

– Det här är inte rätt, mumlade hon. Jag sviker min man.

– Du sa att du polisanmält honom, fortsatte jag. Vad hände?

– Vi grälade. Jag slängde ut honom. Han blev jättearg, sa att han skulle ta flickan.

Äntligen kom en reaktion, hennes ögon fylldes med tårar. Men insikten blev inte den förväntade. I stället sa hon förtvivlat:
– Åh Gud, vad har jag gjort mot min man?

Vi grillade fyra stora flintastekar på utegrillen den kvällen, pratade och skrattade. Ytterligare en annan kvinna bodde där just då. Hon hade tre barn i förskoleåldern. De jagade varandra genom trädgården under stoj och glam. Helena höll sig på sin kant. Hon åt inget kött, petade bara lite i en potatis. Hon gick så snart hon kunde.
– Hon har det jättejobbigt, sa Inger när Helena försvunnit. Hon brottas med ett fruktansvärt dåligt samvete. Hon tycker att hon har förrått sin man. Hur länge har de varit tillsammans?
Jag tänkte efter.
– Sedan sommaren eller hösten 1984, sa jag. Det är tre år snart.
– Gott om tid att krossa ett självförtroende, mumlade Inger mer för sig själv. Hur var hon innan?
– Jublande glad, sa jag. Den skojigaste kompis jag haft. Vi stod varandra nära. Gick alltid på dans tillsammans. Hon hade hennat hår och djupa urringningar.
– Svårt att tänka sig nu, sa Inger. Kan du skicka mig den där svarta sopsäcken?
Vi samlade ihop papptallrikarna och plastbesticken vi ätit med. Det var rätt sent, skuggorna från granhäcken lade den lilla trädgården i ett mjukt sommarmörker. Glöden i grillen hade förvandlats till ett grått pulver med några gnistrande röda rubiner här och var. Emma hade somnat i min famn. Jag hade svept en pläd runt henne. Inger suckade.
– Hon måste ha hittat någonting i den här muslimske mannens livsföring som attraherade henne något alldeles oerhört, sa hon och syftade på Helena igen. Den här stilen, med hijad menar jag, kanske passar henne mycket bättre än de djupa urringningarna.
– Visst, sa jag. Det är mycket möjligt att det är så. Det finns massor av positiva saker inom den arabiska kolonin i vår stad,

sammanhållningen, glädjen, gemenskapen, maten. Helena älskar allt det där. Hon ska konvertera till islam, om hon inte redan har gjort det. För henne var kristendomen inte så viktig, hon hade ingen aktiv tro. Det var inget direkt offer för henne att ge upp. Det hade det varit för mig.

Inger huttrade till.

– Nej, nu går vi in. Vad säger du om en kopp varmt kaffe?

– Härligt! sa jag.

Morgonen därpå kom Helena ner till frukosten med huvudduken knuten under hakan.

– Jag ska hem idag, deklarerade hon och tog en rostad franska.

– Jaha, sa jag. Går du tillbaka till honom?

Helenas kinder började blossa lite.

– Min plats är hos min man. Jag har varit olydig, sa hon.

– Hur gör du med polisanmälan? sa jag. Den faller ju under allmänt åtal.

– Jag ramlade i trappan, sa hon. Jag tänker säga i rätten att jag ramlade i trappan.

– Det hjälper inte, sa jag.

Hon tittade häftigt upp och rätade på ryggen.

– Tala inte om för mig vad jag ska göra, väste hon, sköt tillbaka stolen och lämnade bordet.

Inger lade sin hand över min.

– Låt henne vara, Mia. Det är hennes liv, inte ditt.

Helena åkte hem. Hon sa inte ens hej då. Jag kunde inte låta bli att sörja henne.

– Se det inte så, sa Inger. När allting var som mest hopplöst så letade hon upp dig, glöm inte det. Innerst inne kommer hon alltid att stå på din sida. På ytan fortsätter hon att foga sig efter sin man, men tro mig, där har du en sann vän.

– Jag tvivlar, sa jag.

Men Inger hade rätt. En dag, långt, långt senare, skulle Helena förråda sin man för att rädda mig.

Mona från kommunen sökte upp mig den första dagen jag var hemma igen.

– Jag har talat med Emmas pappa, sa hon. Han påstår att han är så ångerfull. Han drevs av kärlek till sitt barn, sa han. Att träffa flickan när han vill är hans rättighet.

– Är det det? frågade jag.

– Givetvis inte, sa Mona. Formellt är han inte ens hennes far. Han nekar ju till faderskapet. Den dagen han pallrar sig iväg och lämnar sitt blodprov och faderskapet blir fastställt så har Emma rätt att träffa honom.

– Men han sa till dig att han ville träffa Emma? frågade jag hoppfullt.

– Ja, han insisterade på det. Sa att hon var skatten i hans liv, hans stolthet och glädje.

Jag kunde inte låta bli att skratta högt.

Anders kom och ringde på min dörr den andra kvällen jag var hemma.

– Hej! sa jag glatt. Kom in! Vill du ha en kopp kaffe?

– Ja, hemskt gärna, sa han och sparkade av sig skorna och krängde av sig jeansjackan.

– Sommaren kom visst av sig, sa han. Det är ju blötare och kallare än i mars.

– Jag vet, sa jag över axeln medan jag gick ut i köket.

– Sover Emma? Får man gå in och kika, om man smyger? frågade han.

Han stod i dörröppningen till köket, med håret halvvått och på ända, i strumplästen, höll just på att rulla upp skjortärmarna och hade ett sådant ivrigt uttryck i ansiktet.

– Visst, sa jag. Hon ligger i min säng.

Han tassade iväg, det hördes knappt när han öppnade sovrumsdörren. Jag dukade, plockade fram några kex och tre gamla bullar.

– Kaffet är klart! ropade jag lågt.

Anders syntes inte till. Jag gick ut i hallen för att se vad han höll på med. Han stod lutad över min säng, alldeles stilla. Jag gick tyst in i sovrummet, ställde mig bredvid honom. Därnere, inbäddad i mitt stora duntäcke, låg den lilla babyn och snusade. Hennes andhämtning var ljudlös och nästan osynlig. Bara hennes lilla mun rördes då och då, en liten sugande rörelse som om hon drömde om välling.

– Hon är helt otrolig, viskade han. Kolla vilka ögonfransar! Jag tror jag aldrig sett en sötare unge!

Jag log, och av någon anledning blev min blick alldeles dimmig.

– Vi fikar innan kaffet kallnar, viskade jag och gick ut ur sovrummet innan han skulle se mina tårar.

Vi såg på tv. Vi sa inte så mycket, satt bara i var sin fåtölj med var sin kopp kallnande kaffe. När jag gäspade andra gången sa Anders:

– Nej, nu ska jag gå hem.

– Jag ska gå och lägga mig, sa jag.

Han tog våra koppar och bar ut dem till köket. Jag hörde honom skölja ur dem och placera dem upp och ner i diskstället. Jag stängde av tv:n, vek ihop en pläd. Jag mötte honom ute i hallen. Ingen lampa var tänd, mörkret var ganska tjockt. Bara ljuset från den mörknande, regniga försommarhimlen därute letade sig in i vrårna. Han tog sin jacka samtidigt som jag skulle gå in i köket. Vi törnade ihop i dörröppningen. Han var lång, men inte lika lång som Emmas pappa. Plötsligt blev jag medveten om hans kropp, skjortbröst, upprullade ärmar, åtsittande jeans, lockiga blonda hår. Snabbt vände jag mig om och gick ut i köket.

– Mia, sa han lågt.

– Nej, sa jag. Jag stod med ryggen mot honom, hörde honom andas borta i dörröppningen.

– Jag tycker om dig, Mia, sa han.

– Jag tycker om dig också, sa jag.

– Men?

Jag spolade i vattenkranen, torkade av den rena diskbänken.

– Jag vill inte ha något förhållande just nu, sa jag. Jag orkar inte med det.

Han såg på mig, tyst, länge.

– Jag vill vara kompis med dig, sa jag. Jag vill att vi träffas, åker och badar och sånt. Men jag vill inte ha ett förhållande.

Han log lite.

– Visst, sa han. Jag gillar dig, Mia. Och Emma, hon är min favoritbebis.

Han slog ut med armarna.

– Vi kan vara kompisar. Vi kan göra massor av grejer tillsammans. Vad säger du om campingen? I morgon kväll? Minigolf?

Jag började skratta.

– Visst. Jättegärna.

– Okey om jag hämtar er vid sex?

Jag nickade och vinkade.

Midsommar kom och gick, den våtaste och kallaste i mannaminne. Jag och Emma firade denna kylslagna högtid tillsammans med mina föräldrar, min syster och hennes kille Staffan i mammas och pappas nya sommarstuga. De hade köpt ett litet rött fritidshus med vita knutar i ett sommarstugeområde strax utanför stan. Vi reste en midsommarstång på tomten, men det var för kallt att dansa runt den.

Tillsammans med Mona bestämde han att han skulle komma och hämta Emma en lördag klockan ett. Klockan sex på eftermiddagen skulle han lämna tillbaka henne.

Han var sen, nästan en hel timme. Emma hade somnat medan vi satt och väntade.

När han ringde på dörren vaknade flickan med ett ryck.

– Varför grinar hon? var det första han sa när jag öppnade dörren.

– Hon är lite yrvaken bara, sa jag. Det går över.

Han stod i min hall och glodde surmulet omkring sig.

– Här är hennes välling, sa jag och tog upp flaskan ur den lilla väskan. Här har jag blöjor och...

– Ja, ja, ja, avbröt han irriterat. Ta hit alltihop.

Jag svalde. Detta var i stort sett första gången han skulle hålla i sin dotter. Jag ställde väskorna vid hans fötter, lyfte upp tösen från golvet och räckte fram henne mot honom. Han tog tag i henne med båda händerna, höll henne klumpigt och ovant intill sig.

– Hej då, gumman, sa jag och försökte låta glad. Ha så roligt hos pappa!

Han vände sig om för att gå.

– Glöm inte hennes saker! sa jag och plockade upp väskorna.

Han stönade, tog väskorna i ena handen och bar flickan med den andra. Jag drog igen dörren. Flickans gråt ekade hela vägen ner genom trapphuset. Jag gick till fönstret för att se dem åka iväg. De kom aldrig ut ur porten. Efter ett par minuter hördes ett barn gråta ute i trapphuset igen. Så ringde det på min dörr. Han räckte över flickan till mig innan jag hunnit säga ett ord.

– Jag ska åka till stranden. Jag kan inte ha en skrikande unge med mig när jag badar, sa han.

Han ställde ner väskorna på tröskeln, vände och gick.

– Menar du att du lämnar henne hos mig nu? sa jag.

– Hon skriker ju bara, sa han halvvägs nerför trappan. Jag kan träffa henne när hon slutat skrika.

Jag stod kvar i dörröppningen tills jag hörde porten slå igen långt där nere. Det hade inte ens gått tio minuter sedan han kommit för att hämta henne.

Så var det med det umgänget.

Vi träffades ofta, Anders och Emma och jag. Vi umgicks, skrattade, åt varmkorv, mjukglass och kebab, badade de gånger vädret tillät, fikade, åkte på utflykter i hans bil, men vi höll distansen.

Han blev mer och mer förtjust i Emma, insisterade på att skjuta vagnen när vi var ute och gick. Han älskade att busa med henne, körde fort, på två hjul, runt, runt eller baklänges. Ibland blev jag nästan rädd, men flickan tjöt av skratt. Ofta var min syster och Staffan med, ibland umgicks vi med Sisse, Henrik och deras flicka,

Kajsa. Det var roligt att se småtöserna krypa omkring. De var väldigt nyfikna och ville känna på varandra.

En kväll när vi hälsat på Sisse och Henrik skjutsade Anders hem oss i bilen. När vi kom in på min gata såg jag en mörk skugga hänga i min port.

– Stanna här! sa jag snabbt.

Anders bromsade in. Jag lutade mig fram, spanade genom rutan och torkarnas rytmiska rörelse.

– Det är han, sa jag. Han står och väntar på mig utanför min port.

– I hällregnet? sa Anders förbluffat. Är han inte riktigt klok?

Jag gav honom en lång blick.

– Kan du vända och köra in på bakgatan bakom huset? Jag kan gå in via gaveln.

– Men varför står han ute i regnet? sa Anders.

– Porten stänger klockan nio. Han har väl inte lyckats ta sig in i trapphuset.

Anders lade i backen.

– Jag väntar och ser att du kommer in.

Jag tände inga lampor när jag kom upp till lägenheten, utan gick och lade mig i mörkret.

Han ringde och skrek i luren igen.

– Jag har rätt att träffa min dotter!

Jag stönade tyst.

Genom Mona bestämde vi att han skulle träffa Emma två lördagar senare.

– Men han får hämta henne hemma hos min mamma, sa jag.

Jag bytte nummer, till mitt sjunde.

Några kvällar senare satt jag och Anders hemma hos mig och såg på tv. Det eviga regnandet ville aldrig sluta. Det kändes som oktober, trots att det bara var i slutet av juli.

– Vill du ha mer kaffe? sa jag när jag bar ut den tomma tv-kannan.

– Nej tack, sa Anders. Jag måste snart åka hem. Klockan är över elva.

Han blev avbruten av en ilsken signal på dörrklockan.

– Vem kan det vara, vid den här tiden? undrade jag och kikade i titthålet.

Min förre fästman stod där. Han lutade sig mot dörren, jag såg honom knappt i dörrögats konstiga perspektiv.

– Anders, sa jag in mot lägenheten. Kom hit ett tag, är du snäll.

– Vem är det? viskade Anders.

– Det är han, han står här ute och ser så konstig ut, viskade jag tillbaka. Vad ska jag göra?

– Öppna, sa Anders, och då gjorde jag det.

Jag fick en chock när jag slängde upp dörren. Min förre fästman stod svajande mot väggen intill min ytterdörr. Hela hans huvud var blodigt. Hans ansikte var randigt som en polkagris. Runt hjässan höll han en frottéhandduk som jag tror någon gång varit gul.

– Herregud! sa jag förskräckt. Vad i allsindar har hänt?

Han höll på att falla, jag och Anders rusade fram och tog tag i hans armar.

– Jag har kraschat bilen, flämtade han.

– Vi måste ringa efter en ambulans! sa jag. Och polisen, om du varit med om en bilolycka.

– Nej! sa han och försökte slita sig loss från oss. Inte polisen! Inte polisen.

– Har du druckit sprit? frågade jag.

Han tittade till på mig, ett ögonkast med en brinnande blick bakom en ridå av blod.

– Nej, sa han. Jag har inget körkort.

– Men ditt arabiska... började jag, men slutförde aldrig meningen.

Det var förstås inte äkta.

– Vad hände? sa jag.

– Jag fick vattenplaning, sa han. Bilen voltade. Jag körde huvudet genom vindrutan.

För att understryka det han sagt tog han försiktigt bort handduken han virat runt huvudet.

Jag var tvungen att ta stöd mot Anders när jag såg sörjan där under: en gyttja av hudslamsor, hårtestar, glasbitar och blod. Jag beslutade mig snabbt.

– Anders, får jag låna din bil? Kan du passa Emma medan jag kör upp honom till sjukan?

– Visst, sa Anders och fiskade upp bilnycklarna ur jeansfickan.

– Jag ska hämta en ny handduk så att du inte blodar ner bilen, mumlade jag.

Mannens sörjiga skalp fick mig att må illa. Jag offrade gärna ett badlakan för att slippa se den mer.

Anders satt och väntade i mitt kök när jag kom hem.

– Hur gick det? sa Anders och reste sig.

– Bra, tror jag, sa jag och slängde handväskan på hallbyrån. Han blev kvar, förstås. De skulle plocka bort glasbitarna och sy ihop skallen på honom.

– Varför kom han till dig? sa Anders. Och hur tog han sig hit?

– Ingen aning, sa jag uppriktigt.

– Du måste vara hans enda trygghet, sa Anders.

Jag hängde upp min våta kappa på en hängare, strök håret ur ansiktet. Jag var trött, frös, längtade efter min pläd.

– Du är beundransvärd, Mia, sa Anders.

Jag blundade, drog upp filten till hakan.

– Ibland tror jag bara att jag gör mig själv och Emma björntjänster när jag inte säger ifrån, sa jag. Kanske allting blivit annorlunda om jag hållit stenhårt på allt som var mitt ända från början: mina åsikter, mina kompisar – och mina pengar!

Jag slog ut med handen.

– Nu sitter jag här med mina stålpluggar och hemliga nummer, det är inget att göra åt!

– Jag skulle kunna hjälpa dig, Mia, sa Anders.

– Hur då? sa jag.

– Jag skulle kunna vara här mer. På kvällarna. Nätterna. Alltid.

Jag blev tyst. Jag hade inte förväntat mig detta, stirrade in i plädens rutiga ylle. Jag kände hans blick på mig, hans trygga, varma närhet.

– Du vet att jag tycker om dig, sa jag lågt. Men jag kan inte dra in dig i det här mera nu. Du vet ju hur jag har det.

– Ditt liv är väl inte bara han och hans jävla tokerier! utbrast Anders med en hetta jag inte sett förut.

Han reste sig från armstödet och började gå fram och tillbaka i rummet.

– Jag gillar ju dig för det du är! Stark och klok och vacker!

– Skulle du vara ihop med mig så skulle du inte få en lugn stund för honom... började jag.

– Jag skiter i honom! utbrast Anders.

Han kom fram till mig, tog tag i mina händer och såg mig i ögonen.

– Det är ju dig jag vill träffa! Han har ingenting med dig att göra längre! Mia, kom till mig! Var med mig! Jag tycker ju så himla mycket om dig – och Emma!

Det började bränna bakom mina ögon och svida i min hals. Jag var tvungen att släppa hans blick och stirra ner i filten.

– Jag kan inte, sa jag, och min röst var bara en viskning. Långsamt drog jag tillbaka mina händer.

Han reste sig och gick utan ett ord, stängde dörren tyst och försiktigt för att inte väcka Emma.

Så hade jag honom i luren igen.

– Vad gjorde den där karln hemma hos dig den där tiden på kvällen? var det första han sa.

– Han lånade ut sin bil till mig så att jag kunde skjutsa upp dig till sjukan, remember?

– Han har inget hos dig att göra!

– Han är min kompis, och han får hälsa på precis hur mycket han vill.

– Men jag får inte det? skrek han hysteriskt. Mig ska du stänga ute, jag som bor hos dig!

Jag kände vanmakten slå mig i huvudet med ett slagträ.

– Hur tog du dig hit, till mig, när du krockat? sa jag.

– Jag gick.

– Men varför?

Han var tyst en lång stund. Sedan sa han:

– Jag hade ingen annanstans att gå.

– Men herregud! Du behövde ju vård! Varför tog du dig inte upp till lasarettet i stället?

Han svarade inte. Jag hörde bara hur han andades i luren en lång stund. Sedan lade han på.

Jag bytte nummer igen, till mitt åttonde.

I början av augusti fick jag ett papper hem i brevlådan, ett erbjudande om en dagisplats åt Emma på ett daghem en bit uppåt gatan. Jag gick dit och hälsade på, pratade med föreståndarinnan, tittade på lokalerna. Det verkade jättefint. Inskolningen skulle börja direkt, det vill säga i mitten av augusti.

– Nu ska du få kompisar, Emma!

Jag kom in på min vidareutbildning, precis som vi trott. Kursen började i september, så allting hängde på om Emma var klar med sin inskolning på dagis då.

– Det ska säkert gå bra, sa föreståndarinnan.

Så kom den lördagen då Emma skulle träffa sin pappa. Vi promenerade bort till mina föräldrar redan på morgonen. Det var en klar och lite kylig dag, som en föraning om hösten.

Jag stod i ett sovrum på övre våningen när han kom. Han kom i sin bil. Jag blev alldeles paff. Det var samma Volvo som han köpte när Emma föddes. Den såg inte ett dugg kraschad ut. Hur det egentligen var med den där olyckan, med vilken bil och var, fick jag faktiskt aldrig klart för mig.

Det satt ytterligare en karl i bilen. När han lutade sig fram för att fimpa en cigarett såg jag att det var Ali, hans kompis som varit med och kastat Emma den där gången. Jag kände ilskan rinna till när jag tänkte på det. Men överlämnandet verkade gå bra. Emma placerades i Alis knä och så åkte de iväg. Jag undrar hur länge det håller den här gången, tänkte jag.

Jag behövde inte fundera särskilt länge. De var tillbaka efter en halvtimme.

– En sån tur att hon inte förstår hur han sviker henne, mumlade jag mot hennes svarta hår.

På måndagen började invänjningen på dagis. Första dagen var vi där bara en kort stund. Vi presenterades för Lennart, killen som skulle hålla i inskolningen.

– Och titta, Emma, vad du har för liten symbol på din hylla, en glasstrut! Det passade väl bra, du som älskar glass!

Inskolningen gick över all förväntan, både från min egen och Emmas sida. Innan de tre veckorna var över kände jag alla i personalen, även på de andra avdelningarna, och många av barnen.

Hela daghemmet hade en mycket klar och pedagogisk plan, även för de mycket små barnen. Föreståndarinnan deltog aktivt i arbetet ute på avdelningarna och försökte följa med på alla utflykter, konsert-, teater- och museibesök som barnen gjorde. Dagiset hade ingen egen kokerska, utan personalen turades om att laga maten. De var mycket entusiastiska över detta och satte stor ära i att laga allt från de bästa råvaror. Minst ett barn var med dem i matlagningen.

Jag förundrades och gladdes över det sätt på vilket man behandlade barnen. Alla fick hjälpa till med allting på hela dagiset, i den mån de kunde. Så snart de kunde gå fick de bära bort sin egen tallrik, skrapa av den mat de inte orkade och torka bordet. De fick klä på sig själva så gott de kunde, tvätta sig om munnen efter maten och själva skölja ur målarpenslar och städa undan leksaker.

– Vad de kan! utbrast jag mer än en gång när jag såg de små telningarna plocka bort sina saker.

– Här behövs alla, sa Lennart. Vi leker och jobbar tillsammans allihopa. Vi tycker om varandra och hjälper varandra, precis som i en familj. Barnen växer snabbt med sina uppgifter. De tycker det är hemskt roligt.

Det märkte jag. Emma, som inte gick riktigt ännu, fick krypa bort till matvagnen med sin sked. Hon sken som en sol när hon släppt den i rätt hink.

Vi hade haft tur som fått ett sådant bra dagis.

Anders hörde inte av sig. Han hade ju inte mitt nya nummer. En gång ringde jag honom, men lade på när hans kollega svarade.

Så kom den måndagen då jag lämnade Emma på dagis på riktigt för första gången. Jag var ute i vansinnigt god tid, hade förberett mig på ett långdraget och plågsamt avsked på trappan. Lennart kom emot oss med detsamma vi kom in. Han satte Emma i knät medan jag tog av mig skorna, pratade glatt med henne, klädde av henne jackan och mössan. Jag slätade till kjolen och kastade en blick i spegeln vid dörren för att kolla hur jag såg ut. Detta var första dagen på min vidareutbildning, och jag hade ansträngt mig för att se professionell ut. Det var svårare än jag trott. Det som varit en självklar, vardaglig rutin innan Emma föddes hade blivit en omständlig procedur av ovana handgrepp: stryka sidenblusen, putsa pumpsen, kemtvätta dräkten, spraya håret, lägga makeupen, fylla handväskan. Emma hade protesterat högljutt innan jag var klar. Men nu verkade hon må som en prinsessa i Lennarts famn.

– Ska vi vinka till mamma? sa förskolläraren och vinkade med Emmas lilla hand.

Flickan skrattade så att det gurglade i henne.

– Säkert att det här går bra nu? sa jag.

– Gå nu till din skola! sa Lennart och viftade iväg mig.

Var det inte svårare än så här att ha barn på dagis?

Jag drog ett djupt andetag och gick in i byggnaden. Det kändes faktiskt lite nervöst att börja plugga igen.

– Tror du det blir svårt? sa en liten, smal mörkhårig tjej bredvid mig.

Jag besvarade hennes leende.

– Det svåraste med alla utbildningar är att bli antagen, sa jag. Du ska se att det här kommer att gå jättebra!

Vi gjorde sällskap in i vårt föreläsningsrum. Det var fullsatt. Vi satte oss bredvid varandra, den mörka tjejen och jag.

En gråhårig man började berätta om utbildningens uppläggning, redogjorde för vilka lärare och föreläsare vi skulle ha och delade ut listor med den nödvändiga kurslitteraturen. Genomgången hade pågått i drygt en timme när det knackade på dörren.

– Ja? sa föreläsaren irriterat.

En liten försynt receptionist stack in näsan i föreläsningssalen.

– Maria Eriksson? sa hon. Du har telefon borta i växeln.

Jag kände att jag blev alldeles vit i ansiktet, samlade ihop mina papper, portfölj och handväska och reste mig upp. Allas ögon riktades mot mig. Jag tittade på den mörka tjejen bredvid mig och ryckte ursäktande på axlarna. Vi ses sedan, mimade hon. Hon hade fel. Det gjorde vi aldrig.

Jag rusade genom korridoren, bort mot telefonväxeln. Tusen tankar flög genom mitt huvud, vem kunde det vara som ringde mig här? Mamma? Min syster? Vad hade hänt? Något med Emma?

Det var Lennart på dagis.

– Vad är det som hänt? skrek jag.

– Du måste komma hit, sa Lennart, och han lät skakad.

– Vad är det? ropade jag i luren.

– Polisen är på väg. Din före detta man har varit här. Vi har fått spärra av hela daghemmet, han har hotat att döda personalen. Du måste omedelbart komma hit.

Jag släppte luren och sprang, flög fram i korridoren. Klackarna på mina pumps smattrade, Em-ma, Em-ma, Em-ma. Dörren kom emot mig, flög upp, jag förblindades ett ögonblick då det vita solljuset träffade mina ögon, jag vinglade till i trappan, rusade mot hållplatsen där bussen just kom.

– Vänta!

Med skakande fingrar fick jag upp avgiften till chauffören. De få hållplatserna bort till Emmas dagis tog en hel evighet.

Daghemmets port var låst. Långt ner till vänster hittade jag en ringklocka som jag tryckte på ända tills Lennart kom.

– Var är hon?

– Kom in, sa han. Emma har fått åka iväg med polisen. De tyckte det var bäst.

– Med polisen? Vad hände? Jag tog tag i förskollärarens arm. Snälla Lennart, vad hände?

– Kom med in på expeditionen, sa han, vände ryggen mot mig och gick före.

Jag passerade en glasvägg som vette in mot en av leksalarna. Där satt all personal och alla barn hopträngda. Några av dem skrek. Personalens blickar följde mig när jag gick i korridoren utanför. Föreståndarinnan satt och talade i telefon när vi kom in.

– Ja, bra... tack då, sa hon och lade på. Polisen kommer och hämtar dig om en kvart, sa hon vänd mot mig.

Jag stirrade tyst på henne. Hon drog efter andan.

– Din före detta man kom hit strax efter samlingen, sa hon. Han kom in i hallen just som personalen höll på att klä på barnen för att gå ut på gården och leka. Först var det ingen som lade märke till honom. Sedan frågade en av barnskötarna vem han sökte och vad han ville... Först sa han att han skulle hämta Emma. Men vi lämnar ju aldrig ut barnen till någon annan än vårdnadshavaren, såvida inte föräldern uttryckligen sagt till att någon annan ska hämta barnet. Så Lisa, barnskötaren, sa till honom att han inte kunde hämta Emma nu. Då började han skrika.

Jag var tvungen att luta mig mot väggen. Lennart, blek och bister, fortsatte att berätta.

– Han skrek att han omedelbart skulle hämta sin dotter. Han var väldigt högljudd och hotfull. Barnen blev rädda och började gråta. Flera av barnskötarna, de är ju unga tjejer, blev också rädda. De försökte få tillbaka barnen in i leksalen. Han började trava runt och riva och slita i barnen för att se om han kunde hitta Emma. Det var väldigt obehagligt. En av barnskötarna höll just på att byta blöja på Emma inne i skötrummet, så han hittade henne inte.

– Vid det här laget hörde jag ju att någonting var fel, fyllde föreståndaren i. Jag gick ut och fick se röran, och då kom den här... mannen emot mig och skrek och frågade om det var jag som tagit hans dotter ifrån honom... Jag skrek att jag skulle ringa polisen om han inte omedelbart avlägsnade sig, och då kallade han mig för... de hemskaste saker och sa att han skulle mörda mig och resten av personalen om vi inte omedelbart plockade fram hans dotter. Jag lyckades ta mig in här på expeditionen och låsa dörren om mig, så jag kunde ringa polisen.

– Fick de tag i honom? frågade jag.

– Nej, han försvann innan de kom hit, sa Lennart. Poliserna tyckte det var lika bra att de tog med sig Emma härifrån. De skulle komma och hämta dig också. Det verkade som att de visste vem du var.

Jag svalde. Tankarna virvlade runt som klotblixtar.

– Vi låste genast alla in- och utgångar på hela daghemmet, fortsatte Lennart. Resten av dagen kommer både barn och personal att få sitta inne i de låsta salarna.

Dörrklockan ringde igen.

– Det måste vara polisen, sa föreståndarinnan.

– Jag är hemskt ledsen, viskade jag.

Två polismän körde mig hem. Jag kände igen den äldre av dem. Han öppnade polisbilens bakdörr för mig, följde mig upp i lägenheten.

– Vi har kört iväg din flicka till det vita huset, sa han. Du måste packa ihop saker, kläder och blöjor och sånt, till dig och flickan så det räcker någon vecka.

Jag vände mig om, helt bedövad, lade upp handväskan och attachéportföljen på hallbyrån. En klack hade gått av på min ena sko.

– Tack, viskade jag.

Jag rev ihop lite kläder till mig själv och Emma. Jag fyllde flickans skötväska så den skulle räcka i två, tre dagar. Sedan kokade jag upp vatten i en termos om jag skulle behöva blanda välling någonstans där det inte fanns spis. Två burkar barnmat och tre bananer, vad kunde jag mer behöva? Vällingpulver! Det tog ju slut i morse! Tusan också!

Jag drog på mig ett par utslitna gympadojor och rusade iväg ner till närbutiken i hörnet. De hade inte Emmas vanliga märke, men det fick kvitta. Jag tog trapporna upp med två steg i taget. Han stod lutad mot min ytterdörr. Jag såg honom för sent.

– Nej, skrek jag när han slet tag i mitt hår och vred om min högra arm.

– Nu du, din jävla hora, väste han.

Jag tappade lägenhetsnycklarna jag haft i högerhanden. De landade på stengolvet med en skräll.

– Hjälp! skrek jag i panik.

Han släppte min hand, böjde sig snabbt och tog upp nyckelknippan. Mitt huvud följde med i rörelsen, jag tappade balansen. Höften slog i golvet, min knälånga kjol åkte upp.

– Hjälp mig någon!

Med ett raskt grepp låste han upp lägenhetsdörren. Nycklarna stoppade han i fickan. Hans andra hand var fortfarande intrasslad i mitt hår. Jag halvlåg på stengolvet, borrade in mina naglar, försökte klösa honom. Han sparkade mig i ryggen.

– Sluta, jävla katta!

Han slet tag i min högra arm och drog mig in i lägenheten. Jag skrek det värsta jag kunde, hoppades att någon skulle höra mig. Men klockan var inte ens tolv på dagen, de flesta i huset måste vara på jobbet.

– Han slår ihjäl mig! skrek jag.

Med benen försökte jag förhindra att han fick in mig i hallen. Han sparkade mig på låren, på smalbenen, på fötterna med sina tunga boots. Så slog han igen dörren med ett brak. Vi var ensamma.

Hans ögon brann. Jag låg på hallgolvet. Min kjol hade åkt upp till midjan, knappen i kavajen hade slitits bort.

– Du ditt lilla förbannade luder, sa han.

– Varför är du arg? försökte jag, men det var lönlöst.

– Håll käften! skrek han och sparkade mig i sidan. Jag hörde revbenen knäckas. Det lät som när man bryter av glasspinnar. Smärtan var vit.

– Tror du, sa han, tror du att jag skulle tveka att ta livet av dig din jävla hynda?

Jag svarade inte. Låg stilla på golvet. Smärtan brände. Han satte sig ner på en stol i hallen, suckade lite.

– Min dotter ska inte gå på dagis, sa han. Min dotter ska aldrig tas om hand av statliga vårdare. Hon ska uppfostras av sin mamma.

Jag sa inget. Vad skulle jag säga? Att personalen inte var statligt anställd, utan kommunalt?

– Jag ska försörja er, sa han. Jag ska hålla er med mat och kläder.

Jag drog efter andan. Det gjorde fruktansvärt ont.

– Hurdå? flämtade jag. Med att stjäla tv-apparater?

Han drog upp mig på fötter. Jag hörde mig själv kvida över smärtan i högra sidan. Högra armen kändes obrukbar. Jag höjde den vänstra för att skydda huvudet. Det hjälpte inte. Slaget träffade underkäken på vänster sida. Kinden trasades sönder på insidan, en kindtand släppte. Jag gled ner längs väggen, hamnade på golvet igen. Det blödde ur min mun. Jag spottade ut tanden. Den var halv. Jag började bli omtöcknad av smärtan.

– Du ska inte tro, sa han, att du skulle vara den första jag tog livet av.

Han trampade på min hand.

– Jag var i Sabra, sa han. I Chatila också, men mest i Sabra.

Han drog upp mig och lutade mig mot hörnet till badrummet. Hans brinnande ögon såg in i mina. Jag lyckades inte hålla blicken stadig. Men namnen på de palestinska lägren utanför Beirut kände jag igen, namnen som fått samma laddning som Song My i

Vietnam: soldaters slakt av kvinnor och barn.

– Det var en torsdagskväll i september, sa han. Israeliterna hade spärrat av lägren i flera dagar. Det satt tiotusentals människor därinne. De var skiträdda.

Han skrattade lite.

– Judarna satt uppe på höjderna runt omkring när vi fick ordern att gå in. De hade alla vapen i världen för att hindra oss om de ville, men de ville inte. Fattar du?

Han släppte ner mig på golvet.

– Det var en jävla het kväll. De hade gömt sig nere i skyddsrummen. Det måste ha varit hundra grader där nere. De hade stora, jävla skyddsrum. I det första skyddsrummet vi tömde satt det nästan 300 personer. Vi sköt nästan allihop.

Han satte sig på min hallbyrå. Jag började må illa.

– En del ungar försökte komma undan. Vi sköt dem i ryggen när de sprang. En familj hittade vi på en bakgård. Kvinnan hade hängt tvätt. De vuxna skar vi halsarna av. Barnen sköt vi i huvudet. På babyn med blöjor försvann hela skallen.

Jag kände att jag behövde kräkas. Han skrattade lite.

– Det fanns en del fina horor där också, en del riktigt små. Vi sprättade upp dem med våra kukar. Synd att använda kniv där, när man har andra vapen.

Han reste sig, ögonen lyste och brann. Plötsligt föddes en helt annan rädsla i mitt mellangärde, en rädsla jag inte känt förr.

– De var små och trånga, och de skrek som små grisar, sa han och började andas tungt. Ögonen brann, tänderna glimmade i halvmörkret i min lilla hall.

– Nej, viskade jag och försökte dra ner kjolen.

Han slog mig på högra kinden. Huden sprack. Han tog tag i mina ben och drog så jag blev liggande på golvet. Huvudet slog i med en smäll. Han pressade isär mina ben med sitt knä.

– Snälla! grät jag.

– De bönade och bad, precis som du, flinade han.

Med ett enda raskt tag slet han sönder mina trosor och strumpor.

Jag låg alldeles stilla medan han våldtog mig. Han var tung. Smärtan i revbenen var fruktansvärd.

Det är snart över, tänkte jag och kände hur medvetandet höll på att försvinna. Det är snart över. Kanske svimmade jag, för mitt nästa minne är att han sitter på stolen igen och drar igen livremmen.

– Vi höll på hela natten, sa han tonlöst. Ända tills fredag morgon. Kom de inte ut ur sina hus så mejade vi ner dem med bulldozers. Nästa natt var jag i Chatila, fast där fick vi inte fatt på lika många. De hade gömt sig som råttor.

Han reste sig igen, lutade sig över mig.

– Du ska inte tro att jag skulle tveka att ha ihjäl dig, sa han torrt.

Han rättade till skjortan.

– Jag gjorde en jävla karriär i milisarmén. Hade det inte varit för den där snytingen som jag gav min officer hade jag aldrig lämnat den.

Han slog ut med handen i en upprörd gest.

– Tänk, de fördömde mig bara för att jag klippte till en idiot med högre rang än jag. Han var en riktig jävla lipsill. Jag hade mycket hårdare nypor än han, och så stämplar de mig! Jag kunde inte vara kvar i Libanon längre, sa han bittert.

Så kom han ihåg mig som låg där på golvet.

– Så passa dig jävligt noga, svenska jävla luder, sa han. Om du någonsin skvallrar och jag får en polis bakom min dörr är ni döda, både du och din horunge.

Dörren gick igen med ett klick. Han var borta, och han hade mina nycklar med sig.

Marianne skjutsade upp mig till sjukhuset. Hon grät hela vägen. Jag kände mig helt förlamad. Det enda jag kunde tänka på var om jag verkligen kommit ihåg att stoppa ner vällingen i någon av bagarna i baksätet.

Läkaren konstaterade att de två nedersta revbenen på höger sida var knäckta. Såret på kinden var det ingen fara med, det skulle läkas. Inte heller käkarna var skadade, men resterna av en kindtand på vänster sida måste dras bort och ersättas av en stifttand. Våldtäkten nämnde jag aldrig för läkaren.

– Och så måste lungorna röntgas, sa han. Högra sidan kan vara punkterad av något av revbenen.

Marianne satt blek och stel bredvid mig i väntrummet till röntgen.

– Du måste anmäla honom, Mia, sa hon. Det begriper du väl! Du måste få ett stopp på det här! Jag kommer att anmäla honom om inte du gör det!

Jag tänkte på det han sagt om de mördade barnen och våldtagna unga kvinnorna.

– Nej, sa jag. Det får du inte.

– Jag tänker inte hålla tyst längre, Mia! Han måste dömas!

Jag vände mig mot Marianne. Smärtan i högra sidan fick mig att stöna högt.

– Om du säger ett ord till någon om det jag berättat för dig, så går jag genast till socialnämnden och säger att du har samarbetssvårigheter, sa jag.

Den cancersjuka kvinnan tittade på mig med tårfyllda ögon. Jag mötte hennes blick. Hon fick inte anmäla honom, för då skulle han ge sig på henne.

Inger mötte mig i dörren till det vackra, vita huset.

– Emma sover, sa hon. Hon har varit så glad och nöjd. Jag tror hon känner igen sig här.

– Jag måste få duscha, sa jag kvävt.

Hon såg granskande på mig, sa sedan:

– Visst. Jag hjälper dig att linda bandaget efteråt.

Jag slet av mig kläderna och vred på varmvattnet, skrubbade, skållade, tvättade av mig hans våld, hans kropp.

Efteråt gick vi in på kontoret.

– Du ser förskräcklig ut, sa Inger.

– Tack, sa jag torrt.

Jag satte mig stelt på en stol, Inger hade lindat brutna revben förr.

Mitt synfält kändes på något sätt begränsat, som om jag hade ett tjockt plexiglas mellan mig och världen. Allting tog en extra sekund att nå fram till mig.

– Jag har ringt runt hela eftermiddagen för att hitta någonstans för dig att vara, sa Inger.

Vara?

– Varför kan vi inte stanna här? sa jag.

– Helena, sa Inger. Hon har röjt huset för sin man, Muhammed. Din man har redan varit här och letat efter dig en gång. Det blev, kort sagt, ett jäkla liv när han kom. Han var vansinnig för att du ätit griskött, flintasteken, om du minns... Han skulle mörda oss allihopa, sa han.

– Han skulle kanske göra det, mumlade jag. Han påstår att han var i Sabra och Chatila.

– Vad är det du säger? sa Inger förvånat, men det var inte slakten på kvinnor och barn som fick henne att haja till. I stället sa hon:

– Om det verkligen var sant, så är han inte muslim. Han är kristen.

Inte muslim?

– Va? sa jag dumt.

– De som utförde massmorden i lägren Sabra och Chatila var framför allt major Saad Haddads högermilis. De är en av Israel stödd milisarmé som kontrollerade södra Libanon i början av åttiotalet. Och de är kristna, åtminstone såvitt jag förstått. Tror du han talade sanning? Tror du han varit där?

Jag funderade en stund, fuktade läpparna med tungan, tänkte på de vidrigheter han sagt.

– Det lät självupplevt. Han kan ju ha läst om det, men uppriktigt sagt tror jag inte hans fantasi och inlevelseförmåga sträcker sig så långt att han kunnat ljuga ihop det där. Ja, jag tror han talade sanning. Jag tror han var där.

– Har din fästman alltid påstått att han är muslim?

Jag tänkte efter. Tungan kändes liksom för stor för min mun, lite bedövad.

– Han är född i Syrien, sa jag. Det är i alla fall vad han sagt till invandrarverket. Det fick jag reda på när han fick sitt uppehållstillstånd. Jag trodde han var libanes. Det är vad han sagt till mig. Nu är den nya versionen att familjen flyttade till Libanon när han var liten... Men muslim...? Han bad inte i början när vi träffades. Han drack vin, och en gång frågade han ironiskt om jag tyckte han såg ut som en fanatisk muslim. Och i början hade han en kompis som var israel.

– Jude?

– Nej, knappast. Kristen, tror jag.

– Vad har han sagt om sin militära bakgrund?

– Inte så mycket. Men nu sa han att han gjort spikrak karriär i milisarmén.

– Är du säker på att han sa milisarmén? sa Inger.

– Jaaa, sa jag eftertänksamt. Det gjorde han. Kan han ha varit i den libanesiska armén om han var syrisk medborgare?

Inger suckade.

– Jag vet inte. Vad vet du mer om honom? Något mer som är belagt med papper eller dokument? Hans namn låter inte muslimskt.

Jag tänkte efter. Det kändes trögt. Hur mycket av det han sagt till mig och till de svenska myndigheterna var egentligen säkerställt?

– Ingenting, sa jag. Det finns inte ett enda dokument om honom någonstans. Han hade inget pass, inget identitetskort, ingenting, när han kom hit. Det arabiska körkortet var förfalskat. Invandrarverkets efterforskningar har inte kunnat styrka någonting av det han säger, vare sig hans namn, militära bakgrund, födelseort eller nationalitet.

– Sanningen är alltså den, sa Inger, att den här mannen kan vara precis vad eller vem som helst.

Jag nickade. Plötsligt bytte Inger ämne.

– Har du någonsin varit i Södertälje? sa hon. Alla kvinnojourer vi brukar ha kontakt med har fullt. Du ska få bo på Scandic Hotell i Södertälje tills allting har lugnat ner sig. De väntar dig. Du ska få åka redan ikväll.

Jag sa inget.

– Du vet vad jag tycker, sa Inger. Jag tycker du ska lämna din hemstad för gott.

Jag skakade bara på huvudet.

Scandic Hotell i Södertälje var ett turkosblått plåtmonster precis intill E4:an. Utsikten från mitt fönster vette ut över Scania lastbilsfabriks charmlösa industriområde. Intill dånade trafiken på motorvägen dygnet runt.

Rummet var ett ordinärt dubbelrum med säng, badrum, tv och ett litet sorgligt skrivbord med fyra brevpapper och en reklampenna. En liten spjälsäng var inklämd vid dubbelsängens fotända. Jag noterade allt detta, men reagerade inte.

Jag lade ner det sovande barnet i spjälsängen, gick långsamt fram till fönstret. Industriernas tegelröda fasader var upplysta därute. En lång snyftning skakade min kropp. Tårar skymde min sikt, de gulaktiga lampornas sken förvreds som i ett stjärnfilter, bildade gnistrande bågar. Guld fyllde natthimlen.

– Åh Guuud, grät jag, åh min Gud, hjälp mig.

I två veckor bodde vi i det trånga rummet på Scandic Hotell i Södertälje. Ibland tog vi bussen in till city, men för det mesta var vi inne på hotellet. I villervallan när vi åkte iväg hade jag, mer av en slump, fått med mig listan på min kurslitteratur. I en bokhandel i Södertälje köpte jag en del av böckerna. Vissa fick jag beställa, men de kom efter ett par dagar. Därför kunde jag hålla jämna steg med mina kurskamrater, trots att jag satt fast här, långt hemifrån.

Jag låg och läste, såg på tv, lekte med Emma. Hon drog sig upp mot allting och försökte gå, svajade mot stolen, sängen, benen på skrivbordet. När jag höll i hennes bägge händer kunde hon, till sin egen obeskrivliga lycka, promenera omkring lite.

– Så duktig du är, gumman!

På kvällarna, när tösen somnat, hände det att jag släckte alla lampor och ställde mig och tittade ut över industriområdet.

Jag rannsakade mig själv, vad hade jag gjort för fel? Hur skulle jag bete mig för att det inte skulle upprepas? Jag grät en del. Jag vägde för och emot, skulle jag göra en anmälan? Skulle han sätta sitt hot i verket och verkligen ta livet av oss om jag gjorde det? Efter många turer fram och tillbaka i mitt huvud bestämde jag mig för att låta bli, för den här gången.

Idag, med facit i hand, vet jag att jag gjorde fel. Jag skulle ha kontaktat polisen första gången han slog mig. Jag skulle ha anmält vartenda övergrepp, dokumenterat vartenda blåmärke, spelat in varenda hotelse.

Jag gjorde inte det, för jag trodde, hoppades och ville att varje slag skulle vara det sista. Jag intalade mig själv att allting skulle upphöra, att han skulle sluta, lämna mig i fred. Det var samma mekanismer som hemliga agenter får lära sig att bruka under tortyr: förträngning och förnekande.

Jag försökte gå vidare som om ingenting hänt. Jag trodde allting skulle bli bra, bara jag ville det tillräckligt mycket. Jag hade ännu inte förlorat hoppet om att världen var normal. Jag hade inte sett sanningen i vitögat, inte tagit in det som till slut skulle vara smärtsamt kristallklart. Han skulle aldrig förlåta mig, för jag hade förnedrat honom på det värsta sätt en kvinna kunde göra:

Jag hade tagit ifrån honom hans makt över mig.

10

DET VAR OBESKRIVLIGT SKÖNT att komma hem. Låsen var utbytta. Alla spår efter hans senaste överfall var bortstädade. Alla blommor var nyvattnade och fräscha. I kylen stod mjölk och yoghurt, i skafferiet fanns färskt bröd. Min mamma och Marianne tog verkligen mer ansvar för mig än vad jag förtjänade.

Marianne kom förbi på eftermiddagen.

– Han är lika ångerfull som vanligt, berättade hon. Han slog dig i besvikelsen över att du var en sådan dålig mor, säger han. Han ska försörja er.

– Jo tack, sa jag. Med vad då?

Vid sextiden ringde syrran.

– Du är tillbaka! tjoade hon. Det måste firas! Vi är några stycken som pratat om att gå ut och käka ikväll, Sisse och Henrik och Anders och Staffan.

Anders.

– Det skulle vara jättekul!

Det kändes märkligt att träffa Anders igen. Vi hade inte setts på flera veckor. Jag var ordentligt nervös innan jag kom fram till krogen. Det hade jag inte behövt vara.

– Mia! ropade han och mötte mig i dörren med en björnkram.

Jag drunknade i hans varma famn. Plötsligt kände jag hur oändligt jag hade saknat honom.

Emma stortrivdes i sällskapet på restaurangen. Hon och Kajsa, Sisses dotter, satt i barnstolar och slog varandra i huvudet med var sin sked.

– En tournedos med bearnaisesås och bakad potatis. Helt klart! sa Henrik och slog ihop menyn med en smäll. Och en stor stark, tack!

– Vad vill du ha? sa Anders vänd mot mig. Jag bjuder!

Emma välte ut ett glas med isvatten. Det rann ner i Staffans knä.

Alla skrattade och pratade runt bordet. Jag hade jättetrevligt, men sa inte så mycket.

– Vad tänker du på? sa Anders när vi fick in kaffet.

Jag log stilla.

– På inget. På allt. På hur trevligt vi har. På hur mycket jag tycker om dig.

Anders körde sakta förbi vår port för att se att han inte stod där och väntade.

– Jag följer er upp, sa han när vi konstaterat att kusten var klar.

Emma hade somnat i bilen. Anders bar henne uppför trapporna. Jag gick runt och tände smålamporna medan Anders lade flickan i hennes säng.

– Vill du ha en kopp kaffe? frågade jag när han kom ut ur sovrummet.

– Ja tack, gärna.

Han satte sig ner framför tv:n medan jag gjorde i ordning kaffet. Han såg slutet på en gammal svartvit långfilm när jag kom balanserande med brickan.

– Jag har sett den här filmen förr, sa han. Ser du tjejen? Det är hon som är boven...

Anders förklarade, men jag hörde inte vad han sa. Jag såg bara hans läppar röra sig, händerna peka och gestikulera, håret stå på ända när han drog fingrarna genom det.

– Tycker du inte det, Mia?

Jag såg in i hans ögon. Till svar böjde jag mig fram och kysste honom. Han blev alldeles tyst. Hans ögon fylldes med ett sällsamt, allvarligt ljus.

– Äntligen, Mia, sa han.

Vi kysste varandra igen, försiktigt, trevande.

– Det är en sak jag måste säga, Mia, viskade han.

– Vad då? viskade jag tillbaka och kysste honom igen.

– Jag måste få kaffe, annars dör jag!

Jag skrattade högt.

Vi kysste varandra länge ute i hallen innan han åkte hem.

Dagen därpå gick jag med Emma till daghemmet igen.

På eftermiddagen hade jag en återbesökstid hos min läkare. Han undersökte mig och friskskrev mig.

– Du måste vara rädd om dig, Maria, sa han innan jag gick.

– Det är en annan sak också, sa jag i dörren.

– Vad då? sa han.

– Jag har mått så illa de senaste två dagarna. Kan det ha något med revbenen att göra?

– Borde inte ha det, sa han. Hör av dig om det inte går över.

Den kvällen kom Anders och hälsade på oss igen. Det kändes precis som vanligt, och ändå var det alldeles nytt. Emma tittade lite extra på oss då vi kramades i soffan, men det verkade inte som om hon hade något emot det, tvärtom. I stället sträckte hon upp sina små armar mot oss och ville kramas hon med.

– Kom hit prinsessan! sa Anders och lyfte upp henne.

Han åkte hem när tv:n slutade.

Det var lite krångligare än sist att säga hej då till Emma i dagisdörren. Hon grät i Lennarts famn, sträckte sina små armar mot mig.

Jag passade på att städa lite medan jag var hemma utan Emma. I en och en halv timme skulle hon vara ensam på dagis. Jag hade dammtorkat, städat badrummet och köket och var precis på väg att ställa bort dammsugaren när Lennart ringde.

– Är jag försenad? sa jag förvånat och tittade på klockan.

– Nej, sa Lennart, och hans röst lät spänd och sträv.

Hjärtat stannade.

– Din förre fästman har varit här igen. Han var väldigt våldsam. Han krävde att få ta Emma härifrån omedelbart. Vi höll inte på att bli av med honom. Han var här en hel timme innan en av barnskötarna lyckades ringa polisen.

Marken gungade till under mina fötter, det började snurra i huvudet.

– All personal och alla barn sitter inlåsta igen. Du måste omedelbart komma och hämta Emma. Vi kan inte ha det så här, Maria.

Jag blundade, lät luren sjunka mot bröstet. Skulle mardrömmen aldrig ta slut?

En polis mötte mig i dörren till dagis. Vi gick längs korridoren, bort mot expeditionen. Personalen och barnen hade långsamt börjat komma ut från leksalarna där de suttit inlåsta i väntan på polisen. De tittade långt efter mig. Jag skämdes. Det kändes som att de tyckte alltsammans var mitt fel.

Emma satt i Lennarts famn, ansiktet var strimmigt av tårar. Hon hade slutat gråta, men hennes lilla kropp skakade av den ena djupa snyftningen efter den andra.

– Han hann nästan få tag på henne den här gången, sa Lennart. Jag är rädd att hon blev ordentligt uppskrämd. Han var väldigt högljudd.

Föreståndarinnan kom in i rummet, stängde dörren efter sig.

– Maria, jag måste tala med assistenten på barnomsorgsbyrån, sa hon allvarligt. Sedan tycker jag att du och jag bestämmer en tid när vi kan prata igenom det här ordentligt. Tills dess får Emma vara hemma. Vi kan inte ha henne här så länge inte den här situationen är löst.

– Men... sa jag gråtfärdigt. Hon trivs ju här, inskolningen har gått jättebra! Och jag har min vidareutbildning att tänka på. Det är en jättechans för mig.

Jag tystnade. Både Lennarts och föreståndarinnans ansikten var rädda och avvaktande. Emma började gnälla, sträckte sina armar mot mig.

– Lilla gumman, mumlade jag, böjde mig fram och tog henne från Lennarts knä och i mina armar. Lilla gumman, så ja, så ja...

Flickan slog sina armar runt min hals, borrade in sitt ansikte i gropen vid min axel. Jag reste mig upp, vände mig om. De skulle inte se mig gråta. Vi gick den långa vägen genom korridoren, förbi hennes klädhylla för att hämta jackan och ut till ytterdörren med polisen bakom oss. Barnens och personalens rädda ögon följde oss hela vägen.

Jag meddelade min kursledare att jag inte skulle komma tillbaka på ytterligare ett par dagar.

– Jag tycker ni ska överväga om ni överhuvudtaget har något intresse av att delta i den här undervisningen, sa han surt.

Jag svalde.

– Jag försäkrar att jag gör allt som står i min makt för att komma tillbaka snart, sa jag.

Jag hörde ingenting från föreståndarinnan på dagis på flera dagar. Samtidigt började jag må mer och mer illa. En morgon vaknade jag av en fruktansvärd smärta i ryggen. Det kändes som mensvärk, fast tio gånger värre.

Hurra! tänkte jag trött. En ordentlig mens på allt det här är ju precis vad jag behöver.

Vi satt i daghemmets personalrum, Emma traskade runt det ovala soffbordet. Föreståndarinnan satte sig mitt emot mig med båda händerna kring sin kaffemugg.

– Vi måste lösa det här på något sätt, Maria, sa hon.

– Ja, det tycker jag också, sa jag ivrigt. Jag ligger redan långt efter i min utbildning, och Emma behöver träffa andra barn.

Kvinnan mitt emot mig slog ner blicken, stirrade ner i bordsduken.

– Vi måste först och främst tänka på säkerheten för personalen och de andra barnen, sa hon. Det hoppas jag du förstår, Maria.

– Ja, självklart, sa jag. Jag vet att det blir svårt, men på något sätt måste ju Emma kunna få den tillsyn hon behöver.

– Det var just det, Maria, sa föreståndarinnan och såg upp igen. Jag tror inte vi kommer att kunna ge Emma rätt omsorg här på daghemmet.

Jag tänkte efter, försökte förstå vad hon menade.

– Men... sa jag. Det här är ju hennes dagis. Vi har ju fått barnomsorgsplats här. Emma behöver barnomsorg, hon har rätt till barnomsorg.

Föreståndarinnan höjde handen.

– Ja ja, jag vet, jag har talat med assistenten på byrån om det här. Vi måste göra på det här sättet, Maria. Vi kan inte ha Emma här. Det är för farligt för de andra barnen. Vi kan inte riskera barnens och personalens säkerhet för Emmas skull. Vi måste göra en avvägning här.

Jag blev stum, tittade oseende på min skrattande lilla dotter som just balanserade från soffbordet till bokhyllan.

– Jag hoppas du förstår vårt dilemma också, sa hon vädjande.

Jag pressade tillbaka mina tårar.

– Ni vill inte hjälpa oss, sa jag kvävt.

– Jodå, Maria, vi vill hjälpa dig på alla sätt...

– Skitsnack! sa jag och reste mig hastigt upp. Ni kastar ut min dotter från systemet för att hon har fel far, en tokig far som förföljer och förnedrar oss. Ni kastar ut oss för att vi inte passar in i er helsvenska kommunala idyll. Ni stänger ute oss från hela den kommunala omsorgen för att han kommit hit och skrikit två gånger!

Nu blev föreståndarinnan också arg. Hon reste sig upp.

– Han har minsann inte bara kommit hit och ryat lite, om du tror det. Han skrämde slag på personalen, slet i barnen, kallade barnskötarna för horor och sa att han skulle sprätta upp deras halsar från öra till öra om de inte tog fram hans unge. Flera av flickorna har fått mardrömmar och måste gå hos företagsläkaren på kristerapi efter det här. Där jämför de sviterna efter din mans beteende med ett bankrån...

– Han är inte min man! skrek jag. Hur vågar du få detta till att alltsammans är mitt fel.

Emma började gråta borta vid bokhyllan.

– Kom vännen, vi sätter på overallen och går härifrån. Här vill de inte ha oss, vi är inte välkomna här.

Jag rusade ut, och lyckades undvika att börja gråta tills jag kom ut på gatan. Vi återvände aldrig till daghemmet. Något annat barn fick Emmas klädhylla, den med glassen på.

Den här gången var det jag som ringde honom.

– Nu har du verkligen lyckats förstöra för mig! skrek jag. Nu har du lyckats stänga oss ute från den kommunala barnomsorgen också! Varför gör du så här mot mig? Mot Emma, ditt eget barn? Du förstör ju hela vår framtid!

– Jag kan ta hand om er, sa han.

– Genom att sakta men säkert slå ihjäl oss? skrek jag och slängde på luren.

Vad skulle jag ta mig till? Och värken i min mage bara fortsatte och fortsatte.

Jag talade med chefen på mitt jobb och med föreståndaren på kursen. Jag sa som det var: jag hade inte lyckats få någon barntillsyn för min flicka.

– Du kanske kan gå kursen nästa år, sa min chef. Du får börja jobba som vanligt efter nyår i stället.

Det kändes som ett andrum. Jag hade tre månader på mig att hitta en lösning för Emma.

Värken i magen och ryggen blev värre och värre. En morgon tog jag mig knappt ur sängen. När jag till slut gick ut i köket för att göra välling till Emma började jag störtblöda. Blodet rann nedför benen och ut på köksgolvet.

Jag ringde till Marianne i panik.

– Jag dör! Allt liv rinner ur mig!

– Jag skjutsar upp dig till sjukan, sa Marianne.

Min doktor undersökte mig.

– Det är ingen fara med dig, Maria, sa han. Jag tror du har ett tidigt missfall. Jag hämta apparaten och göra ett ultraljud.

Min blick mötte Mariannes. Hon blev alldeles blek.

– Mia, sa hon. Är det något du inte berättat för mig?

Jag lade mig ner på britsen igen. Det läskiga kräppappret hade knycklat ihop sig, den gröna galonen under var kall.

– Ja, sa jag bara. Det är hans.

Doktorn placerade en stor klick kall, ljusblå kontrastgelé på min mage och genomförde ultraljudet. Sedan såg han lugnt på mig och sa:

– Du får inte bli rädd nu, Maria, men du måste opereras. Du har ett utomkvedshavandeskap. Vet du vad det innebär?

Jag svalde.

– Nja, på ett ungefär, sa jag.

– Ett befruktat ägg har fastnat i din äggledare och börjat växa där. Du måste ha haft väldigt ont. Nu är det värsta över, men vi måste göra ett litet ingrepp och skrapa rent därinne. Alla rester måste bort.

Han klappade mig på handen innan han gick ut.

Till Anders sa jag bara att jag skulle in på sjukhuset för att genomgå en skrapning.

Jag fick aldrig några men av utomkvedshavandeskapet. En del kan få svårt att bli gravida igen, eftersom äggledaren ibland måste tas bort helt. Så blev det inte för mig. Det enda minne jag har efter operationen är ett några centimeter långt ärr.

Mona hämtade mig efter operationen. Jag hann sova en stund innan Anders kom hem med Emma, som varit hos mina föräldrar, och en matkasse. Flickan jublade när hon fick syn på mig. Vi pussades och kramades länge.

Anders lagade mat, fläskkotletter med en röra av stekt lök, paprika och ädelost ovanpå. Ändå hade jag ingen direkt matlust.

– Jag vet hur det är, sa Anders. Jag har också varit sövd en gång, när de tog bort blindtarmen. Jag mådde som skit efteråt.

Jag gav flickan hennes kvällsvälling medan Anders städade undan och diskade. Efteråt bryggde han kaffe som vi drack framför tv:n. Jag kurade ihop mig under pläden i soffan, Anders höll sin arm om mina knän.

– Jag har fått ett erbjudande om att sälja min bostadsrätt, sa han plötsligt efter vädret i Aktuellt.

– Har du? sa jag förvånat. Jag visste inte att du försökt bli av med den!

Anders skrattade.

– Nej, det har jag inte heller. Men en av killarna på firman har flyttat från sin tjej och letar efter någonstans att bo. Han frågade om han inte kunde få köpa min etta.

– Vill du sälja den då? sa jag.

Anders vände sig om i soffan och tittade på mig.

– Jag vill bo ihop med dig, Mia. Med dig och Emma. Antingen här eller någon annanstans.

– Tycker du inte att det är lite tidigt? sa jag. Vi har ju just bestämt oss för att vara ihop.

Han drog mig intill sig, kysste mig på håret.

– Men jag älskar dig. Jag vill alltid vara med dig. Och Emma, hon är helt underbar! Ni är det bästa som hänt mig.

Jag höll om honom, kramade honom länge. Hans värme spred sig i min kropp.

– Du är så god, mumlade jag. En god man. En frisk man.

– Vad sa du? sa han.

– Inget, viskade jag. Bara att jag älskar dig.

Han kysste mig stilla.

Ett par dagar senare hade vi ett nytt försök med umgänget. Min förre fästman skulle hämta Emma utanför vår port, hade han bestämt. Vi stod med Mona i snålblåsten på trottoaren i tre kvart innan vi gav upp.

– Han kommer inte, sa Mona.

– Jag tänker inte gå upp och sitta och vänta på att han ska komma och sparka på dörren, sa jag.

Mona suckade och tittade på klockan.

– Nej, nu har jag inte tid längre, sa hon. Kom, jag skjutsar er till dina föräldrar.

Jag och Anders tog kontakt med min hyresvärd, en privat fastighetsägare i stan. Värden lät oss hyra en tom fyra, som stod ledig precis bredvid min trea, men vi fick renovera den själva.

Nu skulle vi snart bli sambo!

Tapeterna i två av sovrummen var gräsliga. Alla lister och fönsterfoder var brunmålade. Men förutom tapeterna och färgerna var lägenheten jättefin. Köket var stort, mycket större än mitt nuvarande. Också vardagsrummet var stort, och det hade en fin balkong.

– Vilken barre! jublade Anders och svängde runt med mig på den tomma vardagsrumsparketten. Vi kysstes intensivt.

– Tur att vi har nära hem till sängen, mumlade Anders och drog iväg med mig, ut i trapphuset och in i min lägenhet.

Min mamma och min syster ställde upp ibland och var barnvakt, så att vi kunde koncentrera oss på renoveringen båda två. Pappa hjälpte oss att tapetsera. Det blev verkligen lyckat.

En eftermiddag när Emma låg och sov började jag packa ner alla mina saker i kartonger. Jag stod i trapphuset mellan de båda våningarna när han kom uppför trappan. Jag kände att jag stelnade till.

– Hej Mia, sa han vänligt.

– Hej, sa jag avvaktande.

Han stannade på sista trappsteget, tittade förvånat från den ena dörren till den andra.

– Vad håller du på med? sa han förbluffat.

– Jag flyttar, sa jag och gick in i fyran med min kartong.

– Får jag komma in och titta? sa han, vänligt och uppriktigt intresserat.

Jag tvekade i dörren. Innan jag hann svara gick han in.

– Vilken fin våning! utbrast han. Du ordnar det fint för dig, du Mia.

Han gick runt från rum till rum, kommenterade de ljusa, fräscha tapeterna, berömde utsikten från balkongen. Jag svarade enstavigt.

Så ställde han sig i ytterdörren. Jag stod i dörren in till köket och väntade på vad han skulle göra härnäst.

– Mia, sa han. Jag vill inte att vi ska hålla på och bråka. Kan vi inte försöka vara vänner, för Emmas skull?

Jag nästan snyftade till, så lättad blev jag. Tänk att han äntligen tog sitt förnuft till fånga!

– Ja, självklart, sa jag och log darrigt. Självklart! Jag vill så gärna, så gärna, vara vän med dig! Jag vill verkligen att du ska få en bra kontakt med Emma. Jag ska göra allt för att vi ska få en fungerande relation, alla tre.

Han log, och hans ögon brann.

– Så bra, Mia, sa han. Jag hör av mig.

Och så var han borta.

11

Den sista oktober tömde vi det sista ur min trea, städade ur den grundligt och flyttade dörrskylten från ena sidan av trapphuset till den andra.

– Snart sitter mitt namn där också, sa Anders.

– Skynda dig och sälj lägenheten, viskade jag i hans öra.

Vi skrek av skratt när vi rullade runt på vardagsrumsgolvet.

På kvällen den tionde november var jag ensam i lägenheten med Emma. Anders hade jobbat över och skulle ut med några kompisar efteråt. Han skulle komma hem sent, eventuellt skulle han sova över i sin lägenhet. Emma sov i sin säng, jag satt och tittade på tv och stickade. Rapport hade precis slutat när det ringde på dörren. Jag lade undan stickorna, gick ut i hallen och öppnade dörren med säkerhetskedjan på.

Det var han.

– Hej Mia, sa han. Får jag komma in?

Jag tvekade. Jag var ju ensam hemma. Om han började bråka skulle Emma vakna.

– Kom igen nu, Mia, sa han vädjande. Vi har ju kommit överens om att vara vänner! Då måste du ju ge mig en chans!

– Jag vet inte, mumlade jag, torr i munnen.

– Hur ska vi nånsin kunna börja umgås om du inte litar på mig? sa han.

Det avgjorde saken. Jag skulle inte vara den som stod i vägen för Emmas kontakt med hennes far. Jag stängde till dörren, tog av säkerhetskedjan och släppte in honom.

– Vill du ha kaffe?

– Ja tack, gärna, sa han.

Han gick in i vardagsrummet och satte sig i soffan.

– Du har verkligen fått det fint här! sa han uppmuntrande.

– Tack, sa jag.

– Verkligen fint, upprepade han och tog en klunk kaffe medan han lät blicken glida runt rummet, över mina bokhyllor, vitrinskåpet och den gamla matgruppen borta vid balkongdörren.

– Emma sover, tyvärr, sa jag. Hon är så trött på kvällarna, vi busar så mycket hela dagarna.

Han svarade inte, drack sakta ur koppen.

– Jag ska flytta till Motala, sa han plötsligt.

Jag kunde inte låta bli att bli lättad. Då skulle han inte ränna här varje dag.

– I nästa vecka, fortsatte han. Och du och Emma ska flytta med.

Jag hörde vad han sa, men förstod det inte riktigt.

– Vad menar du? sa jag.

Han log, och hans ögon brann.

– Det kommer att bli jättebra. Jag har massor av kompisar där. Det är flera tjejer som håller på att konvertera där nu.

Jag var alldeles förvirrad.

– Men snälla du! protesterade jag. Jag vill inte flytta till Motala! Jag bor ju här nu! Jag skulle ha gått den där vidareutbildningen nu under hösten, och du vet ju varför det inte gick... men efter nyår börjar jag om på banken igen.

Han ställde ner koppen med en smäll.

– Hur ska jag nånsin kunna lita på dig när du ändrar dig hela tiden? sa han skarpt.

Jag slog ut med armarna, alldeles uppgivet.

– Är det jag som ändrar mig? Men snälla, rara du.

Han reste sig upp, gick långsamt runt vardagsrumsbordet och bort mot min soffa.

– Tänk att du alltid ska säga emot mig, sa han lågt. Tänk att du aldrig kan lära dig att göra som jag säger. Du har ju gått med på att vi ska vara vänner. Varför håller du då på och krånglar?

Jag reste mig upp, mötte hans blick.

– Nu får du gå, sa jag lugnt. Jag är inte din ägodel. Att jag är din vän innebär inte att du har total makt över mitt liv. Jag har precis lika stor rätt som du att välja var jag ska bo och leva. Om du inte kan acceptera det så...

Hans knytnäve flög fram och träffade mig på hakan. Smällen var inte hård, men den fick mig att tappa balansen och tumla ner i soffan igen. Han tog tag i mina överarmar med sina starka nävar, drog upp mig mot sitt ansikte, hans ögon brann.

– Du ska lyda mig, väste han. Du ska göra som jag säger. Gör du inte det så har jag ju ingen nytta av dig, eller hur?

Jag svarade inte, fick inte fram ett ord. Tankarna virvlade: Hur kunde jag vara så dum? Hur kunde jag lita på honom... idiot, idiot som släppte in honom.

Raseriet hade börjat förblinda honom. Jag såg det i hans blick.

– Du kommer aldrig undan mig! skrek han. Du ska komma med till Motala, och gör du inte så tar jag bort dig, dig och ditt jävla lilla luder till unge. Nå, ska du med?

Jag knäade honom, slet mig lös och ramlade ner på golvet. Knät slog i golvet så det smällde i parketten. Förtvivlat kom jag på fötter och stapplade ut i hallen. Jag fick upp telefonluren och började slå mammas nummer. Han tog luren och slog sönder den mot hallbyrån.

Min stumhet släppte.

– Hjälp! gallskrek jag. Hjälp, hjälp någon!

– Håll käften på dig, hora, skrek han och slog mig över munnen.

Jag tumlade in i väggen, fortsatte att skrika. Han tog tag i mitt hår och drog in mig i köket. Jag borrade in mina fingrar i hans handleder, klöste och rev.

– Jävla katta!

Han sparkade mig på låret.

Han slet upp den översta kökslådan ute i köket. Snabbt rev han runt bland besticken, hittade inte det han letade efter, sköt igen lådan och öppnade nästa.

Där låg de, förskärarna.

– Nu du, sa han, och hans röstläge var nästan normalt. Bara ögonen brann. Han höll kniven framför mina ögon. Lysröret ovanför arbetsbänken blänkte i bladet.

Då vaknade Emma. Hon gav upp ett yrvaket litet skrik, ett gurglande mamma därinne i sin spjälsäng. Han lyfte huvudet och lystrade.

– Horungen, sa han. Han vände blicken mot mig och log.

Han drog ut mig i hallen och bort mot sovrummet där lillan låg.

Gode Gud, inte det! Inte det!

– Neej! gallskrek jag när jag förstod vart han var på väg. Inte in till Emma!

Jag sparkade honom på benen, klöste honom på händerna, grep tag i benet på hallbyrån, den välte. Han tog tag om min hals, slet mig i huvudet in mot sovrummet, jag bet i hans handled. Han släppte mig och svor, jag drog ett djupt andetag och skrek.

– Åh Gud, hjälp, gode Gud hjälp.

Han sparkade upp dörren till sovrummet. Flickan stod upp i sängen, hängde med de små armarna över spjälorna. Hon hade sin rosa pyjamas med hundvalpar på. Hon grät yrvaket.

– Du rör inte Emma!

Jag vräkte mig mot honom, körde in mina naglar i hans ögon. Med ett vrål slog han mig i ansiktet, kastade ner mig på sängen. Ljuset från den lilla lampan i fönstret reflekterades i hans ögon. Emma skrek. Han slet fram kniven, pekade med bladet mot barnets ansikte.

– Håll käft, ungjävel!

Jag bet honom i den andra handen. Kniven svischade förbi mitt huvud.

– Jag börjar med dig, sa han hest. Sedan tar jag ungen.

Hans händer lades runt min hals. De var torra och sträva. Hans ögon brann, en röd eld av hat och förakt. Jag försökte få bort hans händer, klöste på hans fingrar. Han dödar mig, tänkte jag. Han vann till slut. Gode Gud! Panik!

Stålring kring min hals. En svart båge av mörker som lades över mina ögon. Varmt blod fyllde mitt huvud. Tystnad. Mörker.

Jag andades. Jag kände att jag andades. Det gjorde ont. Något rosslade. Det var jag. Annars var det tyst. Det var mörkt, och det var så tyst. Rött, röd eld? Nej, lampan i fönstret, röd lampskärm, rött blod... Jag andades, hostade, stålring runt min hals.

Emma! Jag såg ingenting, bara rött. Det var så tyst. Gode Gud, död, hon är död! Gud! Död! Jag vred på huvudet, såg mitt påslakan. Jag låg på sängen. Huvudet rullade tillbaka. Jag hostade igen, försökte ta bort stålringen runt min hals. Den fanns inte där. Den var borta. Stålring, torr och sträv.

Varför var det så tyst? Jag började gråta, försökte ropa Emma. Ingenting hördes. Jag rullade runt, hamnade på mage. Du lever, tänkte jag. Du kan andas. Det är ingen fara. Res dig upp. Upp på armbågarna! Upp!

Jag fick upp skallen, min blick nådde spjälsängen. Flickan satt ner i sängen. Hon hade tummen i munnen, satt alldeles tyst, torrögd och stilla. Blicken var inåtvänd, ögonen blanka. Hon såg på mig från en annan planet.

Vännen! ville jag säga. Hon såg på mig med oseende ögon, tummen i munnen. Långsamt satte jag mig upp. Det kommer att gå bra, så bra. Rummet kantrade, jag ramlade, hamnade på golvet, slog huvudet i sänggaveln. Mammas flicka! Hon såg på mig, tyst, trött, med blanka ögon. Emma! Emmavännen, mammas hjärta, söta vännen. Jag tog tag i spjälorna, försökte häva mig upp igen.

Då stod någon i dörren.

Jag skrek, men inget hördes.

– Ursäkta, vad är det som hänt?

En kvinna, något äldre än jag, lutade sig över mig.

Hjälp, försökte jag säga.

– Vi har just flyttat in. Vi hörde ett sånt liv härifrån, så jag tittade ut i trappan, och då såg jag att dörren stod öppen...

Hjälp, kraxade jag.

– Behöver du hjälp? Ska vi ringa någonstans?

En annan röst, en mansröst:

– Ska vi hjälpa dig upp?

Jag räckte armarna mot dem som svar. De satte mig upp på sängen igen. Jag pekade på flickan i spjälsängen.

Kvinnan tog försiktigt upp Emma, satte henne i min famn. En lång suck gick genom babykroppen. Jag drog henne intill mig, lutade min haka mot hennes silkeslena hjässa, vaggade, vyssjade. Stilla, stilla började hon gråta.

Det hjälpsamma paret som flyttat in i min gamla lägenhet reste upp byrån, ställde upp telefonen.

– Vi vill inte lämna dig så här, sa kvinnan. Finns det någon vi kan ringa, någon som kan komma och hjälpa dig?

Jag nickade, krafsade ner min systers telefonnummer på blocket hon sträckte fram.

Min syster gick in med sin egen nyckel.

– Mia, sa hon bara, satte sig ner på sängen och kramade om mig. Mia, Mia, Mia, hur länge ska det här fortsätta?

Jag kramade om henne, grät tyst, fortfarande chockad.

Marianne kom tillsammans med sin man. Hon grät när hon förstod vad som hänt.

– Nu är det jag som anmäler den här jäveln! sa hon hetsigt med tårarna rinnande. Jag struntar i vad du säger, Mia, nu går jag till polisen! Du vet inte vad som är ditt eget bästa, så nu tar jag det beslutet åt dig. Herregud, jag skulle ha gjort det för länge sedan!

Hon gick runt, runt, plockade planlöst upp saker som hamnat på golvet under tumultet.

– Jag fixar en läkartid åt dig i morgon, och så ska du upp till polisen för förhör. Du får inte vara ensam här i natt, har du någon som kan stanna här hos dig?

Jag tittade på min syster.

– Anders då? sa Marianne.

Jag skakade på huvudet, ville inte att han skulle se mig så här.

– Sedan ska du bort från stan, och den jäveln ska buras in! Det är ingen idé att du protesterar, Mia!

Anders ringde senare på kvällen. Min syster svarade, sa att jag mådde dåligt och att hon skulle stanna hos mig i natt.

– Jag kan komma över, sa Anders.

Jag skakade intensivt på huvudet.

– Nej, det behövs inte, sa min syster. Både Mia och Emma sover. Hon ringer dig... i morgon.

Den natten drömde jag för första gången om de torra sträva händerna. Jag vaknade med ett tyst skri, badande i svett och mina egna händer uppflugna runt halsen. Det var första natten i en lång, lång rad.

Än idag, sju år senare, händer det att jag vaknar med det fruktansvärda trycket av den torra, sträva stålringen runt min hals.

Marianne hämtade mig klockan tio. Kriminalinspektör Carlsson tog emot oss. Anmälan visade sig redan vara gjord. Klockan nio samma morgon, den elfte november 1987, hade Marianne anmält min förre fästman för mordförsök och grov misshandel.

– Jag läser upp anmälan för dig, sa kriminalinspektör Carlsson till mig. Så får du komplettera om du tycker det är något som bör tillföras.

Han läste den kortfattade brottsbeskrivningen. Min förre fästman hade ringt på, fått komma in, slagit sig ner i soffan och talat med mig. När jag bad honom gå mordhotade han mig, tryckte ner mig på sängen och tog stryptag på mig.

– Var det så här det gick till?

Jag nickade, suckade. Ja, det var det väl. Så trivialt det lät.

– Han kommer att anhållas, sa Carlsson.

Marianne skjutsade upp mig till lasarettet. Läkaren konstaterade en blåviolett skada på vänster sida om halsen, samt skador och ömhet på struphuvudet. Skadorna bedömdes ha uppkommit genom mycket kraftigt yttre tryck. Jag skulle hålla mig tyst i minst en vecka.

– Har du någonsin varit i Karlstad? sa Marianne när vi var tillbaka i min lägenhet.

Jag suckade, mimade en gång och sträckte upp pekfingret i luften.

– Aj då, sa Marianne. När då? Är det länge sedan?

Jag rafsade fram blocket igen, skrev: "Jag och en klasskompis till mig åkte buss dit en gång för tio år sedan. Hon hade en pojkvän där. Det är enda gången."

– Inget sedan dess? Du har aldrig pratat om Karlstad med honom?

Jag skakade på huvudet.

– Då ska vi packa en stor väska åt dig och Emma, för jag har ordnat en sommarstuga åt dig utanför stan.

Sommarstugeområdet var ödsligare än planeten Mars. Det fanns inte en själ så långt ögat nådde. Alla stugor var igenbommade för vintern, alla fönsterluckor fastskruvade, alla bryggor och båtar uppdragna.

– Här är du säker, sa Marianne.

Ja, det ville jag lova. Jag började ana hur familjen G känt sig när de klev in i den underjordiska källaren i södra Dalarna.

– Försök stanna ett tag, bara tills han gripits och häktats, åtminstone.

Jag nickade, svalde gråten. Det gällde inte bara mig längre. Han hade visat sig beredd att skada Emma också.

Stugan var väldigt fin. Den hade alla moderna bekvämligheter som el, vatten, toalett, tv och telefon. Dessutom fanns en mysig vedkamin och en stor öppen spis.

– Kan jag lämna dig här nu? sa Marianne oroligt.

Jag nickade och log blekt. Det skulle nog gå bra.

När hon åkte tittade jag efter bilen tills den försvann över krönet, väntade i dörröppningen tills det sista, brummande motorljudet försvann.

Bara trädens sus blev kvar.

På morgonen den tolfte november efterlystes min förre fästman. Han var anhållen i sin frånvaro, misstänkt för mordförsök och grov misshandel. Han greps redan samma eftermiddag i en lägenhet i Motala.

Häktningsförhandlingen gick snabbt, beslutet kom omgående: han skulle kvarstanna i häkte fram till rättegången.

Jag satt tyst i luren medan Marianne berättade allt detta för mig, kraxade bara lite till svar.

Anders ringde.

– Mia, Mia, sa han förtvivlat. Varför sa du ingenting om det som hänt?

Jag grät lite, kraxade fram något som kunde tydas som ett kunde inte.

– Jag förstår att du måste bort ett tag, sa han. Men jag saknar dig, jag älskar dig! Kom snart hem!

Under de långa, svarta höstkvällarna kom ruelsen och skräcken smygande. Jag ångrade alldeles förskräckligt att jag gått med på att göra en polisanmälan. Ibland fick jag för mig att han stod och väntade på mig bakom någon uppdragen båt. En gång var jag helt säker på att jag såg hans jacka fladdra till bakom ett träd, men det var en bit av en trasig presenning. Mitt förstånd sa givetvis åt mig att sluta svamla, att ta mig samman, att stoppa undan hjärnspökena.

Jag kommer alltid att hitta dig, var du än är.

Hans röst ekade i mitt huvud när jag låg i den smala sängen med flickan sovande i spjälsängen bredvid mig.

Du kommer aldrig undan, och när jag hittar dig ska jag skära halsen av dig och din horunge...

Jag vaknade med händerna runt halsen, stel av skräck.

12

Efter en vecka åkte vi hem. Anders väntade på oss i lägenheten. Utan ett ord tog han mig i sin famn, kramade mig hårt.

– De har fört honom från häktet i Motala hit till vår stad, sa Anders.

Jag nickade.

– Du har ingenting att vara rädd för mera, sa Anders.

Han hade fel.

Han hade bara hunnit lämna lägenheten nästa morgon när det ringde på dörren. Jag öppnade med säkerhetskedjan på. Det var Muhammed och Ali.

– Mia, sa Muhammed. Vi kommer för att tala förstånd med dig.

Jag pekade på min hals och mimade jag kan inte tala alls.

– Du förstår väl att ditt barns far inte kan sitta inspärrad på det här viset, som ett djur i bur! Du måste se till att få ut honom, omgående!

Jag pekade återigen på min hals, kraxade: Jag kan inte tala.

Det retade tydligen Ali som tog sig ton:

– Hur kan du göra på det här viset? skrek han upprört och tog ett steg närmare dörren. Förstår du inte hur han lider?

Nej, nu blev jag arg!

– Men jag då? kraxade jag fram. Han mördade mig nästan.

– Du lever ju, sa Muhammed kallt. Det kan väl inte ha varit så farligt med det.

Jag skyndade mig att stänga dörren innan de fick för sig att sätta foten mellan.

Det blev första advent. Alla stadens affärer fyllde sina skyltfönster med julgransglitter och tomtenissar. På skyltsöndagen gick jag, Emma och Anders runt i centrum tillsammans med Sisse, Henrik och Kajsa.

Ali och en av hans kompisar, Samir, gick hela tiden tio meter bakom oss.

– Gud vad mycket folk! stönade Sisse när ett gäng tonårstjejer höll på att ramla över Kajsas vagn.

I skyltfönstret inne på Sparbanken paraderade stadens luciakandidater. Vi stod en stund och hörde på kommunala musikskolans blåsorkester som klätt upp sig i luciakronor och röda luvor och stod och spelade på Domustrappan.

– Kan vi inte sätta oss och fika någonstans? sa jag till slut.

Där fanns ett bord längst in. Jag tog upp Emma ur vagnen och satte henne i en hög barnstol. Hennes kinder var röda som julämpplen efter all den friska luften. Hennes svarta lockar var alldeles svettiga under mössan. Flickan skrattade och drog Anders i håret.

– Hördudu, sa Anders, tog bort hennes näve ur kalufsen och pussade henne på fingrarna.

Jag kände hur ett varmt leende fyllde hela mitt inre. Hur kunde jag ha sådan tur att jag hittat denne man?

Så lyfte jag blicken och såg ut i lokalen, över gästernas huvuden och genom den immiga glasrutan mot gatan. Där, på utsidan, stod två mörka män och stirrade in. Båda hade svarta skinnjackor, båda höll händerna instuckna i sidfickorna.

Mitt leende dog bort. Trots att jag visste att de följde efter mig så kändes det obehagligt. Sisse följde min blick och såg vad jag såg.

– Ger de aldrig upp? sa hon allvarligt.

Jag skakade på huvudet, sparade rösten.

Till slut skickade de fram Helena för att tala mig tillrätta. Hon kom fram till mig på stan, utanför Åhléns, och tog tag i Emmas vagn. Hon hade fotsid kjol, en fin sidensjal på huvudet och en höftlång jacka.

– Du förstår väl att du inte kan låta Emmas pappa sitta i fängelse på det här viset. Hur kan du bara göra så här mot din man?!

Jag tittade henne stint i ögonen och sa:

– Han är inte min man, Helena. Och det är inte jag som satt honom i fängelse, det är han själv. Sedan har vi inbrottet i Motala. Var det också mitt fel, kanske?

Helena blev lite osäker en sekund, flackade lite med blicken.

– Det är du som har polisanmält honom, började hon.

– Fel igen! skrek jag. Det är en socionom på kommunen som vägrade se på hur han sakta slog ihjäl mig! Vad är det med dig, Helena? Har du blivit totalt hjärntvättad?

Hon ryggade tillbaka, en svart ångest drog ett ögonblick över hennes ansikte. Hon vände sig snabbt om, krockade med en tjock farbror, trasslade in sig i kjolen och skyndade bort.

Emma började gråta i sin vagn.

Datum för rättegången sattes till den nionde december. Samma dag som datumet fastställdes exploderade hans kompisars trakasserier. Plötsligt insåg de att det var allvar. De satte igång att ringa på dörren vid fyratiden på morgnarna. Till slut tog Anders fram trappstegen och monterade bort ringklockan. Då började de ropa i brevlådan i stället. Jag plockade fram bred, brun pakettejp och tejpade igen den. Då satte de igång att sparka på dörren.

– Det här är helt rubbat, sa Anders.

Jag grät ibland på kvällarna, skakade av gråt, skräckslagen, livrädd. Nästa morgon kunde allt kännas som vanligt igen. Anders gick till jobbet, jag diskade, städade lite, lekte med Emma, ringde till Sisse – och så brakade det lös igen. Det sparkade bakom dörren, ringde i telefonen. Varje gång den skrällde ryckte jag till. Jag bytte nummer tre gånger på två veckor. Det hjälpte inte. Till slut lade jag av luren.

– Du får inte ge upp, sa Marianne. Du måste stoppa honom nu, Mia. Du måste dra en gräns. Hit men inte längre. Tar du tillbaka anmälan så viker du dig.

– Jag får se, mumlade jag.

Ali bankade på min dörr hela tiden. Jag tog ett djupt andetag. Det måste ju gå att prata förstånd med de här människorna. De hade ju en gång varit mina vänner. Sakta öppnade jag dörren.

– Så här kan vi inte ha det, sa jag lugnt.

– Du får väl sluta att vara så förbannat krånglig, sa Muhammed.

– Krånglig? sa jag. Han höll på att döda mig, skulle tvinga mig att flytta från stan, till Motala, där jag aldrig satt min fot! Jag bor här! Jag har inte...

– Han har rätt att träffa sin dotter! sa Muhammed.

– Självklart! sa jag hett. Men han har inte rätt att ta livet av henne!

– Varför hindrar du honom då från att träffa sin familj? sa Ali. Förstår du inte hur han lider av att inte få träffa sin familj?

– Han får träffa henne, sa jag. Han får träffa henne när han vill. Men det innebär inte att han får komma och gå hur han vill i min lägenhet.

Ali tog ytterligare ett par steg mot mig. Jag backade instinktivt, men han fick tag i min blus.

– Vad ska han med en familj till om han inte får träffa den? väste han. Kan du berätta det för mig?

Han skakade mig. En knapp flög bort ur blusen.

– Du har bara en vecka på dig att ta tillbaka anmälan och se till att han blir fri.

Jag fick inte fram något svar.

– Om inte han får gå omkring som en fri man till jul så ska inte du heller göra det.

Jag blev alldeles stel.

– Hotar du mig? sa jag med kvävd röst.

– Ja, det kan du ge dig fan på att jag gör! fräste han.

Emma började gråta därinne i spjälsängen. Ali höjde huvudet och lyssnade.

– Du ska ta tillbaka anmälan före den 9 december, annars kommer jag och tar livet av dig och ungen, väste han. Fattar du? Jag står här tills du går bort till polisstationen och säger att du hittat på alltsammans för att jävlas med honom.

Han släppte mig, jag tumlade baklänges. Jag famlade efter dörren, försökte dra igen den. Han satte foten mellan.

– Du har föräldrar här i stan, eller hur? sa han och log snett. Du har både mamma och pappa och systrar, inte sant? De brukar vara ute och gå ibland, stämmer inte det?

Jag slog igen dörren. Genast började bankandet igen. Jag skakade i hela kroppen, rusade in till Emma. Jag tog upp flickan i famnen, vaggade, sjöng, nynnade.

De tänkte göra det. Jag var säker på det. De skulle sätta sina hotelser i verket. Jag hade inget val.

– God förmiddag, jag heter K och är åklagare i målet mot din förre fästman. Jag tänkte gå igenom målet med dig före rättegången och undrar om du kunde komma upp på åklagarmyndigheten.

Emma hade suttit och lekt på golvet i vardagsrummet, nu kom hon utspatserande i hallen med sin nalle i näven.

– Hej hej, sa hon.

Så fick hon syn på ett halvt kex som låg under hallbyrån. Hon satte sig på rumpan, släppte nallen, sträckte sig efter kexbiten och började förnöjt att knapra på den.

– Nam nam, sa hon, såg på mig och skrattade. Nam nam!

– Fröken Eriksson? sa mannen i luren.

– Nej, sa jag. Nej. Jag vill inte gå igenom något mål. Jag vill ta tillbaka anmälan. Jag vill att målet läggs ner.

Åklagaren suckade djupt.

– Jag kan inte lägga ner målet, sa han. Det faller under allmänt åtal.

– Jag kommer inte att samarbeta, sa jag.

– Det spelar ingen roll, sa åklagaren. Jag får dit honom i alla fall.

– Hur då? sa jag.

– Läkarintyget, sa mannen. Jag kan inte bevisa ett mordförsök, men misshandel åker han på. Dessutom har jag ett vittne, en kvinna som har sett honom slå dig vid ett tidigare tillfälle.

– Jaså? sa jag förbluffat. Vem då?

Han nämnde namnet på en av min systers kompisar, en tjej som var med en gång när han slog mig utanför sin lägenhet. Den smockan hade jag nästan glömt.

– Du gör dig själv en björntjänst om du inte berättar, Maria, sa åklagaren.

Jag svarade inte, såg på Emma, babyflickan som satt vid mina fötter.

– Jag förstår att det här är jobbigt för dig, sa han. Men om du behöver stöd och hjälp så finns det faktiskt sådan att få.

– Minsann, sa jag. Hur då?

– Det finns en utmärkt psykolog i grannstaden som har arbetat mycket med kvinnor i just din situation.

Jag skrattade torrt.

– Det är inte jag som behöver en psykolog, sa jag. Det är inte jag som är sjuk i huvudet!

Nu blev åklagaren sur på mig, det hörde jag.

– Du får hennes namn i alla fall, om du känner att du vill ringa henne.

Jag skrev ner namnet i min telefonbok och glömde bort det.

Jag julpyntade min nya, fina lägenhet. Satte upp julgardiner, lade fram juldukarna, hängde upp julbonaderna. Jag köpte två nya, elektriska ljusstakar. Emma gillade julen, det märkte jag redan nu. Hennes ögon glittrade när vi tände levande ljus, hon klappade i händerna åt alla julsånger.

Så var dagen inne. Den nionde december klockan tio ropades huvudförhandlingen i målet mot min förre fästman upp i stadens tingsrätt.

– Jag följer med dig, sa Anders.

– Nej! sa jag. Men jag lånar gärna bilen.

Jag skjutsade Emma till min mamma.

– Öppna inte för någon! instruerade jag henne.

– Nejdå, men vi kanske går ut en stund, sa mamma.

– Nej! utbrast jag. Du får inte gå utanför dörren med flickan. Lova mig det!

Mamma lovade. Ändå ringde jag hem till henne så fort jag kom fram till tingshuset.

– Du har inte gått ut? Du lovar att inte gå ut?

Jag gick stelt vid åklagarens sida fram mot folkhopen som samlats utanför tingssalen. Hela hans stora gäng med kompisar var där – Muhammed och Ali, Abdullah, Samir och alla de andra – men inga kvinnor. Jag skulle precis gå in genom dörren till tingssal ett när Ali tog ett stenhårt tag runt min arm.

– Säger du ett ord så hämtar vi ungen, väste han.

Jag svarade inte, ryckte mig bara lös och gick in och satte mig bredvid åklagaren. På andra sidan rummet satt min förre fästman bredvid sin försvarare. Han stirrade på mig, svartögd. Jag tittade bort, in i väggen ovanför nämndemännens huvuden.

Lagmannen smällde klubban i bordet och öppnade rättegången. Åklagaren drog sin framställan, sa att min förre fästman misshandlat mig och försökt strypa mig. Försvaret hävdade att alltsammans var lögn. Min fästman hade inte rört ett hår på mitt huvud. Han var en god, varm och kärleksfull fader som tog fullt ansvar för sin lilla älskade dotter.

– Maria, kan du berätta vad som hände hemma hos dig på kvällen den tionde november? sa åklagaren.

Jag harklade mig, knäppte mina händer på bordet framför mig, fixerade dem med blicken.

– Jag vill börja med att säga att jag inte velat gå igenom den här rättegången, sa jag. Jag vill att åtalet ska läggas ner.

Åklagaren låtsades inte höra, upprepade bara:

– Vad hände hemma hos dig på kvällen den tionde november, Maria?

Jag drog ett djupt andetag, stirrade på min knäppta händer. Det var dödstyst i tingssalen. Alla hans vänner stirrade stint på mig. Min förre fästman satt på andra sidan salen, stirrade stumt på mig.

– Jag minns inte, sa jag. Jag kommer inte ihåg.

– Åjo, sa åklagaren uppfordrande. Nog kommer du ihåg att din förra fästman kom in i din lägenhet, satte sig i soffan...

– Nej, sa jag. Jag minns inte.

– ... han ville tvinga dig att flytta med honom till en annan stad, du sa nej...

– Jag har minnesluckor, sa jag. Jag minns inte.

– ... han drog dig då i halsen och i håret, hotade dig med en kniv som han hämtade i köket, hindrade dig från att ringa...

– Nej! sa jag. Jag minns inte! Jag minns inte!

– ... slängde ner dig på sängen och tog ett strypgrepp om din hals...

– Nej!

– ... tills du tappade medvetandet...

– Nej!

Jag slog upp blicken, mötte hans blick från andra sidan salen.

– Maria Eriksson, jag har här ett läkarintyg daterat den elfte november klockan elva, femton timmar efter mordförsöket i din lägenhet. Där framgår att du har blåvioletta skador på halsen och skador på struphuvudet, förorsakade av ett mycket kraftigt yttre våld. Hur fick du de här skadorna, Maria?

Jag stirrade in i hans brinnande ögon.

– Jag minns inte, sa jag tonlöst.

Åklagaren suckade.

Min förre fästman nekade till allt. Han var en oförvitlig medborgare, älskande fader, respektfull make. Det var bara Gud fader som var bättre och godare än vad han var.

Så kom Madeleine, min systers kompis, in och vittnade. Hon berättade för rätten hur min förra fästman slagit till mig i ansiktet en gång när hon och jag, tillsammans med några andra, passerat utanför hans trappuppgång.

Alltsammans var över på mindre än två timmar.

– Jag hoppas du är nöjd med din insats, sa åklagaren torrt, vände ryggen mot mig och gick.

Jag önskade jag hade kunnat förklara alltsammans för honom.

Domen kom redan samma dag. Min förre fästman fick en månads fängelse för misshandel. Tiden han suttit häktad räknades av från straffet. Han släpptes eftermiddagen därpå.

Så kom svaret på faderskapsutredningen. Den visade naturligtvis att det var min förre fästman som var far till Emma.

Han hörde inte av sig. Stillheten och lugnet efter hans kompisars terror kändes himmelsk. Ibland fick jag för mig att rättegången aldrig ägt rum.

Plötsligt var det julafton. Anders åkte hem till sin släkt i Norrland över dagen. Han flög, så jag fick låna bilen. Jag och Emma kom till mina föräldrar vid lunch. Vi åt julbord, såg på Kalle Anka och delade ut julklapparna, precis som alla andra år. Min syster agerade tomte. Emma blev lite fundersam över den rödklädda figuren. Hon var inte rädd, tittade bara lite misstroget. Julklapparna var förstås roliga, särskilt papperet.

På nyårsafton hade vi en stillsam bjudning för Sisse, Henrik och Kajsa. Vi satt och tittade på Grevinnan och betjänten när han ringde.

– Har du någon sprit att låna ut? sa han.

Jag drog en lång suck.

– Tyvärr, sa jag. Jag har ingen.

Det blev tyst en stund. Så sa han bara:

– Gott nytt år.

Och så lade han på.

– Dags att byta nummer igen? frågade Sisse när jag kom in i vardagsrummet igen.

– Nej, sa jag. Nu får det vara bra. Jag har haft tolv nummer på mindre än ett år.

Vi skålade i champagne vid tolvslaget.

13

Det nya året började lugnt. Anders körde över de sista flyttlassen och lämnade sin gamla lägenhet till dess nye ägare.

Min förre fästman ringde ofta, nästan varje dag.

– Jag vill komma upp och fika, sa han.

– Nej, sa jag. Det går inte. Vi ska precis gå ut.

– Jag kan komma senare. Så kan du bjuda på middag.

– Nej, sa jag. Vi är bortbjudna ikväll.

– Okey, sa han. Jag ringer i morgon.

Och det gjorde han. Jag fortsatte att vara upptagen, bortbjuden, på väg till läkare eller barnavårdscentral. Jag ville inte ha in honom i min lägenhet igen.

Så ringde åklagaren som hade hand om misshandelsåtalet.

– Jag vill veta om du känner till några stölder eller bedrägerier som din förre fästman varit inblandad i, sa han.

– Han sålde en gång en tv till mig som var stulen från flyktingförläggningen i Motala, sa jag.

– Det brottet har han redan erkänt, sa åklagaren. Inget annat?

– Inte vad jag vet, sa jag. Ibland kommer han upp med saker, kläder eller mat, som han inte har några kvitton på. Jag vet inte varifrån de kommer, jag tar aldrig emot dem.

– Har han mycket pengar?

Jag tänkte efter.

– Ja, ganska, sa jag. Han har en nästan ny bil och fina kläder. Han sa en gång att han fått ett arv från Libanon. Jag vet inte om det är sant.

– Din förre fästman kommer att åtalas för en hel rad stölder och bedrägerier. Vi utreder anmälningarna just nu. Kan jag eller utredarna återkomma om det är något vi undrar över?

– Visst, sa jag. Ring ni.

Jag fick ett nytt dagis till Emma. Det låg lite längre bort, jag var tvungen att åka buss för att ta mig dit, men det fick det vara värt.

– Berätta inte för någon om dagiset, sa Mona. Vi försöker hålla det sekretessbelagt.

– Ja, självklart, mumlade jag.

I mitt stilla sinne undrade jag hur mycket det skulle hjälpa.

– Inskolningen kan börja den 15 februari, sa Mona.

Det var härligt att bo tillsammans med Anders. Att vänta på någon, laga middag och äta tillsammans med någon, att dela glädjen över Emma, det var underbart. Dessutom fick jag det bättre ekonomiskt. Numera delade vi förstås på utgifterna för mat och hyra.

På kvällarna, sedan Emma somnat, satt vi uppkrupna i soffan och tittade på tv.

– Hördu, Eriksson, skicka fjärrkontrollen, kunde han säga.

Jag tog apparaten och höll den utom räckhåll för honom.

– Vad får jag av dig? flinade jag glatt.

– Vad vill du ha? frågade han och kröp tätt inpå mig, blåste mig i nacken.

– Jag älskar dig, viskade jag.

Vi struntade i att byta kanal.

En solig tisdag gick jag ut för att handla lite nya kläder till Emma. Hon behövde en ny omgång kläder inför dagisstarten. Det var ganska kallt, luften var bitande frisk, solen gnistrade i snödrivorna.

De stod utanför Hennes&Mauritz. De var fyra, fem stycken.

– Titta där, sa Ali när han fick syn på mig.

Mitt hjärta började banka lite fortare. Jag beslutade att inte låtsas om dem.

Samir ställde sig i ingången.

– Vart ska horan idag då? sa han.

Två tjejer som precis kom ut från affären tittade förvånat på mig.

– Flytta på dig, sa jag och såg upp på Samir. Du står i vägen.

– Hoppsan då! sa Samir och tittade sig omkring. Jag står i vägen! Jag står i vägen för horan!

De andra skrattade. Folk tittade.

– Horan! skrek de. Och horungen!

Emma började gråta. Jag blev med ens alldeles rasande.

– Försvinn härifrån! skrek jag. Lämna mig i fred! Vad i Herrans namn har jag gjort er? Ni är ju inte riktigt kloka!

Jag knuffade mig förbi högen av mörka, svartklädda män och kom in i affärens värme. De hårdspacklade expediterna i kassan tittade ogillande på mig. Jag tog upp Emma i famnen, gick runt bland de skrynkliga kläderna på ställen och snurrorna tills männen gett sig iväg.

Sedan gick jag hem, utan att köpa något.

Han ringde dagen därpå och krävde att få träffa Emma.

– Det är min rättighet, sa han.

– Det är hennes rättighet att få träffa dig, korrigerade jag.

Jag tog upp saken med Mona.

– Jag vill inte att han ska träffa henne, sa jag. Han använder henne som redskap att komma åt mig. Dessutom har han visat att han är beredd att skada henne.

– Vi provar en gång till, sa Mona. Sedan har vi provat färdigt.

Vi bestämde att vi skulle mötas utanför krogen inne i centrum. Han skulle ha hand om tösen i fem timmar. Jag och Mona stod och väntade med Emma, vagnen, väskan med banan och blöjor i nästan en timme.

Han kom inte.

– Nu ger vi upp, sa Mona.

Dagen därpå ringde församlingsassistenten och frågade vart han skulle skicka Emmas personbevis – personbeviset som hennes pappa beställt, därför att flickan skulle iväg på en hastigt påkommen utlandsresa. Då sprack min sista illusion. Jag rasade, grät, förbannade och svor. Emmas pappa var inte det minsta intresserad av att umgås med flickan. Han ville bara använda henne för att få makt över mig.

Hade han lyckats skicka Emma till Libanon hade jag gjort vad som helst, vad som helst, för att få henne tillbaka. Det visste han. Han visste att jag skulle offra mitt hem, mitt jobb, mitt land och mitt liv för flickans skull.

Själv kunde han aldrig åka tillbaka till Libanon. Han skulle skicka flickan till någon som kunde ta hand om henne, antingen en släkting eller någon som ställde upp och gömde henne mot betalning. Sedan hade han tänkt börja sin utpressning gentemot mig. Med flickan som gisslan i en utbombad bunker i Beirut skulle jag ha gett upp allt. Jag skulle ha sålt min själ till djävulen.

Han ringde samma kväll.

– Vart skulle Emma resa? frågade jag.

Han blev överrumplad av frågan, det hörde jag.

– Jag tyckte det skulle vara trevligt för henne att åka till Libanon, sa han förbluffat.

– Och du då? sa jag. Skulle du också åka med?

Han svarade inte.

– Fähund, väste jag och lade på.

De sista dagarna i januari inleddes en ny rättegång mot honom. Åtalslistan var lång. Inbrottet i Motala var bara en i raden av åtalspunkterna. Han var misstänkt för olovlig körning, cykelstölder i stor och organiserad skala och bedrägerier för hundratusentals kronor. Rättegången beräknades ta tre dagar, vilket är ovanligt i en liten stad som vår. Lokaltidningen bevakade rättegången noggrant. Efter första förhandlingsdagen ringde en av tidningens lokalredaktörer.

– Vi vet att du varit förlovad med honom och att han dömts för att han misshandlat dig. Säg mig, hur är han som person?

– Tyvärr, sa jag vänligt men bestämt. Jag vill inte säga någonting.

Han dömdes till ett års fängelse.

– Nu har du honom ur vägen i ett helt år! jublade Marianne.

– Det tror jag inte förrän jag ser det, sa jag krasst.

Jag gjorde rätt som inte tog ut någon frid i förskott.

I början av februari drabbades jag återigen av ett nytt, häftigt illamående, nästan lika hemskt som det under graviditeten med Emma.

– Den här gången är jag inte med barn i alla fall, sa jag till doktorn. Jag äter p-piller, och vet att jag inte missat en enda tablett.

Han tittade fundersamt på mig.

– Vi tar ett g-test i alla fall, sa han.

Jag höll på att smälla av när svaret kom.

– Detta är inte sant! sa jag. Emma var spiralbebis och nu ska jag alltså ha en p-pillerbebis!

– På vissa kvinnor biter inga preventivmedel, sa doktorn. Du är en sådan. Karlarna behöver bara skaka på kalsongerna så blir du med barn.

Jag stirrade på honom, så började jag skratta.

Skaka på kalsongerna. Jo tack!

Anders blev så glad att han nästan grät.

– Mamma Mia, jublade han. Jag ska bli far!

Han kysste mig, hissade mig upp i luften, snurrade mig runt, runt tills jag nästan kräktes igen.

Givetvis blev jag sjukskriven igen. Jag kunde inte äta, men jag fick behålla en del vatten. Jag behövde inte läggas in på konstant dropp och önskekost.

Återigen blev min comeback på arbetsmarknaden uppskjuten. Jag ringde barnomsorgsbyrån, min chef och Emmas nya dagis.

– Ett barn till! sa min chef och försökte att inte låta sur. Så roligt för dig, Mia. Du vet att du är välkommen tillbaka så snart du mår bättre.

Den nya bebisen beräknades komma i oktober, precis som Emma. Första gången jag behövde läggas in för att få dropp var i slutet av februari. I tre dagar fick jag näringsdropp via en nål i handen. Emma var hos min mamma medan Anders jobbade. Varje kväll, sedan han hämtat Emma, kom de upp och hälsade på mig på sjukhuset båda två. De stannade tills det var dags för Emma att gå och lägga sig.

– Min tappra, modiga, starka kvinna, viskade Anders och kysste mig innan han gick.

– Är det något speciellt du önskar dig? Något vi kan åka förbi och köpa? sa Anders när han hämtade mig efter tre dagar.

Jag funderade, försökte känna efter om jag var sugen på något.

– Jo, en sak, sa jag. Salta grodor. Sådana där hårda, och så salta bomber med pulver i.

Han skakade uppgivet på huvudet när han gick in i kiosken som hade lösgodis som specialitet. Jag skrattade för mig själv där jag satt kvar i den varma bilen och väntade. Jag satte på bilradion, lutade huvudet bakåt mot nackstödet.

Då såg jag honom. Han körde förbi kiosken i sin Volvo. Jag följde honom med blicken medan han passerade bakom vår bil. Jo, det var han, ingen tvekan om den saken. Hur kunde det vara möjligt?

I samma stund kom Anders tillbaka. I handen höll han en gul papperspåse full med pulverbomber.

– Såg du honom? skrek jag. Där! Han körde förbi! Han är ute ur fängelset!

Anders tittade. En buss körde förbi. Två tanter med var sin hund passerade.

– Jag ser inget, sa Anders. Säkert att du såg rätt?

– Tro mig, sa jag. Jag skulle känna igen den karln var som helst.

Anders satte sig i bilen, slog igen bildörren.

– Här, sa han och släppte påsen i mitt knä. Något annat hon önskar? En påse murbruk? En kilo arsenik? En puss av sin man?

Vi kysstes.

– Han hade väl permission, sa Anders och körde hem.

Nästa dag ringde han på min dörr. Anders var på jobbet, Emma sov middag. Jag öppnade med säkerhetskedjan på.

– Vad vill du?

– Jag vill träffa min dotter, sa han. Jag har rätt att träffa min dotter.

– Skitsnack, sa jag. Du har inte en enda rättighet vad gäller henne.

Hans blick hårdnade, blixtrade till och brann.

– Hon är min dotter. Du kan inte vägra mig att träffa henne.

– Kan jag visst, sa jag. Jag har samarbetat långt över mina skyldigheter för att du ska få ett fungerande umgänge med henne. Det är slut med det nu. Du har försuttit dina chanser.

Han började skrika.

– Ta hit henne!

– Aldrig, sa jag.

– Jag har mina rättigheter!

– Sällan, sa jag. Det finns inget beslut på att jag är skyldig att lämna ut henne till dig.

– Jag har rätt! ylade han.

– Driv det i domstol, sa jag. Kom tillbaka när du har ett tingsrättsbeslut på umgänge.

Jag slog igen dörren rakt i ansiktet på honom. Det fick faktiskt finnas några gränser för vad jag ställde upp på. När han tänkte kidnappa henne satte han sin sista potatis.

Dagen därpå såg jag honom utanför Domus. Han gick med sina kompisar och pratade och skrattade.

– Det är något som inte stämmer, sa jag till Mona. Hur kan han gå på stan varje dag när han sitter i fängelse?

– Jag vet inte, svarade Mona. Jag begriper inte hur han bär sig åt.

Mars månad kom med slask och regn. Jag mådde ganska illa, kräktes så snart jag försökte äta.

– Får du behålla någonting? Vatten? frågade doktorn.

– Ibland, sa jag. Och så äter jag pulverbomber.

Doktorn höjde på ögonbrynen.

– Salta karameller med supersalt pulver inuti, sa jag. Turkisk peppar.

Jag såg hans bestörta min.

– Är det farligt? frågade jag oroligt.

Hans ansikte sprack upp i ett leende.

– Nehej då, det är inte farligt. Ät du dina bomber. Det är bättre än inget.

Sisse ringde och berättade att hon också skulle ha barn, i september. Hon och Henrik skulle flytta, hyra ett radhus strax utanför stan.

Vi beslutade oss för att fira med en jätteshopping ute på stan. Sisse köpte en tjock, amerikansk bok om graviditet och förlossning. Jag köpte garn till en babykofta. Sedan satte vi oss på Domusfiket och beställde var sin kopp te. Ingen av oss klarade att dricka kaffe.

Våra töser kvittrade mot varandra och tog varandras bullar. De kramade varandra, sög på varandras klubbor och rev sönder varandras servetter.

– Tänk vad roligt att vi får barn samtidigt igen! sa Sisse. Vi måste se till att de nya barnen blir lika goda vänner som Emma och Kajsa!

Det skålade vi på i avsvalnat Domuste.

Han stod och väntade på mig i trapphuset. Jag hade inte en chans att komma undan.

– Vad vill du? sa jag bara när jag kom upp.

– Jag vill ha middag. Jag vill umgås lite med min familj.

– Din familj? utbrast jag. Vi är inte din familj. Försvinn!

Jag höll hårt i Emma. Han måste ha sett att jag var livrädd.

– Du är min fru, sa han. Du ska lyda mig.

– Nej, sa jag lågt och med eftertryck. Jag är inte din fru. Jag har en annan man nu. Vi ska ha ett barn tillsammans. Du är inte välkommen här längre.

Han stirrade på mig. Så log han plötsligt.

– Så du ska ha barn igen, Mia? Så trevligt! Tänk, då har jag två!

Han gick utan ett ord till. Jag stirrade stumt efter honom. Vad i allsindar menade han med det? Inbillade han sig att det här nya barnet var hans?

Jag låste upp ytterdörren med darrande fingrar. Nu fick det faktiskt vara slut på det här!

Efter att jag matat Emma ringde jag upp fängelset i grannstaden där min förre fästman satt, eller rättare sagt: skulle sitta.

– Jag heter Maria Eriksson, sa jag. Jag är före detta fästmö till en av dina interner...

– Jag vet vem du är, sa behandlingsassistenten kort och kallt. Jag kan inte prata med dig om honom.

– Då pratar jag, så kan du lyssna, sa jag. Jag undrar hur det kommer sig att min förre fästman springer lös på stan varenda dag när han ska sitta av sitt straff på er anstalt?

Behandlingsassistenten drog andan demonstrativt i andra änden av luren.

– Han har faktiskt frigång, sa hon.

– Jaha du, sa jag. Ska man inte ha ett jobb för att ha frigång?

– I första hand, ja, svarade hon med överlägset lugn. Men den här mannen behöver en inskolning i arbetslivet, så han har permission för att besöka sin behandlingskontakt.

– Jaha, sa jag. Och vem är det då?

– Den här mannen fungerar inte som människa om han inte får träffa sin älskade lilla dotter. Det är helt livsavgörande för honom att få ha daglig kontakt med henne.

Jag trodde inte mina öron.

– Detta kan inte vara möjligt, sa jag kvävt. Vem har tagit det beslutet? Är det du?

– Det är behandlingskollegiet, sa hon.

– Minsann! sa jag. Och vad är det, då?

– Styresmannen på anstalten, chefen alltså, och vårdpersonalen och arbetsledarna.

– Beslutet är taget på din rekommendation, förstår jag?

– På min rekommendation, ja.

– Så då har vi klarat ut det, bra! sa jag. Vet du om att han kör bil varenda dag?

– Det är klart jag vet, sa hon irriterat. Han har ju bilen härinne på anstalten.

– Har du hans dom där? sa jag. Bra! Då tycker jag att du slår upp den och tittar efter vad den här mannen är dömd för. Han har bland annat fällts för olovlig körning. Den här karln har inget körkort – och du har ordnat så han får ha bilen inne på anstalten! Vad beträffar umgänget med den älskade lilla dottern så har han inget sådant. Du har medverkat till att den här mannen begår brott varenda dag, till att han ska få träffa ett barn han inte har någon umgängesrätt med. Snyggt jobbat, behandlingsassistenten!

Hon var alldeles tyst i andra luren.

– Nu tycker jag att du rekommenderar ett nytt beslut, sa jag syrligt. Att den här mannen blir av med sin frigång – ögonblickligen! Annars ska jag se till att du blir av med ditt jobb i stället.

Jag lade på, skakande av ilska.

Han kunde verkligen dupera vem som helst.

Efter samtalet med behandlingsassistenten såg jag honom inte på hela våren. Mitt telefonsamtal hade definitivt satt stopp för hans frigång. Att den var indragen stod klart redan nästa gång jag gick in till stan. Jag hann inte ens in till centrum innan Ali flög på mig.

– Hora, hora! skrek han. Det är ditt fel, det är du som förstört alltsammans!

– Vad då? sa jag oskyldigt. Vad är det som har hänt?

– Försök inte! skrek mannen rasande. Det är du som burat in honom igen!

Emma började gråta i vagnen. Jag stannade och tog upp henne. Då gjorde han något, en gest som kom att bli hans och hans kompisars speciella signaturmelodi: han drog med handen över sin egen, blottade hals, stirrade på mig och skrek något. Det tog ett par sekunder innan jag uppfattade ordet. Det var döda.

– Döda döda döda...

Jag vände och flydde.

Anders lagade all mat på kvällarna, eftersom jag inte klarade matoset. Han handlade, eftersom jag fick kväljningar av köttdisken. Han passade Emma om jag var särskilt dålig någon dag.

– Du ställer jämt upp för mig, mumlade jag en sådan där kväll när inte ens pulverbomberna fick stanna kvar i magen.

– Fattas bara annat! sa han med eftertryck. Du ska ju föda mitt barn.

Bebisen i magen växte och blev större. Jag tog ofta bussen ut till Sisse och Henrik. Våra småflickor blev riktiga bästisar. De älskade att busa och leka med varandra.

– De som säger att barn måste vara tre år för att ha något utbyte av varandra har fel, sa Sisse en dag när vi satt i hennes kök.

– Absolut, sa jag och tittade leende på småtöserna på golvet.

Just nu satt de och bankade i golvet med var sitt grytlock. De skrattade så det kvillrade i de små flickkropparna. Andra gånger kunde de vara stilla och trötta tillsammans. Då satt de bredvid varandra i vardagsrumssoffan och sög på tummarna.

Ju längre min graviditet fortskred, desto bättre mådde jag. Jag kunde ta längre och längre promenader. Men jag drog mig för att gå in till centrum. Hans kompisar stod alltid och hängde någonstans i city. Så fort de fick syn på mig kastade de sig över mig, gick bredvid mig och skrek döda döda döda.

– Vad ska jag göra? sa jag trött till Mona.

Anders och jag hade det bättre och bättre tillsammans. På helgerna hälsade vi på mina föräldrar eller umgicks med Henrik och Sisse. Killarna gick ibland på fotboll eller tog en öl på stan. Vi åt ofta middag tillsammans alla fyra, mest hemma hos Sisse och Henrik i radhuset.

– Det här är verkligen ett urbra hus, sa Anders. Säg till om ni hör att något annat blir ledigt.

En dag i början av juni flyttade ett äldre par som bott i radhuset längst ut på gaveln. Efter lite övertalning på bostadsförmedlingen fick vi hyra det.

Vi jublade den dagen vi fick hämta nycklarna.

– Nu ska du se att vi blir lämnade ifred, sa jag. De orkar nog inte åka hit ut för att bråka.

Radhuset behövde tapetseras om. Vi valde strukturtapeter, det blev verkligen jättesnyggt. Sisse ställde upp och passade Emma.

– Det är inget besvär alls, bedyrade hon. Man märker knappt av tjejerna när de leker.

När allt var klart gick vi med armarna om varandra genom det luftiga huset och bara njöt. Vårt hus såg nästan likadant ut som Sisses och Henriks, men eftersom det låg på gaveln hade det ett extra fönster. Det var byggt i två plan med en souterrängvåning. Sovrummen fanns både uppe och nere. Vi valde att sova i rummen längst ner.

– Om det skulle hända något är vi säkrare där, sa Anders. Vi kan snabbt och säkert hoppa ut med ungarna. Där uppifrån är det fem meter.

Jag kysste honom.

– Du har rätt.

Andra helgen i juli hade vi inflyttningsfest för några av våra bästa vänner. Sisse, Henrik och Kajsa var där förstås, och min syster och Staffan, Katarina och Lars och deras son och några fler. Vi åt en lätt sommarbuffé med sallader och sandwichar. Till maten serverade vi kallt öl, vitt vin och cider. Medan vi tjejer plockade undan tog killarna en drink ute i trädgården på framsidan av huset. Efteråt dansade vi i vårt stora vardagsrum.

– Du är vackrast här ikväll, viskade Anders i mitt öra.

Jag kysste honom på halsen. De sista gästerna gick när solen steg upp.

Måndagen efter festen ringde jag till fängelset där min förre fästman satt.

– Jag vill att ni ringer och berättar för mig när han kommer ut, sa jag.

– Varför det? sa tjänstemannen.

– Så att jag kan börja vara på min vakt igen, sa jag.

Tjänstemannen lovade att de skulle meddela mig när han blev frisläppt. Det gjorde de inte.

Han klev in i vår hall det första han gjorde sedan han släppts fri. Jag stod och plockade in i diskmaskinen när han kom.

– Jag vill ha en kopp kaffe, sa han.

Jag stelnade till, trodde inte mina öron. Han stod i dörröppningen, lutade sig mot dörrposten. Min blick flög över köket. Där, borta vid skafferiet, stod Emma. Hon hade stannat upp mitt i en rörelse. Hennes ögon fixerade mannen borta i dörren.

– Vad vill du? sa jag. Min mun var alldeles torr.

– Vadå vill? sa han provocerande. Jag vill bara ha en kopp kaffe.

Emma sjönk ner på knä, satte sig på rumpan. Det var en rörelse hon inte gjort sedan hon var liten baby.

– Gå härifrån, sa jag lågt men med eftertryck.

Jag ansträngde mig att låta lugn, ville inte skrämma flickan.

– Varför det? sa han hett. Är inte Emma min dotter? Har jag inte rätt att träffa min familj?

I detsamma kom Anders upp från nedervåningen. Min förre fästman vände sin blick mot honom.

– Och vad gör du här? sa han.

Anders gick lugnt fram mot honom.

– Jag bor här, sa Anders. Vad gör du här?

– Du har inget här att göra, sa den svartklädde mannen i dörren till Anders. Det här är min familj. Stick!

Jag såg Emmas blick bli blank och inåtvänd. Hon stoppade tummen i munnen och såg oseende bort mot mannen i dörren.

– Snälla, sa jag med kvävd röst. Gå härifrån innan du skrämmer Emma.

– Du ska lyda mig, hora! skrek han. Jag har rätt att komma och gå hur jag vill i mitt eget hus. Du har hand om min dotter och ska föda mitt barn. Jag har rättigheter, rättigheter!

Han klev fram mot mig, jag tryckte mig bakåt mot diskbänken, Anders rusade emellan, ställde sig som en mur mellan honom och mig.

– Gå härifrån ögonblickligen, sa Anders iskallt. Försvinn härifrån innan vi ringer polisen.

Han hejdade sig, hans käkar arbetade, ögonen blixtrade och brann.

– Jag kommer tillbaka, sa han, vände på klacken och gick.

Dörren for igen med en smäll när han försvann. Anders tog mig i sina armar.

– Mia, det är bra nu...

Jag sköt undan honom. Med två steg var jag framme vid köksbordet och rev undan vaxduken. Därunder satt Emma, skakande, med ögon som brunnar och tummen i munnen. Hon grät inte, hon bara vibrerade.

– Mammas rara Emma, mammas vän, kom till mamma.

Hon reagerade inte, så jag fick dra fram henne själv. Vi satt länge, länge på en av stolarna i köket. Jag smekte flickan över håret, vaggade, nynnade, vyssjade. Till slut slappnade hon av och började gråta.

– Varför kan han inte dö? mumlade jag.

En dag körde han upp bredvid mig när jag var ute och gick med Emma i vagnen, i en splitter ny bil.

– Hallå Mia, ropade han glatt genom den nedvevade rutan.

Han log, vinden blåste i hans svarta hår, så likt Emmas. Så normalt allting verkade. Här gick vi, en gravid kvinna och hennes lilla barn, och en bekant stannar till och hälsar från bilen. Ingen kunde se terrorn jag kände.

– Hej, sa jag tyst.

– Vad tycker du om min nya kärra? Fin va?

Det var en Saab 9000.

– Ja, jätte, sa jag och fortsatte att gå.

– Vill du hänga med på en provtur? sa han glatt.

Jag stannade. Om världen hade varit normal hade jag tyckt det vore jätteroligt. Jag skulle glatt ha tackat ja, fällt ihop vagnen och hoppat in i baksätet med Emma i knät. Någonting lockade mig att tacka ja. Någonting inom mig ville att den normala illusionen skulle vara sann. Jag ville så gärna att allting skulle vara som vanligt. Jag såg försiktigt in i hans svarta ögon.

– Jag har köpt den cash, sa han stolt. Jag tänkte jag skulle köra Emma till dagis i den.

Min blick åkte ner i marken. Verkligheten slog mig som en tegelsten i huvudet. Värst av allt var att han trodde att han gjorde rätt.

– Nej tack, sa jag. Jag hinner inte ta någon provtur.

Han ryckte på axlarna, log mot oss.

– Okey, sa han. Det får bli en annan gång.

Han körde iväg i ett moln av avgaser.

– Nej, sa jag till den försvinnande bilen. Det blir aldrig någon annan gång.

Sisse fick sin baby i september. Det blev en flicka till.

– Hon ska heta Moa, sa Sisse när vi hälsade på henne på BB med blommor och choklad.

Babyn var fantastiskt fin, ganska liten med massor av blont hår, precis som Kajsa när hon föddes. Storasyster var omåttligt stolt.

– Det är Emmas bebis åsså, sa Emma uppfordrande.
– Jahadå, sa Kajsa. Det är Emmas bebis åsså. Och Kajsas åssä.
Så blev de hederssystrar.

När Emma fyllde två år blev det fest! Vi ställde till ett stort barnkalas i vårt nya fina hus. Jag köpte hattar, blåspipor, serpentiner, ballonger och en rolig, färgglad pappersduk. Dagen före kalaset kom min mamma över och hjälpte mig ställa i ordning. Vi bakade en rosa prinsesstårta och en smörgåstårta.

Klockan två kom hela gänget; Sisse och Henrik och Kajsa och nya Moa-babyn, mina grannar inifrån stan och deras pojke, båda mina systrar och deras karlar, några grannar i kvarteret och två av mina kusiner. Emma och Kajsa skulle sitta bredvid varandra vid köksbordets kortända, bestämde de. Särskilt mycket tårta åt de inte, de skrattade mest och skrek, men de verkade ha väldigt roligt i alla fall.

De vuxna fikade i vardagsrummet. Vi hade precis köpt en ny, vit skinnsoffa till vardagsrummet som väckte stor beundran.

Efter kvällens långfilm gick alla hem. Sisse var fortfarande mör efter förlossningen, Moa var ju bara några veckor. Jag, som var i nionde månaden, blev snabbt trött även om jag inte var stor och rund.

– Vilken lyckad dag! sa jag till Anders när vi röjde upp det sista.

Han drog mig intill sig, kysste mig mjukt.

– Det är så här vi ska ha det, sa han. Från och med nu ska alla dagar vara lyckade.

Tre dagar senare fick jag en molande värk i magen.

– Det är visserligen för tidigt, men kom upp så får vi se om du har några värkar, sa min barnmorska när jag ringde.

Vi kom upp till sjukhuset klockan kvart över nio. Kvart i tio föddes Robin.

– Du skojar, sa mamma när jag ringde henne kvart över tio.

– Nej, det är sant, sa jag och skrattade. Jag har fått en pojke.

– Jag pratade ju med dig för två timmar sedan, sa hon misstroget.

Så gav den lille pojken på min arm ifrån sig ett ljud så mormor hörde honom i luren.

– Åh Mia, grattis! sa mamma.

Jag drog in den ljuvliga doften av den lilla nyfödda babyn.

– Mamma, han är helt underbar!

Anders stannade länge hos mig den kvällen. Vi satt tätt tillsammans och beundrade vår lille son. Han var ganska liten, eftersom han fötts lite för tidigt. Han hade blont hår och klarblå blick.

– Vilket under, viskade Anders och smekte honom med fingret över huvudet och kinden.

– Det största på jorden, sa jag.

Jag stannade bara två dygn på BB. Jag längtade hem till Emma, Anders och mitt hus. Amningen kom igång som den skulle. Den lille pojken åt så han smackade.

Emma ville gärna sitta nära, nära medan jag ammade pojken.

– Vi får hjälpas åt att ta hand om henne så att hon inte blir svartsjuk, sa Anders.

Det blev hon aldrig heller. Däremot hade hon en hel del praktiska funderingar.

– Mamma, sa hon en morgon när jag satt i köket och drack kaffe. Mamma, var är dörren?

Nu hängde jag inte med.

– Vilken dörr? sa jag.

– Jamen den som lillebror kom ut igenom! sa hon uppfordrande.

Jag höll på att sätta kaffet i halsen av skrattet som bubblade upp.

– Lilla gumman! sa jag och kramade henne.

Och så gav jag tösen en första inblick i den kvinnliga anatomins mysterier. Hon såg högst tvivlande ut.

– Där kom inte jag ut, sa hon skeptiskt.

Jag kunde inte sluta skratta.

– Joho du, sa jag och rufsade om henne i håret. Det gjorde du, och det var den lyckligaste dagen i mitt liv!

Flickan pussade mig på munnen, sedan sprang hon bort och pussade lillebror som sov i vardagsrummet, sedan satte hon sig i hallen och sjöng. Vad rik jag var!

Vi satte in en födelseannons i lokaltidningen:

Vår son

Emmas lillebror

Och så våra namn, gossens födelsedatum och namnet på sjukhuset där han föddes.

Samma dag tog jag ut babyn på en promenad, bort till Ica för att köpa köttfärs. Jag placerade en varukorg längst ner i liggvagnen och började gå runt i butiken.

Jag gick rätt in i honom vid potatischipsen.

– Hej Mia, sa han.

Jag svalde.

– Hej.

– Så du är ute och går med vår son.

Detta var absurt!

– Nej, sa jag. Jag är ute och går med min och Anders son.

Han log.

– Nej, Mia, sa han. Han är min son. Jag har tänkt hämta honom nu.

Han lade handen på barnvagnens handtag. Min strupe snördes samman.

– Sluta nu, sa jag darrigt och tog tag i handtaget med båda händerna. Det här är inte roligt!

Hans ansikte förvreds i en grotesk grimas. Hans ögon brann.

– Ta hit pojken, sa han.

– Du är inte klok, sa jag uppskrämt. Du kan ju inte komma och ta mitt barn, det fattar du väl!

– Ta hit ungen! skrek han och slet tag i barnvagnen.

Jag började skrika av skräck.

– Hjälp! Han tar mitt barn, han tar min baby!

Hans ögon brann som svarta eldar, vansinnet lyste i hans blick.

– Ta hit ungen, annars skär jag halsen av honom! skrek han.

Han slet och drog i vagnen, jag började gråta i panik.

– Hjälp, vagnen välter! grät jag. Släpp, släpp vagnen...

– Vad är det som händer här? sa en man i charkförkläde och kom gående emot oss.

– Hjälp mig! grät jag. Han tar mitt barn!

Charkmannen tittade förvånat och förskrämt på oss.

– Nu får ni sluta, sa han lite tveksamt.

Plötsligt släppte min förre fästman taget om vagnen och rusade ut ur affären. Jag stod kvar, darrande och storgråtande, krampaktigt hållande i barnvagnens handtag.

– Såja, det är bra nu, sa charkmannen tafatt.

– Har ni en telefon? hulkade jag fram.

– Visst, sa han. Om du kommer med här...

Jag tittade ut genom fönstret som vette ut mot parkeringen, kikade mellan hyllorna med dambindor och bomullsbollar. Han stod där ute och väntade. Jag kunde inte ringa till Anders, han kunde inte lämna Emma hemma ensam. Jag slog numret till mina föräldrar med darrande fingrar. När jag hörde pappas röst började jag gråta igen.

– Pappa, kom och hämta mig, jag står på Ica...

Han gick iväg i samma stund som pappa parkerade bilen utanför affären. Vi packade raskt in vagnen i bagageluckan och körde den korta biten hem till radhuset.

– Du måste vara försiktig när du går ut, Mia, sa pappa.

– Jag vet, sa jag tyst. Tack för skjutsen. Vill du ha en kopp kaffe?

Min far suckade.

– Ja, när jag ändå är här, varför inte?

Jag log blekt mot honom och kom på vad jag glömt: köttfärsen! Det fick bli korv från frysen till middag.

14

I DECEMBER KOM ETT brev från tingsrätten i vår stad som meddelade att jag inom kort skulle kallas till en förberedande förhandling. Min förre fästman krävde omedelbart att få vårdnaden om vår gemensamma dotter Emma. Fick han inte vårdnaden skulle han genast ha umgänge med henne varannan fredag från klockan sexton till söndag klockan sexton. Jag ombads skaffa en advokat.

– Han kommer aldrig att ge upp, sa jag till Anders.

Vi pyntade vårt hem inför julen. Emma förstod för första gången att julen var något alldeles särskilt. Hon fick hjälpa mormor och moster att stöpa ljus. Hon fick vara med och prova om knäcken var lagom och klistra smällkarameller av silkespapper.

– Tomten kommer, anförtrodde hon Kajsa.

Kajsa nickade instämmande.

– Tomaten är snäll.

Jag och Sisse började fnissa så vi satte julmusten i vrångstrupen.

Han kom med en julklapp till Emma. Det var en enorm docka, större än hon själv var.

– God jul! sa han och log.

– Varför är den inte inslagen? sa jag. Borde den inte ligga i en kartong åtminstone?

– Äsch, sa han. Varför det?

– Jag tror inte dockan är betald, sa jag. Jag tar emot den om du kan visa upp ett kvitto.

Han vände på klacken och gick med dockan under armen. Det var ju rart av honom att komma med en present, men jag vägrade acceptera stöldgods.

På julafton fylldes vårt hus med gäster; mina bägge systrar, deras män och min äldre systers barn, mina föräldrar och en väninna till min mamma och hennes barn och barnbarn. Det kändes nytt och ovant att fira jul någon annanstans än hemma hos mina föräldrar, men det blev väldigt trevligt. Vi gjorde allt som vi brukade, såg Kalle och Karl-Bertil, åt julbord och gröt och så läste far julevangeliet. Till slut var Emma så övertrött av godis, bus och klappar att hon bara skrek. Jag gav henne en flaska välling nere i hennes sovrum för att hon skulle komma till ro. Hon somnade med tummen i munnen och en ny nalle under armen.

– Sov gott, älskling, viskade jag och kysste hennes lena kind.

På nyårsafton var vi bjudna till Sisse och Henrik. Vi skulle fira ett lugnt nyår, ett annat par från kvarteret skulle också komma. Vi tog med cider och champagne och tre stora raketer och gick över till dem vid sjutiden på kvällen.

Kajsa och Emma hade fått klä sig i likadana vita blusar och rödrutiga förkläden med volanger på ärmarna. De kramade varandra och kröp upp i vardagsrumssoffan med sina dockor.

– De är som ler och långhalm, sa Anders.

Vi skålade till Grevinnan och betjänten.

Vid midnatt sköt de andra upp raketer från en kulle strax intill radhuslängan. Jag och Sisse stannade inne med de sovande barnen. Efteråt hjälptes vi åt att klä på Emma, hon var alldeles lealös.

– Tack för ett jättetrevligt nyår, sa grannparet när de gick.

– Titta in på en kopp kaffe! sa jag, och det lovade de att göra.

Vi tackade Sisse och Henrik, önskade ett sista gott nytt år och gick ut i den milda vinternatten. Vi sköt var sin vagn genom den knarrande snön. Jag drog in den sammetssvarta nattluften. Inga stjärnor syntes, molnen som gjorde luften fuktig skymde sikten. På avstånd briserade en raket. Ett billarm gick igång.

– 1989, sa Anders. Du ska se att det blir ett bra år.

I detsamma öppnades en bildörr ett tiotal meter framför oss. Han klev ut, efter honom kom Ali och Samir. Jag tog tag i armen på Anders.

– Det är ingen fara, viskade han till mig. Fortsätt bara att gå.

Vi fortsatte långsamt framåt mot gruppen av svartklädda män. De ställde sig framför oss, spärrade vägen. Jag såg på hans ögon. Hans blick fixerade Anders.

– Släpp min dotter, sa han.

– Hon sover, protesterade jag. Vi är på väg hem. Snälla du...

Han svängde upp en knytnäve framför mitt ansikte.

– Du står i vägen, sa Anders till min förre fästman. Vill du vara snäll och flytta på dig, så att vi kan få gå hem.

Ali gav honom första slaget. Det tog i magen, Anders vek sig framåt, tvingades släppa vagnen. Jag skrek.

– Åh Gud, hjälp, sluta, slå honom inte!

Han gav Anders ett knytnävsslag på sidan av huvudet. Anders vacklade till, snubblade mot trottoarkanten. Jag visste inte vad jag skulle göra; om jag låste fast vagnen och sprang fram till Anders kanske de skulle ta pojken. Om jag inte fick tag i Emmas vagn kanske de skulle ta henne.

– Varför gör ni det här?! skrek jag. Varför kommer ni hit och slår oss?

Ali log ett elakt litet leende.

– Vi är blodsbröder, sa han.

Så vände sig alla tre om och skyndade tillbaka till den mörka bilen.

– Hur gick det? frågade jag och kramade om Anders.

Han strök sig över örat, det kom lite blod på fingrarna.

– Bra, tror jag, sa han.

Jag började gråta.

– Du blöder ju!

Han kramade mig tillbaka.

– Det är ingen fara, Mia, det är ingen fara...

Jag grät medan jag plåstrade om honom hemma i radhuset.

– Förlåt, älskling, det är mitt fel, alltihop är mitt fel...

Det blev ingen riktig vinter det här året heller. Ibland snöade det några flingor, bara såpass att vi fick sopa av förstukvisten. Emma ville genast ut och springa runt bland de vita flingorna.

Vi brukade möta Sisse, Kajsa och Moa i lekparken en bit neråt gatan.

– Hur är det? Hör han av sig? frågade Sisse ibland.

Jag suckade.

– Han ger väl upp någon gång, sa jag. Bara han förstår att jag inte tillhör honom längre så kommer han att sluta.

– Vad har du gjort med rabatterna? sa Anders en dag när han kom hem.

– Ingenting, hurså? sa jag förvånat.

Tillsammans gick vi ut och tittade. Någon hade rivit upp rabatterna som jag och min pappa satt i vinterträda, hackat och skottat i den tjälfrusna jorden, grävt upp vårlökar och en liten rosenbuske och en pion.

– Herregud, viskade jag trött. Det här är ju helt sjukt!

Anders kramade om mig.

– Vad ska vi göra för att få slut på det här?

Jag svarade inte, vaggades bara fram och tillbaka i hans varma famn.

– Vi måste visa en gång för alla att jag inte är hans, mumlade jag. Vi måste få honom att fatta att det är vi som är en familj nu, inte jag och han.

Plötsligt började en tanke ta form i mitt huvud, en lika enkel som genial lösning på hela vårt problem. Jag lösgjorde mig från Anders armar och tittade upphetsat in i hans ögon.

– Jag har det! sa jag. Jag vet vad vi gör!

Anders skrattade åt min iver.

– Vad då?

Jag kastade huvudet tillbaka och skrattade.

– Vi gifter oss! Vi gifter oss i kyrkan med vit klänning och allt-ihop! Vi talar om för Gud och församlingen och hela världen att det är du och jag som hör ihop!

Anders tittade helt förtrollat på mig. Han hissade mig högt upp i luften, snurrade runt med mig ute på grusgången.

– Min fru! Min älskade fru Mia! Vill du bli min?

Jag kysste honom.

– Ja, viskade jag. Jag vill bli din, nu och för alltid.

Vi bjöd in våra bröllopsgäster under stränga tystnadslöften. De fick inte berätta för någon att vi skulle gifta oss. Vi smet iväg och handlade brudklänningen och Anders kostym i grannstaden. Hemma gick det inte, risken att någon av hans kompisar skulle se oss var för stor. Bröllopsfotona tog vi en vecka i förväg, uppklädda till tänderna, precis som under själva vigseln. Till sist ändrade vi datumet för vigseln med kortast möjliga varsel. Om han mot all förmodan fått reda på att, när och var vi skulle gifta oss så hade han gjort allt som stod i hans makt för att förstöra ceremonin. Det var jag fullständigt förvissad om.

Natten före bröllopet drömde jag att han var här igen. Han drog upp mig ur sängen, som den gången hemma i min trea. Han slog sönder mitt ögonbryn, knäckte mina revben. Till sist lade han sina sträva händer mot min hals, precis som förut.

Jag vaknade av mitt eget skrik, med händerna runt min hals och genomblöt av svett. Anders lugnade mig, vaggade mig, tröstade.

– Det är över nu, Mia. I morgon gifter vi oss, och sedan kommer han aldrig att besvära oss igen.

Älskade man, underbara kärleksfulle! Han ville så väl, men han visste inte hur fel han hade.

För nu hade vi helvetet runt hörnet.

Del tre

Jagade

15

Regnet trummade mot rutan, ett typiskt marsregn, kallt och rått. Inne i mitt kök spred lampan över köksbordet ett varmt sken över kaffemuggar och kanelbullar.

– Det var ett misstag, sa jag till Mona. Jag har satt oss ur askan i elden. Det var idiotiskt att tro att han skulle lämna oss i fred om vi gifte oss.

– Det vet du inte ännu. Det har ju bara gått en vecka, sa Mona.

Jag svarade inte, stirrade bara ut genom köksfönstret. Hans Saab stod parkerad på gatan utanför. Regnet glittrade i lacken.

– Kittet runt fönstren i Emmas rum har knappt torkat, och han sitter redan där ute, sa jag tonlöst.

Mona slog upp mer kaffe.

– Nu sätter vi stopp för det här, Mia, sa hon. Vi kan väl ringa och höra om det inte finns någonting polisen kan göra.

– Han har alltså inte gjort något ännu? Han bara sitter där ute? sa polisen.

Jag skrattade glädjelöst.

– Fråga hellre vad han inte har gjort, sa jag.

– Så länge han bara sitter i sin bil kan vi inte gripa honom.

– Nähä, sa jag. Tack för ingenting.

Jag gjorde mig beredd att lägga på.

– Fast, sa polisen, vi kan ju alltid åka förbi och fråga vad han håller på med. Gatan utanför ditt hus är ingen parkeringsplats. Jag skickar dit en bil så får han röra på sig.

Jag log in i luren.

– Tack. Det skulle vara jätteskönt att slippa ha honom där ute.

En halvtimme senare gled polisbilen upp utanför vårt hus. Den stannade, två poliser i vita regnrockar klev ut. De gick fram till Saaben och knackade på rutan intill förarplatsen. Jag såg honom trycka på sin elektriska fönsterhiss. De pratade en stund. Min förre fästman pekade in mot huset. Instinktivt flyttade jag mig bort från köksfönstret så att han inte skulle se mig. När jag tittade ut igen var Saaben borta. Polisbilen hade börjat rulla iväg längs gatan. Var det inte svårare än så här?

Dagen därpå ringde han vid tiotiden. Anders hade åkt, Mona hade ännu inte kommit. Emma lekte med sina dockor i vardagsrummet, Robin sov i sin vagn ute i hallen.

– Du ska passa dig jävligt noga, sa han när jag lyfte luren.

– Jaså, sa jag och suckade.

– Du skulle inte ha ringt polisen. Det var jävligt dumt av dig Mia, jävligt dumt. Jag gillar inte poliser.

– Du har ingenting utanför vårt hus att göra, sa jag.

– Nu måste jag straffa dig, Mia, väste han. Vet du vad jag ska göra med dig, Mia?

Jag kom mig inte för att lägga på.

– Jag ska köra ihjäl er, sa han. Nästa gång du går ut, så står jag runt hörnet och väntar. När du går på trottoaren, på väg in till stan – då kommer jag. Eller när du ska gå på Ica och handla, då kanske jag kommer. Eller när du hälsar på hos din äckliga morsa, då står jag och väntar... Du har inte en chans. Jag siktar på barnvagnen. Då du, Mia...

Han lade på. Det sjöng i öronen.

– Han hotar bara, sa jag högt till mig själv. Han hotar bara, han jagar inte.

Jag hade fel. Igen.

Mona fick sin tjänst kring mig utökad. Från och med nu tillbringade hon flera timmar varje dag i vårt hus. När inte hon var hos oss så fanns min mamma, min syster eller Sisse och barnen hos mig. Om vi gick ut var vi för det mesta flera stycken.

– Det är bäst så, man vet aldrig, sa Mona.

Ibland hälsade jag och Mona på hemma hos Marianne. Hon var väldigt dålig, låg eller satt i rullstol hela tiden.

– Cancern i skelettet gör att benen blir så sköra, förklarade hon. Skelettet bär inte längre min kroppsvikt.

Det gjorde mig ont att se henne lida.

– Vi är åtminstone friska, kunde jag säga till Anders.

En dag i mitten av april gick vi in till stan för att handla lite.

– Titta, torghandeln har tagit fart! ropade Sisse när vi närmade oss centrum.

Ett sydamerikanskt par från flyktingförläggningen stod och sålde tulpaner och påskliljor i ett stånd på det lilla torget. Det var roligt att träffa dem igen. Sisse köpte en stor bukett tulpaner, jag satsade på påskliljorna.

– Ni måste komma och hälsa på, sa jag och tryckte deras händer när vi gick.

Vi var nästan framme i centrum när jag plötsligt vände mig häftigt om.

– Vad är det? sa Sisse förvånat.

Jag stirrade intensivt bakom mig.

– Jag vet inte, mumlade jag. Det känns som att någon går bakom mig.

Sisse följde min blick, längs den smala citygatan med sina parkeringsmätare och fula sextitalshus.

– Äsch, sa Sisse. Kom nu! De har rea på Gulins.

Vi fortsatte in till affärerna.

– Spring inte bort bara! ropade Sisse när Emma och Kajsa kilade in i gyttret av provhytter inne på KappAhl.

– Titta mamma vad många Emmor!

– De har hittat spegelväggen, stönade jag.

Moa började skrika. Sisse ammade henne i ett av provrummen. På Hennes köpte jag en mintgrön träningsoverall och en rosablommig klänning till Emma.

Det hade börjat blåsa när vi gick hem, motvind, naturligtvis. Vagnarna med två barn i varje och fulla kassar i underredet gjorde det tungt den sista biten.

– Vi ses, flämtade Sisse när hon lämnade oss utanför vårt hus.

Jag låste upp dörren och släpade in vagnen och hela härligheten i hallen. Robin vaknade och skrek.

– Ja ja ja, stönade jag och slet av mig ytterkläderna. Ni ska få mat!

Då ringde telefonen. Jag slet upp luren samtidigt som jag drog av mig min stickade tröja och tog upp Robin ur vagnen.

– Du köpte påskliljor på torget, sa en röst.

– Va? sa jag.

– Och sedan åt du en kokosboll från Pressbyrån, fortsatte rösten.

Jag satte mig ner på pallen i hallen. Robin skrek, jag hade svårt att höra vem det var och vad han ville.

– Vem är det? Vem är det jag talar med?!

– Och på Hennes köpte du en mintgrön träningsoverall och en rosablommig klänning i barnstorlek 110.

Jag trodde inte mina öron!

– Vem är det? skrek jag. Vad är det här för sjukt skämt?

Det var tyst i luren.

– Hallå? skrek jag. Hallå!

– Du kommer aldrig undan, sa rösten.

Och linjen var död.

– Jag såg dem aldrig! De måste ha varit alldeles inpå mig hela tiden, men jag vet inte vilka de var!

– Lugna ner dig! sa Mona.

– De måste ha stått precis bakom ryggen på mig, och jag såg dem aldrig!

Mona tittade tyst på mig.

– Du måste vara på din vakt, Mia, sa hon.

Nästan varje dag kom min mamma eller pappa och hälsade på. De brukade komma efter lunch och stannade tills Anders kom hem från jobbet. Ibland gick vi ut, men för det mesta satt vi inne. Vi lekte med Emma, läste för henne, sjöng eller målade. Vi såg Robin göra nya framsteg och upptäcktsfärder i vårt hus.

En eftermiddag kom pappa och hämtade mig och barnen med bilen. Saaben stod på vakt, som vanligt. Han följde oss med blicken när vi gick ut genom grinden och bort mot pappas bil. När vi körde iväg startade han sin bil och följde efter oss. Han lade sig en meter bakom.

– Ska jag tvärbromsa? sa pappa.

– Nej, sa jag. Bry dig inte om honom.

Dagen före valborgsmässoafton fick jag ytterligare ett brev från tingsrätten. Jag var kallad till en förberedande förhandling i vårdnadstvisten om dottern Emma.

– Det händer ingenting under en förberedande förhandling, sa Mona lugnande. Ni säger var ni står, en vårdnadsutredning tillsätts och så får ni gå hem.

– Är det allt? sa jag tvivlande.

Det var det, i stort sett. Han satt på andra sidan. Först fick hans advokat redogöra för varför han begärde vårdnaden om flickan.

– Maria Eriksson är en dålig mor, sa hans advokat.

Jag visste att det var irrationellt, men hans ord gjorde mig rasande. Jag bet ihop tänderna, stirrade ner i bordet, knöt nävarna under bordsskivan.

– Maria Eriksson har för vana att lämna bort flickan Emma till olika människor, som på daghem och hos bekanta. Min klient kräver därför att omedelbart få interimistisk vårdnad om flickan. Om inte rätten godkänner detta kräver han att få interimistiskt umgänge med flickan Emma varannan helg från fredag klockan sexton till söndag klockan sexton...

Min advokat redogjorde kort för vår ståndpunkt, att flickan skulle vara kvar hos mig och att något umgänge inte skulle förekomma. Skälen till detta var min före detta fästmans totala ointresse för flickan, hans försök och hot att skada henne, hans misslyckade försök att få ut ett pass och skicka iväg henne till Libanon, hans bristande samarbete under de gångna åren och alla de tillfällen som getts honom att ha umgänge med flickan, hans nekande till faderskapet och hans misshandel av mig.

Vad mitt dåliga moderskap beträffade, så stämde det att jag vid en tidpunkt försökt ha flickan på dagis. Det stämde också att jag vid ett flertal tillfällen lämnat flickan hos två olika personer, nämligen min mor eller Sisse, min bästa väninna med barn i samma ålder som Emma.

Rätten beslutade att en vårdnadsutredning skulle tillsättas. Den interimistiska, tillfälliga, vårdnaden tillföll mig. Något umgänge skulle icke förekomma. Pang! Klubban i bordet. Jag stötte ihop med honom utanför rättssalen. Hans ögon brann.

– Det här ska du få ångra, din jävla hora, väste han.

16

FÖRSOMMAREN KOM. I alla hus längs gatan putsades det fönster, storstädades, trädgårdsland anlades, bilar vaxades, gatan fylldes av trampbilar, mountainbikes och racercyklar, fågelbad utplacerades, gardiner byttes, hälsningar hojtades över plank och staket.

Jag putsade också fönstren, planterade ut mina små uppdrivna plantor, låste upp förrådet och tog fram Emmas tramptraktor. Ändå skilde vi oss från våra grannar. Det var bara detaljer, men ändå sådant som stack av i ett litet bostadsområde som vårt. Det stod, till exempel, alltid en mörk bil utanför vårt hus. Antingen var det en svart Saab 9000 eller Samirs mörkblå Volvo eller Alis grafitgrå gamla Volkswagen. En annan sak var att vår ytterdörr alltid var låst.

Det var bara vi som låste efter oss när vi gick ut med soporna.

I maj fick vi ett trevligt brev, Emma hade fått en ny dagisplats i bostadsområdet bredvid vårt. Vi accepterade platsen från augusti.

En torsdag eftermiddag när Anders kom hem från jobbet tog vi barnen och promenerade in till stan. Vi gick sakta rakt in i den nedåtgående solen. Anders sköt vagnen, jag höll min arm under hans.

Emma pladdrade glatt, kommenterade allt hon såg.

– Mamma titta så många fåglar! Kan jag få en fågel mamma och ha i mitt rum? Men bara en liten? Mamma titta en grävskopa! Vad ska den gräva? Ett hus? Kan man gräva ett hus? Mamma...

Jag skrattade lågt. Flickans röst bubblade som en vårbäck, vinden svepte bort mitt hår från ansiktet, den var varm, doftande.

– Ska vi börja på Åhléns? sa Anders.

Han kom fram till oss när vi stod och valde bland trädgårdsredskapen. Jag såg inte vem det var först, utan tittade förvånat upp när någon tog tag i barnvagnen. Han stirrade på Anders.

– Hur många gånger har jag sagt åt dig att ge fan i min familj? sa han.

Emma kved till. Hon stoppade tummen i munnen och stirrade på den svartklädde mannen, ögonen tömdes på liv. Anders mötte lugnt hans blick.

– Vad vill du? sa Anders.

– Jag vill bara ha det som är mitt, sa han hett.

– Snälla rara, bad jag. Du skrämmer barnet!

Han vände sin blick mot mig.

– Barnet, just det! Jag kommer och hämtar henne på lördag.

Han gick utan att ha gett henne en blick.

– Nu jävlar, sa jag. Nu är det slut med daltandet.

Jag hade försökt få honom att ändra sig utan att dra in polisen. Men när han skrämde livet ur Emma bara genom att visa sig, då hade det gått för långt. Vi gick raka vägen till polisstationen allesammans.

– Det här kommer att ta lite tid, sa jag till inspektören. Det är en lång historia.

Så berättade jag alltihop från början till slut; hur han slog mig, sparkade mig, tog sig in i min förra lägenhet genom att slå ut sprintarna i gångjärnen, försökte strypa mig, slog ner min man, slog sönder våra fönster, bevakade oss, hotade oss, hotade att kidnappa flickan, terroriserade oss. Polisens tidigare rapporter, anmälningar och domar bekräftade min berättelse. Jag fick ett interimistiskt besöksförbud med mig när jag gick. Lagen om besöksförbud, som då var ganska ny, innebar förbud att besöka eller på annat sätt ta kontakt med eller följa efter... Skälet var att det finns risk för att ... kommer att begå brott mot, förfölja eller på annat sätt allvarligt trakassera... Åklagaren skrev under besöksförbudet den 24 maj 1989.

– Äntligen får du vara i fred, sa Mona.

Trodde hon, ja.

Han var på plats igen redan samma eftermiddag som besöksförbudet började gälla. Jag ringde polisen, de kom och körde bort honom. Det tog två timmar så var han där igen. Polisen körde bort honom på nytt. Då parkerade Samir och Ali utanför vår grind. De hade inget besöksförbud.

– Vi är precis på väg ut med en picknickkorg, sa Sisse i luren. Ska ni med?

Jag tog barnen med mig och gick ut i trädgården, låste ytterdörren.

– Jag vill också åka vagnen, sa flickan.

– Kan du inte gå själv? sa jag. Vi ska ju bara över gatan!

– Nej, sa hon och surade. Varför får Robin åka?

Jag suckade och lyfte upp henne på sitsen. När jag öppnat grinden och gått ut på trottoaren tittade jag upp och ner längs gatan. Den badade i sol, varm och eftermiddagstom.

– Titta, där är Kajsa! ropade Emma. Kajsa, Kajsa!

Hon hoppade upp och ner i sitsen, vinkade och tjoade.

– Sitt stilla, sa jag och höll i henne. Du ramlar ju av.

– Kajsa, Kajsa – här är vi!

– Hallå! svarade Sisse bortifrån gungorna.

Jag körde försiktigt ner vagnen över trottoarkanten så att inte Robin skulle vakna. Jag vet inte vad det var som fick mig att stanna till och titta upp, men när jag hunnit halvvägs ut på övergångsstället förstod jag att något var fel. En bil accelererade mycket kraftigt. Jag mer anade än såg i ögonvrån hur den kom rusande mot oss på gatan. En blixt av krom, ett vrål ur en motor, ett streck av blank svart lack. Jag skrek rätt ut, handlade blixtsnabbt instinktivt. Alltsammans tog inte mer än någon sekund, men det kändes som en evighet. Jag kastade mig framåt med vagnen. Bilen följde efter min rörelse, girade mot vänster. Jag såg med glasklar skärpa: Bilen skulle träffa vagnen.

Det fanns bara en sak att göra: jag släppte vagnen, knuffade den mot andra sidan med all kraft jag kunde uppbringa. Emma gallskrek, hennes händer famlade i luften efter något att hålla fast i.

– Emma! skrek jag samtidigt som jag kastade mig bakåt, tillbaka mot trottoaren varifrån jag kommit. Jag snubblade, ramlade, slog i ryggen. Vagnen stötte emot trottoarkanten på andra sidan, studsade och började välta. Jag hann se Emmas skräckslagna ögon innan den svarta bilen rusade förbi och skymde min sikt.

Efteråt låg avgasen kvar över asfalten som ett grått, kväljande täcke. Ekot av de skrikande däcken blandades med barnens gråt. Ett av barnvagnens hjul snurrade fritt i luften, runt, runt. Ekrarna glittrade i solen.

Jag skakade av gråt.

– Å herregud! Emma, hur gick det, åh Gud, barnen...

Jag reste mig mörbultad upp, inget var brutet. Vagnen låg på sidan, Emmas stolsits hade släppt. Liften med babyn i hade kastats ut och låg i diket. Gråten inifrån liften vittnade om att pojken åtminstone var vid liv.

– Åh vänner, vänner, Emma, hur är det, mammas...?

Flickan låg på mage, framstupa, med ena benet under sig. Hon grät och reste sig upp på ena armbågen när jag kom.

– Mamma, jag har gjort illa mig! sa hon och höll upp sin lilla hand.

I detsamma kom en äldre kvinna från kvarteret bredvid springande mot oss.

– Men kära nån, hur gick det? Vilka fruktansvärda fartdårar, vilka idioter det finns.

Jag vände mig om, skyndade ner i diket. Babyns lilla sommarkeps hade glidit ner för ögonen på honom. Han skrek som besatt, men hade inga märken eller skrapsår.

– Behöver du hjälp? sa damen andfått.

– Ja, sa jag. Jag måste komma hem...

I detsamma kom Sisse fram till oss. Hennes ögon var stora och rädda, hon flämtade kraftigt.

– Herregud Mia, vad var det som hände?

– Vilka fartdårar det finns! sa damen igen. Köra på det där viset i ett sådant här område, där det finns fullt av småbarn! Jag förstår inte hur han kunde missa att se er, sikten är ju alldeles fri.

Sisse vände upp vagnen på rätt köl igen.

– Jag kan följa dig, om du vill, sa damen.

– Tack, gärna, sa jag.

Anders blev alldeles rasande när jag berättade att han så när kört på oss.

– Jag stryper honom! skrek han och slog handen in i väggen. Den jäveln!

– Det är ingen idé, Anders, sa jag och lade min hand på hans axel.

Vi kramade varandra hårt.

Efter detta gick jag aldrig mer utanför dörren om jag inte hade sällskap. Jag gick inte ens ut med soporna eller hämtade posten. Dagarna blev oändliga inne i huset. Där ute exploderade den svenska sommaren. Myggorna kom, myrorna, svalorna, blommorna, jordgubbarna och färskpotatisen.

– Mamma jag vill gå till parken! sa Emma.

– Senare, älskling, vill du sjunga lite?

Men hon vände sig om utan att svara.

Mina föräldrar och min syster kom och hälsade på så ofta de kunde.

– Du kan inte ha det så här, Mia, sa pappa för hundrade gången.

– Tack, jag vet det, sa jag torrt och tittade ut på den mörkblå Volvon där ute. Sedan besöksförbudet började gälla hade de övergått till att använda hans kompisars bilar.

Hans blick mötte min genom köksruta och bilruta.

– Det är han som borde sitta i fängelse, mumlade jag. Men i stället är det jag och mina barn som gör det.

Bevakningen fortsatte. Han ringde ofta, ibland skrek han, ibland lade han bara på, ibland var han hur trevlig som helst och frågade om han fick komma och fika. Oavsett vad han sa var mitt svar detsamma:

– Lämna oss i fred.

Vi firade midsommar instängda i huset. Såg på Skansens midsommarfirande på tv, så att Emma åtminstone skulle få höra sångerna och se hur en midsommarstång såg ut.

Anders skaffade en kompanjon till firman för att kunna vara hemma mer. Samtidigt blev de allt fräckare i sin bevakning. Klev över staketet och in i trädgården. Gick ständigt runt, runt och bankade på fönstren. Skrek döda döda för full hals så snart vi öppnade ytterdörren. Sprayade hora på husväggen. Slet upp alla mina blommor i rabatten. Skar sönder dynorna i utemöblerna.

– Jag blir galen! ropade jag rätt ut och satte händerna för öronen när Ali tryckte näsan mot köksfönstret och skrek döda döda.

Anders kom in i köket, fällde ner persiennerna så att vi åtminstone slapp se honom, tog mig i sin famn och sa:

– Mia, lugna dig, lugna dig. Vi ringer polisen.

Men när poliserna kom, så hade han och hans kompisar försvunnit.

– Han bryter mot besöksförbudet hela tiden! sa jag.

– Vi vet, sa inspektören. Om du vill så tar vi in honom och trycker till honom ett par dagar.

– Bra, sa jag. Gör det.

– Vi skyndar oss och åker iväg och storhandlar, sa Anders när de försvann.

Det var himmelskt att komma ut. Vi gick omkring på Obs i två timmar. Emma sprang och hoppade, vi lät henne hållas.

– Vi passar på och laddar upp med leksaker också, tyckte Anders.

Det gjorde vi; köpte högar med papper och kritor och pennor och kassaapparater och små trådtelefoner och två bitringar till Robin. Innan vi åkte hem fikade vi i cafeterian. Emma drack Coca-Cola och åt tre dammsugare, jag tog en myrstack, Anders nöjde sig med kaffe. Robin fick smula sönder en kanelbulle.

När vi kom hem ställde vi oss och stirrade på vårt hus.

– Det är inte sant, viskade jag. Det är inte sant...

De hade krossat varenda fönsterruta i hela huset. En enda hade de missat, den lilla rutan bredvid balkongdörren på översta våningen.

Jag började gråta förtvivlat.

– Åh herregud, åh snälla rara...

Anders låste upp ytterdörren utan ett ord, vit i ansiktet, röd i ögonen.

– Jag ringer glasmästaren direkt, sa han kvävt.

Emma förstod inte mycket av förödelsen, men såg att något var fel.

– Det är trasigt, mamma, sa hon och började gråta för att jag grät. Mamma, varför är allting trasigt?

Jag tog flickan i famnen, vaggade henne och grät.

– Jag vet inte, älskling, jag vet inte...

Polisen kunde inget göra. Hans kompisar gav varandra alibi. Glas-Jouren kom och bytte alla trasiga rutor. På vissa ställen hade någon eller några av innerrutorna klarat sig, på andra hade stenarna gått rätt igenom alla tre glasrutorna. Mina föräldrar kom och tog hand om barnen medan vi städade upp allt glassplitter.

Hans kompisar kom tillbaka, bankade på de nya rutorna och skrek döda döda. Emma såg dem, stoppade tummen i munnen och vände skräcken inåt.

– Älskling, viskade jag och vaggade henne.

Ett par dagar senare var Anders tvungen att gå och besöka försäkringsbolaget.

– Jag vill följa med! sa jag. Jag vill inte vara ensam här!

Han kramade mig fundersamt.

– Vi bör inte lämna huset tomt. Vill du att jag stannar hemma? Du kan åka till försäkringsbolaget!

– Nej! ropade jag. Jag vill inte gå ut själv!

– Jag är tillbaka om en timme, sa Anders och kysste mig.

Vi laddade upp i vardagsrummet med sångböcker och kritor. Jag plockade bort lite bruna blad från krukväxterna. Jag hade misskött dem på sistone, hade inte ro att pyssla med dem som jag brukade.

Emma satte igång att måla. Robin drog sig upp mot soffbordet och började gå runt, runt det. Han jollrade ljudligt, gungade i knäna. Jag hjälpte honom att sätta sig ner när han blev trött och började gnälla.

– Robingubben, gullade jag och blåste babyn i nacken. Han kiknade av skratt.

Han luktade så gott. Han var en ljuvlig liten pojke. Det var så orättvist; att jag inte kunde få njuta av min underbara familj. Jag började gråta, helt utan anledning, av ren utmattning. Jag satt på golvet med babyn i famnen och grät. Emma kom fram och lade sin lilla hand på min axel.

– Lilla mamma, sa hon. Du ska inte vara ledsen, mamma.

Då slog han in fönstret på gaveln. Alla tre rutorna kraschade på samma gång. Jag gallskrek. Glassplittret färgades rött, han skar sig ordentligt.

– Hora! skrek han.

Jag slet tag i barnen, tog Robin under armen och Emma i handen, kastade mig mot dörren. Benen vek sig under Emma. Hon dråsade ihop i en liten hög på golvet med tummen i munnen.

– Emma! Du måste stiga upp!

Flickan reagerade inte. Jag böjde mig ner och tog henne under andra armen.

Han slog ut resten av glaset med armbågen. Jag skrek, fick upp dörren och rusade ut i hallen. Vart skulle jag ta vägen? Så kom jag på det; förrådet!

Jag rusade nedför trappan till undervåningen, höll på att ramla, var tvungen att släppa Emma för att återfå balansen, flickan föll, rasade nerför trappan, jag fick tag i hennes arm, skyndade mig ner de sista stegen, bar Robin och släpade in Emma i det fönsterlösa förrådet. Jag tände den nakna glödlampan i taket.

– Emma, mamma är strax tillbaka, sa jag och låste in barnen.

Jag sprang till vårt sovrum och slog numret till mina föräldrar. Pappa svarade på första signalen.

– Han är här! skrek jag. Kom och hjälp mig!

Jag kastade på luren och rusade tillbaka till förrådet, kastade mig in. Jag låste om mig, vi var i säkerhet! Jag lutade mig mot dörren och skrattade som en vansinnig.

– Vi klarade det! skrek jag. Du får oss aldrig! Aldrig!

Sedan sjönk jag ner på betonggolvet och skakade. Emma såg på mig med oseende ögon, babyn grät, jag tog dem i famnen, vaggade, nynnade.

Vi satt i förrådet tills pappa kom och knackade på.

– Mia, är ni där? sa han oroligt.

Jag låste upp dörren, föll pappa om halsen, började gråta igen.

– Såja, Mia, sa han trött.

Han vaggade mig tills jag lugnat ner mig.

– Mia, sa han. Vill du att jag ska ta bort honom?

Jag tittade upp på pappa. Han såg på mig med ögon fyllda av allvar och smärta.

– Vill du att jag ska skjuta honom åt dig?

Jag stirrade på min far – på min pappa, som suttit i socialnämnden för socialdemokraterna, som var aktiv i naturskyddsföreningen, som aldrig skadat någon i hela sitt liv.

Jag skakade på huvudet, letade efter min röst.

– Nej, pappa, sa jag. Tro mig, jag har tänkt tanken själv. Det går inte.

– Nej, sa pappa. Du ska inte göra det. Du måste ta hand om barnen. Men jag kan göra det åt dig.

– Det går inte, sa jag. Hans kompisar skulle hämnas. De skulle inte sluta förrän hela vår familj är död.

Han såg på mig under tystnad. Jag fick en svindlande känsla, taket gungade till.

– Det går inte, sa jag. Vi kan inte döda honom. De skulle börja med att mörda dig och mamma. Sedan skulle de ta lillsyrran, storasyrran och hennes barn. De har oss fast.

Pappa slog ner blicken.

– Säg till om du ändrar dig, sa han.

17

Jag stirrade ut genom fönstret på bilen därute. Idag var det en svart BMW, Ali hade bytt upp sig. Anders reste sig efter kaffebryggaren.

– Vi måste göra något, sa han. Emma far så illa av deras påhopp.

Vi tittade alla samtidigt på tösen som satt ute på golvet i hallen och ritade. Hon sa ingenting, sjöng inte, pratade inte, gnolade inte.

– Hon har blivit så tyst, sa jag. Hon svarar bara enstavigt på tilltal och jublar aldrig. Det är bara med Kajsa som hon nästan låter som vanligt.

– Vad säger ni om att åka bort ett tag? sa Mona. Jag kanske kan ordna en stuga i en semesterby.

Så hamnade vi i en stuga i en semesterby utanför Strängnäs som ägdes av ett stort fackförbund.

– Så underbart, viskade jag när Anders kom och kramade om mig den första kvällen.

Vi stod på verandan och såg solen sjunka i vattnet. Barnen sov, utmattade av sol och vind och lek.

– Ska vi tända en brasa? viskade Anders i mitt öra.

– Mmm, viskade jag och kramade hans starka armar som låg lindade om mina axlar.

Med armarna om varandra gick vi in i den fina stugan. Senare, långt senare, somnade vi lugnt, tätt intill varandra.

Vi vaknade av Emmas jublande bubbel morgonen därpå.

– Mamma det sitter en korre här ute! Mamma en korre! Kom och titta mamma!

Jag lindade morgonrocken omkring mig och gick upp till flickan. Hon stod i soffan, hoppade upphetsat upp och ner och viftade med sin lilla hand. Därute på staketet satt mycket riktigt en liten ekorre och tittade på oss med sina pillerögon.

– Ja har du sett! sa jag. Vill du gå ut och hälsa på den?

Flickan tittade förundrat på mig.

– Gå ut? sa hon.

Jag lyfte upp tösen i famnen och snurrade runt med henne i rummet.

– Visst! sa jag. Här får man gå ut hur mycket man vill!

Jag satte ner flickan och öppnade altandörren. Hon for ut som en liten virvelvind, snurrade runt ute på verandan, hoppade och jublade.

– Mamma, vad ska vi göra idag mamma? Mamma, ska vi bada idag? Mamma?

Jag lutade mig mot husväggen, såg ut över vattnet. Det gnistrade klarblått. Lite längre bort hördes plask och glada barnröster. Ännu var det ingen värme i luften, men det skulle säkert bli varmt frampå eftermiddagen.

Jag kisade upp mot himlen. Några lätta stackmoln seglade långt, långt däruppe.

– Ja du, Emmavännen, idag ska vi bada!

Vår stuga låg i en grupp med tio, tolv andra hus vid Mälarens strand. Längre upp längs vägen fanns en liten närlivsbutik och en korvkiosk.

Ett hundratal meter bort längs stranden fanns en stor, fin sandstrand med bryggor och badhytter. När Robin började gnälla och var redo för sin förmiddagslur så packade vi snabbt ihop en picknickkorg och gick ner till badstranden.

– Mamma jag ska simma som en fisk i vattnet, sim sim sim...

Anders slet av sig t-shirten, sparkade av sig gymnastikskorna och sprang efter tösen, fångade upp henne mitt i ett språng och rusade rätt ut i vattnet. Flickan sprattlade och tjöt när hon träffades av de kalla vattenstänken.

– Iiiii!

Jag skrattade högt när jag såg dem försvinna ner bland vågorna. Emma hann bli blå om läpparna innan vi slutligen lyckades dra upp henne ur vattnet.

– Var det roligt att bada, vännen?

– J-j-jag sk-ska s-simma m-mera... hackade hon fram.

Jag tog tösen i min famn, gnuggade försiktigt på de frusna armarna. Flickan tittade på mig med ögon som brunnar.

– Kan vi inte alltid bo här, mamma?

Vi tillbringade tre underbara veckor vid Mälarens strand utanför Strängnäs. Varma dagar och sammetsmörka nätter flöt samman i ett ljuvligt töcken av sol, bad, strand, gungor, picknickkorgar, varmkorvar, blåbär, jordgubbar, glass, sandiga barnfötter, grillade biffar och underbar älskog.

Jag lutade pannan mot Anders bröst. De tre veckorna hade varit så normala, så verkliga, så som jag trodde att livet skulle vara. Men för oss var de bara en illusion, en semester från verkligheten. Nu skulle vi hem till livet, och jag bävade.

Vi skyndade oss att packa ur bilen, bar snabbt in alla våra sandiga strandsaker i radhuset. Sedan stängde vi dörren och låste om oss. Emma började genast gråta.

– Jag vill inte! skrek hon. Jag vill inte vara här!

Jag tog henne i min famn och vaggade henne.

– Kajsa kommer hit och hälsar på i morgon. Det blir väl roligt!

Flickan torkade ögonen.

– Kajsa är snäll, sa hon. Men farbrorn är dum!

Jag hajade till.

– Han som är svart och har svarta bilen och skriker, sa flickan.

Jag vaggade henne stilla.

– Han kanske är borta nu, sa jag. Han kanske försvann medan vi var på semester.

Det gjorde han inte.

Han satt i sin svarta Saab utanför vårt hus den morgon vi skulle hälsa på på Emmas nya dagis för första gången. Jag ringde polisen och bad dem köra bort honom. Medan vi väntade på polisen klädde jag på flickan och babyn. Han protesterade inte längre när polisen kom, startade bara bilen och rullade iväg när de körde upp vid hans sida.

– Han stannar precis utanför gränsen för besöksförbudet, sa Anders.

Vi rusade ut till bilen, packade in oss och körde iväg. Jag satte fast barnen i deras bilbarnstolar medan vi körde.

– Ser du honom? sa Anders.

Jag vände mig om, spanade bakåt genom vindrutan.

– Nej, sa jag. Han är borta.

Föreståndarinnan hälsade varmt på oss.

– Och det här är Emma, förstår jag? sa hon och böjde sig ner vid flickan.

Emma stoppade tummen i munnen och gömde sig bakom min kjol.

– Vi har provat gå på dagis en gång förut, sa jag. Den gången gick det inte så bra...

– Jag vet allt det där, sa föreståndarinnan. Kom Emma, så ska du få se din hylla.

Föreståndarinnan och jag gick in på expeditionen.

– Vilken är din inställning till att ha Emma här? frågade jag avvaktande.

Hon mötte lugnt min blick.

– Emma har rätt till barnomsorg, precis som alla andra barn. Det är självklart att vi ska göra allt för att hon ska trivas och samtidigt känna sig säker här.

– Hur mycket vet du om Emmas tidigare daghemsvistelse? frågade jag.

– Det mesta, sa hon.

– Hur ska vi kunna förhindra att det upprepas? sa jag.

– Vi har största sekretess på Emmas placering, sa föreståndarinnan. Vi har också informerat personalen om vad som gäller.

Jag tittade på föreståndarinnan under tystnad. I mitt stilla sinne undrade jag om hon visste vad hon gett sig in på.

Inskolningen med Emma flöt jättefint, åtminstone vad dagiset beträffar. Det krångliga var att ta sig dit utan att någon fick reda på vart vi åkte. En del mornar körde vi rally genom stan för att finta bort dem.

– Det här går ju jättefint, på alla punkter, sa föreståndarinnan.

Det märktes att hon tyckte jag var en hönsmamma.

– Ja, jättebra, sa jag bara.

Så kom första dagen då Emma var ensam på daghemmet.

– Hej då, vi ses i morgon, ropade jag när vi gick.

Plötsligt skar en röst genom höstluften, tystade flickans kvittrande pladder.

– Nämen, är det inte Mia Eriksson? Och Emma?

Jag snurrade runt. Det var Kristina, Ahmeds fru. Hjärnan blev tom. Nu är det kört, tänkte jag.

– Hej, sa jag tonlöst.

– Min son går här, på gröna avdelningen. Jag har inte sett dig här tidigare, har ni precis börjat?

Förbannat! tänkte jag hett.

– Ja, sa jag. Emma har gått första dagen idag. På blå avdelningen.

Vi blev tysta, hade inget mer att säga varandra.

– Vem var det där? sa Mona.

– Kristina, gift med en av hans kompisar, sa jag. Nu är det bara en tidsfråga innan vi har honom här.

Jag hade rätt.

Fjärde dagen Emma var ensam på dagis dök han upp där första gången. Jag fick samtalet hem strax före lunch.

– Du måste komma hit med en gång, sa föreståndarinnan förskrämt.

Jag lade på luren och mötte Monas blick.

Flickan satt inne på expeditionen med tummen i munnen och blicken tomt stirrande in i väggen.

– Hon blev så här när han kom in och skrek i barngruppen, sa Agneta. Vi gjorde som du sagt och gömde undan henne i personalrummet, men han hann se vart vi tog vägen och slog och bankade på dörren. Hon blev väldigt rädd...

Jag tog flickan i famnen och pratade lugnt med henne.

– Det är ingen fara, Emmagumman. Farbrorn skrek, men det gör inget. Han kan inte göra dig illa. Han är inget att vara rädd för, bara en dum gubbe, mamma är här nu, och nu ska vi åka hem och leka med Kajsa...

När vi gick ut såg jag Kristinas lilla pojke bland de andra barnen. Han var så liten, mörkhårig och rar. Ändå kunde jag inte låta bli att känna illvilja mot honom.

– Du får inte tänka så! sa Mona uppfordrande när jag berättade det för henne.

– Varför inte? sa jag hett. Hade han inte varit där så hade det hållit mycket längre!

Mona såg mig stint i ögonen.

– Det är inte en liten halvarabisk pojkes fel att Emma har en galen pappa, sa hon lugnt.

Jag började gråta.

– Satans jävlar! skrek jag. Förbannad vare den man som gör oss detta!

Sedan hade jag honom i telefonen igen, förstås.

– Jag kan försörja dig! skrek han. Du kan få pengar av mig! Mina kvinnor ska inte behöva arbeta!

Jag visste att han dömts för bedrägerier ytterligare en gång.

– Nej tack, sa jag.

– Hora! skrek han. Jag ska mörda dig, ditt satans jävla luder, och din lilla horunge ska jag...

Jag lade på. Det ringde igen. Jag drog ur jacket.

Den förtröstan och sinnesfrid vi byggt upp under veckorna i stugan vid Mälarens strand krossades snabbt. Han smulade sönder den på samma vidriga sätt som han förstört vårt liv förut, han bankade på fönsterrutorna, rev ut våra saker ur förrådet och spred dem över kvarteret, bevakade vårt hus, följde efter oss när vi åkte iväg och handlade, ringde alla tider på dygnet, slet upp våra prydnadsbuskar och terroriserade Emmas daghemspersonal.

Numera ringde vi alltid polisen när han gjorde någonting. Visserligen kunde polisen inte gripa honom särskilt ofta. Att våra cyklar låg kullvräkta på gatan var knappast skäl att anhålla någon. Dessutom kunde vi ju inte bevisa att det var han som gjort det. Besöksförbudet kringgick han genom att hålla sig precis utanför gränsen just när polisbilen körde förbi.

Det var vid den här tidpunkten, september 1989, som polisen tog för vana att patrullera runt vårt bostadsområde, utan att vi ringde.

Emma blev allt tystare. Snart var hon tillbaka där vi var innan vi åkte iväg till stugan, hon sjöng inte, trallade inte, svarade knappt på tilltal.

Ändå försökte vi behålla daghemmet ytterligare en tid. Snart skulle Robin också skolas in där och jag skulle börja jobba i februari.

– Det kanske blir bättre när han ser att vi inte ger upp, sa Mona.

Jag tittade på Emma, på min lilla flicka som blev allt tystare.

– Frågan är hur länge vi kan hålla på och försöka, för Emmas skull, sa jag.

En eftermiddag efter att vi kommit hem från dagis fick jag ett underligt samtal.

– Jag är psykolog och ringer från rättspsykiatriska kliniken i Huddinge, sa en kvinna. Din man har lämnat dig som referens vid den rättspsykiatriska undersökning som vi just nu genomför på honom.

Jag suckade.

– Han är inte min man. Vad har han gjort nu då?

– Vi genomför rättspsykiatriska undersökningar på domstolens begäran. Domen är uppskjuten tills vi kommer med vårt utlåtande...

– Så han är åtalad igen? För vad då?

Damen i luren kom av sig.

– Din fästman har lämnat ditt namn som referens, sa hon skarpt. Han säger att du och din familj och föräldrar kan gå i god för honom, och nu har jag några frågor som jag undrar om du har tid och möjlighet att svara på.

Gå i god! Hans fräckhet visste inga gränser!

– Menar du allvar? sa jag.

Nu blev damen förvirrad.

– Ehä, ja, jag undrar, hur är han som far?

Detta var inte sant! Jag fick ta mig för pannan.

– Själv säger han att han är en underbar pappa.

Det var det jag visste, tänkte jag. Han är komplett vansinnig!

– Otroligt! sa jag. Så fort han kommer i närheten av sin dotter försöker han ta livet av henne.

Damen blev tyst.

– Han har aldrig tagit i flickan annat än i syfte att skada henne. Han har aldrig brytt sig om att ha umgänge med henne. Han nekade till faderskapet. Han skriker åt henne och skrämmer henne. Något mer du vill veta?

Jag fick intala mig själv att det var världen som var galen, inte jag.

Det började bli svårt för Anders att sköta sitt jobb på firman. Allt oftare var jag tvungen att ringa efter honom när terrorn runt huset blev för svår. Så länge Mona var kvar skötte de sig någorlunda, men så snart hon åkt satte de igång igen med förnyad kraft.

Barnen fyllde år. Vi ställde till kalas med hattar, ballonger, serpentiner, glass och tårta. I år var det bara Sisse, Henrik, barnen och mina föräldrar som kom. Ali hade sin näsa tryckt mot köksfönstret kalaset igenom. Vi låtsades inte se honom.

Jag fick ett nytt samtal från rättspsyk i Huddinge. Den här gången var det en man som ringde.

– Hur kommer det sig att jag alltid har honom utanför mitt hus, om ni nu verkligen håller på och undersöker honom? sa jag. Borde han inte ligga inlagd på er avdelning då?

– Nej, så fungerar det inte i det här fallet, sa mannen, som var kurator. Din förre fästman är vad vi kallar en frifoting, han är inte häktad.

– Varför ända borta i Huddinge? frågade jag misstänksamt. Det finns sjukhus på närmare håll.

Kuratorn svarade tålmodigt.

– Rättspsykiatriska kliniker finns bara i Huddinge, Göteborg och Uppsala. Vi ska ha vår bedömning klar inom sex veckor från att vi får uppdraget från domstolen. Det skulle underlätta vårt arbete betydligt om du ville samarbeta med oss.

– Varför skulle jag göra det? sa jag.

Mannen i luren tänkte efter.

– Vi skulle kunna göra en liten överenskommelse, sa han. Visserligen är det mot våra regler, men vi skulle kunna säga så här: Du hjälper mig och berättar hela er gemensamma historia, både bra och dåligt. Som tack för hjälpen meddelar jag dig vad vi kommer fram till i vår undersökning.

– Vad vill du veta? frågade jag.

– Allt, svarade mannen.

Jag tvekade bara ett ögonblick.

– Okey, sa jag. Var ska jag börja?

Han tog sig in på daghemmet igen. Han hotade och terroriserade både barn och personal i över en timme innan de fick ut honom. Dagen därpå mötte föreståndarinnan mig i dörren.

– Kan du komma till mig en stund, Mia, sa hon och gick in på expeditionen.

Jag klädde av Emma, följde henne in till barnen, gick ut till min pappa och bad honom vänta en stund. Föreståndarinnan stängde expeditionsdörren efter mig.

– Vi kan inte ha det så här, Mia, sa hon.

Jag tittade ut genom fönstret. En däckgunga svängde sakta i vinden.

– Han skrämmer vettet ur barnen. Vi måste kunna garantera barngruppernas säkerhet, det hoppas jag att du förstår.

En fågel flög fram och satte sig på dagisbarnens fågelbord. Det var en talgoxe, tänk att de redan lagt ut frön!

– Jag hade ingen aning om att han var så våldsam. Det är helt omöjligt för oss att ha kvar Emma på daghemmet. Mia, jag hoppas verkligen att du förstår vår situation! Vad ska vi göra?

Talgoxen hackade på något, vad var det? En fläskbit?

– Visst, sa jag. Vi åker hem med en gång.

Jag reste mig, gick ut till Emmas hylla, plockade ihop hennes extrakläder, vantar, halsduk, strumpor och nallen som brukade få sova på hyllan. Sedan gick jag in till barngruppen. Samlingen hade börjat. Alla barnen satt i ring och sjöng Imse vimse spindel. Emma sjöng inte med, men hon gjorde försiktiga små rörelser med fingrarna, visade hur Imse klättrade.

– Emma, kom till mamma! Vi ska åka hem.

Flickan tittade upp på mig, förvånat, förvirrat. Alla stirrade, personal, barn, förskolepraktikanter. Emma satt kvar, gjorde ingen ansats att resa sig. Jag gick fram till flickan och lyfte upp henne.

– Neeej, skrek hon och gjorde sig stel som en pinne.

– Jag vill inte! Aaaaa!

Flickan fick tag i dörrposten, jag fick bända upp hennes fingrar för att få henne därifrån.

– Dumma mamma. Aaaaa!

Jag slog igen dörren.

– Tyst, unge! sa jag hårt.

Tårarna rann i strida strömmar nedför flickans kinder.

– Mamma jag vill sjunga! Varför får jag inte sjunga med barnen?

Min syn förblindades av mina egna tårar.

– Vi måste åka hem. Du får vara ledig från dagis idag.

– Men jag vill inte!

På andra sidan dörren började sången om. Jag bar ut flickan till bilen utan att klä på henne.

Dagarna blev grå, jämngrå, tysta och kalla. Mona kom, min mamma och pappa kom. Bankandet fortsatte. Döda döda! Jag fällde ner persiennerna för att slippa se deras ansikten. På natten vrålade de utanför vårt sovrumsfönster. Panik!

– Jag står inte ut! Jag blir galen! Hjälp, någon! Hjälp!

Han ringde.

– Hej Mia! Hur har ni det?

– Idiot! skrek jag. Jag hatar dig!

– Nämen Mia, hur är det fatt? sa han oroligt.

– Du klarar det aldrig! skrek jag. Du åker fast! De tar dig för mord! Du får livstid. Livstid!

– Nu får du lugna ner dig, Mia, sa han förebrående. Vad är det du pratar om?

Jag andades. In ut. In ut. Han skrattade lågt.

– Varför skulle jag få livstid? Det vet du väl, att jag aldrig skulle göra något som skulle leda dem tillbaka till mig? Jag har gott om tid. Jag väntar tills du är oförsiktig, då kommer jag. När du minst anar det, då är jag där.

Han skrattade igen.

– Du är sjuk i huvudet, sa jag. Du är komplett vansinnig.

– Och en sak till, Mia, sa han. Det behöver inte vara jag som gör det. Kom ihåg det, jag har många vänner. Det kan vara vem som helst. Killen bakom dig i bankomatkön. Han som kör upp bredvid dig vid rödljusen, han kan ha kniven gömd i innerfickan...

Jag lade på, skakade i hela kroppen.

Det ringde igen.

– Din djävul! skrek jag, ryckte loss telefonen från sladden och kastade den i väggen.

Mannen från rättspsyk hörde av sig igen.

– Vår undersökning är klar, sa han. Din förra fästman krigsskadades gravt redan som barn. Han säger att han mördade för första gången medan han fortfarande gick i skolan. Om jag inte sköt först, så sköt de mig, sa han. Han blev vittne till en väldig massa dödande i sin tidiga barndom. Han är i behov av vård, men vi bedömer inte att han kan tvångsvårdas. Vården måste ske på frivillig grund. Därför kommer vi inte att rekommendera att han döms till sluten psykiatrisk vård.

Modet sjönk.

– Så han är sjuk, men inte tillräckligt sjuk för att hållas inlåst? sa jag.

– Ungefär så, bekräftade mannen.

Så försvann det hoppet.

Jag började få svårt att hålla reda på dygnet. Anders åkte nästan aldrig till jobbet. Bara någon enstaka gång. Den dagen var en sådan. Jag stod i hallen, var på väg in i vardagsrummet. Jag såg honom inte, hörde bara att glas krossades. Ljudet när splittret nådde golvet klirrade som kristaller. Silverklockor. Han stod i vår hall. Jag såg inte hans ansikte i motljuset, bara en svart siluett.

– Jag ska hämta Emma, sa han.

Jag flämtade.

– Nej.

Emma? Var var hon? Jag visste inte. En kall vindpust svepte in genom den krossade rutan.

– Var är hon?

Robin? Var var pojken? Nere i sovrummet med min mamma. Han gick in i köket, tittade runt. Slet upp vaxduken. Hon satt där under. Han drog fram henne i benet. Hon sa inget. Jag såg hennes ögon. De var alldeles tomma.

– Jag är din far! skrek han. Jag är din pappa. Känner du inte det? Blodsbanden! Blodsbanden!

Han slet upp henne från golvet, höll henne i armarna och skakade henne. Hon såg honom inte, hennes blick såg ingenting längre. Jag skrek, rusade fram, högg tag, klöste, sparkade, bankade.

– Släpp henne!

Han slog mig i ansiktet med handflatan, väggen kom emot mig, mitt synfält skakade till. Han höll henne i ena armen, hon hängde och dinglade i luften, munnen förvriden av smärta. En nyckel vreds om i dörren och Anders kom in.

– Vad i helvete? Ditt jävla as! Släpp flickan!

Emma åkte i golvet, Anders duckade för knytnävsslaget, dörren flög upp, han var borta.

Någon skrek, det var jag, någon grät, det var jag, jag satt på golvet, det var kallt, det drog från rutan, Emma, Emma, det är ingen fara, han är borta nu, han är borta nu, det är över nu, han kommer aldrig hit igen, aldrig hit igen, Emma fina, mammas lilla fina flicka.

– Jag har ordnat en stuga i Skåne, sa Mona. Utanför Tomelilla. Ni kan åka med en gång.

Blöjor, stövlar, kläder, välling, leksaker, tandkräm, leverpastej, Alvedon, två deckare, hällekakor, en fryst kyckling och en påse avokado. Vi åkte på kvällen.

Det var november. Det regnade. Stugan hade varken vatten eller värme. Vi fick bära vatten från brunnen och elda oupphörligt i spisen. Jag grät.

– Jag vill hem. Jag vill åka hem, Anders! Jag vill hem till mitt hus!

Emma sa inget, tittade bara på oss med tomma ögon. Robin kinkade och grät. Han hade börjat gå, stapplade omkring på stugans korkmatta. Det fanns ingen telefon.

Under de dagar vi tillbringade i stugan i Tomelilla ordnade socialtjänsten i vår kommun så att alla våra fönster som nåddes från markplanet försågs med smidda, svarta järngaller.

– Så ser det ut som vad det är till slut, sa jag. Ett fängelse.

Min mamma ringde samma kväll vi kom hem. Hon grät.

– Han har försökt köra över pappa.

Tankarna stannade. Talet fungerade inte.

– Mia, vad ska vi göra?

– Är han... är han skadad?

Min mamma grät.

– Nej, han kastade sig undan. Mia, han höll på att köra ihjäl pappa, han hann undan med ett nödrop. Mia, vad ska vi göra?

Jag satt med min kaffekopp och stirrade ut genom köksfönstret. Regnet droppade från det svarta järngallret på utsidan av fönstret. Jag försökte andas lugnt och normalt. Det var svårt. Samirs Volvo stod där ute. En cigarett glödde inne i bilens mörker. Vem kunde hjälpa när vettet flydde? En psykolog? Vem var det som bad mig gå till en psykolog? Någon hade gjort det en gång... Javisst! Åklagaren! Jag släppte koppen och rev fram telefonboken. Där! Jag visste att jag skrev upp namnet och numret.

Jag fick tid i början av december.

Advent. Vi satte upp julstjärnorna i fönstren. Det såg absurt ut bakom de smidda järngallren. Elektriska ljusstakar i fängelse. Tomtar bakom galler.

– Vi ska installera larm för alla fönster och dörrar också, sa Mona.

Det blev inte så. Vi hann aldrig.

Jag träffade psykologen på mottagningen i grannstaden. Hon var mellan fyrtiofem och femtio år gammal, hade brunt kortklippt hår och målade naglar.

Min mun var alldeles torr. Psykologen hade ställt en elektrisk ljusstake i sitt fönster. Jag hade en likadan hemma. Den kom från Åhléns och kostade 79.50.

– Vad är det som du vill ha hjälp med, Maria?

Hon väntade tyst. Jag lutade huvudet bakåt, blundade. Bakhuvudet landade mot fåtöljens övre kant. Rummet snurrade till, jag fick svindel.

– Han dödar oss, viskade jag. Han kommer inte att ge sig förrän vi är döda.

– Vem? sa psykologen.

Mina ögon svämmade över. Tårarna rann nedför mina kinder och ner på halsen.

Mamma kom hem till oss och hjälpte mig griljera julskinkan.

– Vi firar väl jul hos dig i år igen, så kan ni vara hos oss på nyårsafton, sa mamma.

– Visst, sa jag.

Fira jul? Var det jul snart?

– Barnen behöver få ett avbrott, sa Anders. Vi måste köpa julklappar och hugga julgran.

– Visst, sa jag. Jag kan klä granen. Var är den?

Anders såg forskande in i mina ögon.

– Vi har inte huggit den ännu. Hur mår du, Mia?

– Bra. Fint, sa jag.

Det blev lucia, den dag jag träffade honom första gången.

– Det är fem år sedan idag, sa jag till Anders.

Min make kramade om mig.

– Han bröt vår förlovning på luciadagen.

Anders kysste mig stilla.

– Snart är det jul, Mia. Jul och nyår.

– Vi förlovade oss på nyårsafton.

– Mia, det är vi nu. Tänk inte på honom, snälla.

Jag tittade ut genom fönstret. Lite pudersnö hade fastnat på järngallret, bildade ett vitt rutmönster mot den svarta natthimlen där ute.

– Han kommer, sa jag. Han är på väg hit.

Anders suckade.

– Nej, Mia. Sov nu. Se så, kom hit.

Jag drömde om händer runt min hals.

Stålring.

– Hur ville du att ditt liv skulle se ut när du var riktigt ung? frågade psykologen.

Jag blundade, tänkte efter.

– Jag ville bli läkare, sa jag. Det var min dröm. Jag hade 4,8 i medelbetyg från gymnasiet. Det räckte nästan. Jag var första reserv på Karolinska institutets läkarlinje det året jag gick ut gymnasiet.

– Sökte du in igen?

Jag skakade på huvudet.

– Karolinska ligger i Solna, utanför Stockholm. Jag ville inte flytta från min hemstad. Allt jag någonsin älskat finns i den här stan.

Det blev jul. Min syster var tomte. Emma svarade inte när tomten frågade om det fanns några snälla barn. Hon såg bara på den utklädda figuren med tomma ögon och tummen i munnen.

Robin var mest intresserad av presentpappret. Jag började gråta när min pappa läste Julevangeliet.

– Förlåt mig, snyftade jag och gick ut i köket.

De läste klart utan mig.

Marianne hade åkt till sina föräldrar i Norrland för att fira jul med dem. Hon dog en av juldagarna. Jag gick inte på hennes begravning.

Under mellandagarna träffade jag psykologen igen. Jag fick beskriva hur han bar sig åt när han blev provocerad, hur han gjorde när jag föll till föga och gjorde som han sa, hans åsikter om Gud, Allah och kvinnor, hans moraluppfattning om mord och död och hans egna fel och brister.

Jag berättade om rättspsyk i Huddinge och deras frågor till mig, sa att han uppgett att jag och min familj kunde gå i god för honom.

– Deras slutsats, att han är gravt krigsskadad, är säkert korrekt. Men med tanke på resten av hans uppförande är det frågan om han inte skulle tvångsvårdas, sa hon.

– Tror du han är sjuk? frågade jag.

– Jag har ju aldrig träffat honom, sa hon. Men med slutsats av vad du berättat är det inte otänkbart att han är både psykopat, kanske sociopat, och personlighetskluven.

– Vad menas med det? sa jag.

– Psykopat eller sociopat? En sådan person betecknas ofta som socialt missanpassad. Han kan inte ta eller ge förtroenden. Han har dålig lojalitetskänsla och kan inte behålla ett jobb. Ett annat drag kan vara att han inte har förmåga att känna medlidande med andra. Han njuter av att se andra, både människor och djur, plågas. Det är ett roligt experiment för honom. En del amerikanska seriemördare har uppvisat den defekten. Personlighetskluven innebär att han kan ha sitt psyke uppdelat i olika personligheter. Eventuellt är han inte medveten om detta, men han kan också vara det.

– Vad innebär det för oss? sa jag.

Hon såg allvarligt på mig.

– Ni är i fara, sa hon bara.

Nyårsafton kom, blixtrande kall.

– Kan vi inte gå, Mia? sa Anders. Det är jättehärligt! Solen skiner, vi har ju inte promenerat på flera månader!

– Ser du honom någonstans?

Jag log. Han var så ivrig. Det var inte mer än åtta, niohundra meter mellan mina föräldrars villa och vårt radhus. Det skulle bli en skön promenad.

Solen stod lågt på himlen trots att klockan bara var kvart i två.

Det röda klotet sved i mina ögon. Jag blundade. Det var härligt! Det låg lite snö på marken, tillräckligt mycket för att det skulle knarra under våra skosulor. Vagnarnas hjul rullade lätt på den hårdfrusna marken.

– Mamma, jag vill gå själv, mamma! Mamma, jag vill gå själv.

Emma började hoppa upp och ner i vagnen.

– Nej gumman, du måste sitta...

Jag böjde mig ner och knäppte fast säkerhetsremmen runt Emmas midja. När jag tittade upp såg jag en bil sakta komma glidande mot oss på gångbanan.

– Anders, vad är det där?

Vi stannade, såg båda på den lilla hundkojan som närmade sig.

– Jävla dårar, det här är ju en gångväg, sa Anders.

Bilen stannade. Båda framdörrarna öppnades. Vi stod stilla, förstod inte vad som skulle komma. De var fem stycken. Jag hade aldrig sett någon av dem tidigare. De ställde sig runt om oss i en ring.

– Vi har hälsningar från din förre fästman, sa en av dem.

En liten kraftig man med svarta skinnhandskar slog första slaget. Det träffade Anders på hakan. Jag skrek i panik, högg tag i båda vagnarna.

– Hjälp! Hjälp!

Alla fem kastade sig över Anders samtidigt. En av männen knuffade bort mig. Jag hamnade strax utanför ringen av slag, blod och sparkar.

– Åh Gud hjälp oss! Vad har han gjort er? Sluta, sluta!

Jag grät högt, bönade och bad. Barnen satt kvar i sina vagnar, tittade storögt. Det enda som hördes var min förtvivlade röst, det dova ljudet av slag mot muskler och Anders utdragna stönanden. Jag såg inte min make i högen av män, bara ryggtavlorna av människor jag aldrig tidigare träffat.

– Hjälp oss, hjälp! Varför kan inte någon göra något?

Jag grät, såg in i den röda solen. Plötsligt började allting förändras. Allt ljud försvann. Färgerna vanställdes, allt blev svartvitt. Jag vet inte om jag skrek, jag hörde inget. Jag hamnade någonstans utanför mig själv, stod bredvid och såg på. Det är inte sant, tänkte jag lugnt. Det här händer inte. Du drömmer bara. Det är bara en ond dröm. Jag nöp mig i armen. Efteråt var den alldeles blå.

Han låg på marken. Hopkrupen i fosterställning på gångbanan. Han blödde ur munnen. Männen var borta. Ljuden började komma tillbaka. Jag hörde en bil bromsa, ett barn ropa. Vart hade männen tagit vägen?

– Anders, viskade jag. Åh Gud, vad har vi gjort för att förtjäna detta?

Pappa skjutsade upp oss till sjukhuset. Två av Anders revben var knäckta. Han hade stora muskelblödningar under huden, men inga öppna sår utom en spräckt läpp. Hans lungor röntgades, precis som mina en gång för länge sedan. Läkaren instruerade oss hur vi skulle sköta skadorna och skrev ett intyg om deras omfattning.

Sedan åkte vi till polisen och anmälde överfallet. Vi sa som det var: Fem män, för oss helt okända, hade överfallit oss på en gångbana. De åkte i en svart hundkoja, registreringsnumret hade vi inte noterat. En man var liten, kraftig och hade skinnhandskar. De övriga kunde vi inte ge några detaljer om, annat än att alla var mörka och hade utländska utseenden.

– De hälsade från min förre fästman, sa jag också.

Polisen tog upp vår anmälan och skickade ut en efterlysning efter hundkojan.

Några misstänkta för överfallet greps aldrig.

Det var vinter, kallt. Vitt, grått, svart. Gallren för våra fönster bäddades in i snö. Mona följde mig och handlade det nödvändigaste på Ica eller Domus. En dag när jag höll på att bädda i de övre sovrummen, där mina föräldrar brukade sova, fick jag plötsligt syn på en liten figur ute i snön. Emma!

– Åh Gud, ungen!

Jag flög nedför trappan och ut på vår uteplats. Flickan stod i strumplästen ute i den lilla snödrivan. Snabbt tittade jag upp och ner längs gatan, ingen där. Gud ske lov!

– Det är snö, mamma! sa tösen. Man kan åka pulka i backen!

Det var de längsta meningarna hon sagt sedan nyårsafton. Hon skakade av köld men hade liv i sina ögon.

– Jag vet, älskling, sa jag och räckte armarna mot henne. Kom in så att du inte blir kall och sjuk...

– Jag vill inte! skrek barnet. Jag vill vara ute!

Hon vände för att fly bort längs gräsmattan.

– Hur tog hon sig ut? sa Anders. Var inte dörren låst?

– Ja, det är klart den var! sa jag.

– Hur fick hon upp den då?

– Emma, sa jag. Du får inte låsa upp dörren. Bara när mamma eller någon annan vuxen är med. Förstår du?

– När tycker du att situationen blev olidlig? frågade psykologen.

Jag lät huvudet falla ner mot höger axel, fingrade på axelremmen till min handväska.

– När vi gifte oss, sa jag. De ställer inga ultimatum längre, sa jag. Det är inte ”ta tillbaka anmälan – annars”... eller ”flytta till Motala – annars...”

Jag började gråta.

– Nu ska de bara ta bort oss. Det finns inte längre någonting jag kan göra som får dem att sluta. När Anders och jag gifte oss visade vi att det är vi som hör ihop – inte han och jag. Jag trodde de skulle lämna oss i fred då. Men jag hade fel!

Jag tittade upp i hennes ögon.

– Bröllopet blev vår dödsdom. När jag förstod det tog hoppet slut. Det är därför det blev olidligt efteråt.

– Ni måste härifrån, sa psykologen.

Jag skakade på huvudet.

Polisbilen körde sakta förbi vårt hus. Så snart den försvunnit kom den svarta Saaben tillbaka och parkerade utanför vår grind. Det var Samir och Ali. De klev ur och drog ner dragkedjorna i sina jackor. Anders blev alldeles blek.

– Herregud, sa han.

– Vad är det? sa jag.

– De har beväpnat sig, sa han.

Jag tittade ut. De stod och höll var sitt automatvapen mot bröstet.

– De skjuter oss, viskade Anders.

De brydde sig inte om att dölja sina vapen, vare sig för grannarna eller för Mona. Bara när polisen kom stoppade de k-pistarna innanför jackorna och körde iväg.

– Jag vill ha din tillåtelse att diskutera din situation med polisen och socialnämndens ordförande, sa psykologen. Detta är helt ohållbart.

Jag nickade bara.

Vita dagar, svarta nätter. Tiden flöt samman till ett grått töcken. Vi vädrade ibland i övervåningen, stod i draget och andades in den friska luften.

Mona kom. Vi pratade, sa saker till varandra, fast jag vet inte längre vad. Mina föräldrar kom, mamma grät, pappas ansikte var grått och trött. Polisen körde förbi, sakta sakta, stannade en stund utanför vår grind.

Robin grät. Anders gick ut ibland, jag vet inte vart. Emma var så tyst och stilla. Bara med Kajsa levde hon upp.

Mina föräldrar åkte hem. Anders var borta, på firman kanske. Min syster skulle komma. Det ringde på dörren. Flickans ögon glimmade till.

– Kajsa! sa hon, vände sig om och rusade ut i hallen.

– Nej. Emma!

Jag skrek, rösten ekade i radhuset. Snabbt satte jag ner Robin på golvet, snubblade över en matta, sprang efter flickan:

– Stanna!

Det var för sent. Hon hade låst upp dörren. Han slet tag i hennes arm, drog henne intill sig. Kniven glimmade mot barnets hals.

– Jag skär halsen av henne, din jävla hora, väste han.

Mina ben vek sig under mig. Det drog iskallt från den vidöppna ytterdörren. Flickans ögon blev hål i hennes huvud.

– Släpp henne, viskade jag. Snälla, släpp henne. Ta mig i stället.

– Aldrig! vrålade han och tryckte kniven mot flickans strupe. Jag släpper henne aldrig! Hon är min dotter. Jag gör vad jag vill med henne!

Jag stod på knä.

– Kära, snälla du, hon är ju bara ett barn, en liten flicka. Ta mig, se här, ta mig i stället.

Jag lyfte huvudet, visade min hals. Rösten som svarade kom långt bortifrån.

– Vad håller du på med?

Det var min lillasyster. Han släppte barnet.

– Förlåt, sa han. Det var inte meningen.

Flickan ramlade ihop i en liten hög. Jag kröp fram till henne.

– Emma vännen...

Mörker. Tystnad. Emma kröp ihop i fosterställning, ville inte äta.

Anders talade med någon i telefonen. Det ringde på dörren. Nej! ville jag ropa. Öppna inte! Men jag orkade inte. Psykologen kom in till mig i vardagsrummet. Hon drog fram fåtöljen och satte sig mitt emot mig.

– Mia, hör du mig?

– Kniven, sa jag. Han höll kniven mot hennes hals.

– Är du säker på det, Mia? Tror du att det kan ha varit som du inbillade dig?

Jag tittade på psykologen.

– Din syster såg ingen kniv, Mia. Kan du ha inbillat dig att han höll i en kniv?

– Jag vet inte, viskade jag.

– Ska vi göra en polisanmälan, Mia?

– Jag vet inte.

Psykologen suckade.

– Hur som helst, det spelar ingen roll längre. Det är över nu,

Mia, sa hon. Ytterligare en rättegång skulle bara försvåra det ni har framför er. Vet du vilken dag det är?

Jag svarade inte.

– Det är torsdag kväll nu. På måndag ska ni åka härifrån. Det är klart nu. Allt är ordnat. Jag har talat med polisen och ordföranden i socialnämnden. Ni ska åka.

– Jag vill inte, viskade jag.

– Ni måste, sa psykologen. Det är bara en tidsfråga innan han dödar er. Ni klarade er med ett nödrop idag. Jag har ordnat allting. Ni åker på måndag.

– Min pappa, mumlade jag.

– Lyssna nu riktigt noga, Mia! sa psykologen. Du får inte tala om för någon att ni reser. Du ska säga att ni åker på semester i två veckor. I två veckor! Hör du mig, Mia?

Jag nickade.

– Två veckor...

– Jag vet att det känns svårt, men du får inte berätta för någon var ni hamnar heller. Då är allting förgäves. Du har berättat att han hotat att skada din familj...

– Han har försökt köra ihjäl min pappa, mumlade jag.

– Just det! Därför måste du göra som jag säger: För deras skull får du inte berätta för dem var ni finns!

– Mitt hus, sa jag.

– Huset kommer att stå kvar. Huset kommer att stå kvar och vänta på er.

– Pengar, sa jag. Vi har inga pengar...

– Socialtjänsten kommer att betala hyran på huset. Till att börja med kommer er vistelse på den andra orten att betalas av landstinget. Både du och Anders blir sjukskrivna. Ni är inte i skick att jobba, någon av er.

– Vart ska vi?

– Jag kan inte berätta det. Ni får se på måndag.

– Vad ska vi ta med oss?

– Packa lätt, sa psykologen. Ta med er så lite som möjligt. Kom ihåg; ni ska ju bara åka på två veckors semester...

– Det var en kniv, sa jag.

Min pappa sov hos oss den natten. Emma somnade utan att ha ätit en matbit. Jag och Anders låg länge tysta bredvid varandra i dubbelsängen, stirrade i taket.

– Vi kommer aldrig tillbaka hit, sa jag.

– Det är klart vi gör, sa Anders. Vi åker iväg en tid, bara. Precis som vi gjort förut! Minns så härligt det var i stugan utanför Strängnäs! Vi åker på semester, bara.

Jag kramade hans hand.

– Vi åker på semester, bara, sa jag.

Fredag, lördag, söndag. Tre dagar. Jag gick runt i mitt hus och tog farväl av mina saker. Den fina, vita skinnsoffan. Mina böcker i bokhyllan. Alla grytorna i skåpet. Besticken vi fått i bröllopspresent. Korten på barnen som små, babykläderna, leksakerna, mina gamla skolböcker.

Jag grät.

Jag gick igenom mina sommarkläder. Där var min brudklänning, den vackra dräkten i thaisiden. Min aprikosfärgade baddräkt, tänk, fanns den kvar!

Jag packade. Emmas första små skor, Robins bitring, böckerna om Totte, Max och Askungen. En t-tröja som jag köpte när jag och min lillasyster bilade i Spanien, ett kassettband med låtar som jag spelat in från radion. Vad packar man när ens liv ska rymmas i två resväskor?

Jag städade. Torkade golvet i köket. Frostade av kylskåpet. Putsade spegelväggen i hallen. Jag ville göra fint innan vi åkte.

Vi åt upp all oxfilé vi hade i frysen.

– Vart ska ni? frågade min pappa.

Jag såg in i hans fårade ansikte.

– Jag vet inte. Psykologen har ordnat någonting.

– Hur länge blir ni borta?

Jag kramade om honom.

– I två veckor, bara.

På måndag morgon ställde sig polisbilen utanför vårt hus. Vi packade ihop våra resväskor, klädde på barnen och låste huset. Solen sken, en sned vintersol över vårt radhus. Sakta gick jag den grusade gången mot grinden. Jag skulle aldrig göra det mer.

Jag såg mig omkring. Det var inte mycket kvar av trädgården. Han hade slitit upp det mesta med rötterna.

Några skolbarn sprang förbi med sina ryggsäckar. De busade och tjoade. Andedräkten stod som vita moln ur deras skrattande munnar.

– Kom nu, Mia, sa Anders lågt. Det är ingen idé att dra ut på det.

Jag vände ryggen åt mitt hus, satte mig i vår bil. Tillsammans med min pappa åkte vi bort till mina föräldrars villa. Jag såg aldrig tillbaka.

Psykologen väntade bakom pappas garage. Vi flyttade över barnstolarna från vår bil till hennes. Anders lastade in våra bägge resväskor i bagageutrymmet på hennes bil.

– Ha det så skönt nu, Mia, sa mamma och kramade om mig.

– Visst, sa jag och försökte le. Oroa dig inte för oss!

Min pappa såg forskande på mig.

– Ta det lugnt och vila nu, Mia, sa han. Vi ser efter huset åt er.

Jag svalde tårarna.

– Tack, pappa, viskade jag.

Jag kramade honom hårt, hårt.

– Kom nu, Mia, sa psykologen.

Jag satte mig bredvid Emma och Robin i baksätet. Psykologen lade i växeln. Bilen rullade iväg. Jag vände mig om och tittade på mina föräldrar genom bakrutan. De vinkade. Skuggan av deras händer dansade över garageväggen. Vägen svängde. De försvann ur mitt synfält. Det var den 29 januari 1990. Det var sista gången jag såg min hemstad.

Del fyra

Gömda

18

PSYKOLOGEN PARKERADE SIN BIL på personalparkeringen bakom lasarettet i grannstaden. Anders bar resväskorna.

Vi gick nedför en trappa, hamnade i en kulvert. Enorma, grå plaströr hängde i taket. Ljudet av våra steg ekade i betongen.

– Vi är snart framme, sa psykologen.

Vi svängde till höger, gick förbi en tom likvagn.

– Jag fryser, mumlade jag.

Vi kom in i ett underjordiskt garage. Där stod ambulanser, blodtransportbilar, akutbilar. Tjocka betongpelare höll upp parkeringsdäckets tak.

– Längst bort in mot väggen hittar ni Lasse. Det är han som blir vår chaufför.

Hon lämnade oss innanför dörren till garaget. Plötsligt kände jag att jag behövde kräkas. Jag spydde över kofångaren på en läkarbil.

Minibussen var vit. Den hade plats för åtta personer. Psykologen satte sig fram bredvid chauffören.

– Gör det så bekvämt för er som möjligt, sa hon. Det här kommer att ta ett tag.

– Vart ska vi? sa Anders.

– Det får ni se, sa hon.

Bussen kom upp på en smal gata på baksidan av lasarettet. Emma satt bredvid mig. Hon sa ingenting, tittade med oseende ögon in i sätet framför. Vägskyltarna rusade förbi, svisch, tätt intill bussen.

Jag blundade, andades. Det är inte sant, tänkte jag. Jag drömmer. Snart vaknar jag. Snart är det morgon. Då vaknar jag och ligger i dubbelsängen hemma i radhuset. Jag kände hur tårarna rann nedför mina kinder. Jag dör, tänkte jag. Jag klarar inte detta.

Vi passerade grannstadens industriområden. Bilprovningen, slakteriet, byggmarknaden. Möbelaffären där vi köpt vår fina, vita skinnsoffa. Lågprismarknaden, sporthallen. Den disiga vintersolen blekte alla färger till blaskiga pasteller.

– En sådan fin dag! sa psykologen.

Jag stirrade på henne. Verkligen?

Mil lades till mil. Ännu kände jag igen mig. Hus, gårdar, avtagsvägar. Emma somnade, kröp ihop på sätet bredvid mig. Robin gnällde. Anders gav honom en banan. Chauffören satte på bilradion. Musiken skvalade.

– Snälla, stäng av, viskade jag, men det hördes inte.

Den tjocka skogen blev en gröngrå massa när tårarna skymde min sikt.

Efter ett par timmar stannade vi och åt på en vägkrog. De hade precis börjat servera dagens rätt, men vi valde à la carte. Jag minns inte vad jag åt, men det var något grillat.

Skogen flimrade förbi. Träd, träd, träd. Jag hade tappat riktningen, visste inte längre om vi körde norrut eller söderut.

– Nu är det inte så långt kvar, sa psykologen.

Jag satte mig upp, hade kanske slumrat till en stund. Jag tittade ut genom fönstret, en vägskylt svischade förbi. Plötsligt blev jag klarvaken. Jag visste var vi var! Jag hade åkt här förut! Med familjen G!

– Nej! ropade jag. Nej!

Jag reste mig upp och började banka chauffören i ryggen.

– Nej! skrek jag. Jag vill inte dit! Inte dit! Inte i det rummet!

Anders kastade sig fram, tog tag i mina axlar, andades i mitt öra.

– Mia, Mia, för Guds skull, lugna ner dig, vad är det?

Chauffören växlade ner, stannade minibussen intill vägrenen. Jag storgrät in i Anders bröst, lämnade våta fläckar på hans tröja.

– Inte till det rummet, inte nere i källaren.

– Men snälla du, ni ska bo på ett pensionat! sa psykologen. På ett pensionat ett par mil härifrån...

Långsamt gick hennes ord in i mitt medvetande. Pensionat?

– Inte i rummet nere i källaren? sa jag.

– Var har du fått det ifrån? Att ni skulle bo i en källare? sa hon lite irriterat.

Jag andades. Vilken dåre jag var! Inte kände psykologen till Berit och hennes underjordiska rum. Där gömde sig flyktingar för att undkomma en utvisningsorder från de svenska myndigheterna. För oss var situationen precis omvänd: vi gömde oss för att undkomma en grupp flyktingar, på order av de svenska myndigheterna.

– Förlåt, mumlade jag. Ursäkta, jag vet inte vad som tog åt mig...

Jag satte mig ner igen, Anders satte sig bredvid mig. Han strök mig över kinden, torkade bort tårarna, lade sin arm om mig. Emma hade vaknat, satt hopkrupen längst in på sätet. Robin sov.

– Det är bara för en kort tid, viskade Anders. Ingen kan bo på hotell för evigt.

Jag kramade hans hand.

– Nej, det är klart, viskade jag tillbaka.

Vi kom fram på eftermiddagen. Pensionatet låg i den lilla byn Kloten, precis på gränsen mellan Dalarna och Västmanland. Det var rött med vita knutar, hette Sävernäsgården och var mycket nedslitet. Det låg intill vägen mellan Skinnskatteberg och Kopparberg. Två hus, ett mycket smalt och avlångt som låg med gaveln mot vägen, ett annat från fyrtiotalet med en platt sextiotalsutbyggnad.

Pensionatets ägare mötte oss på parkeringen utanför.

– Välkomna, sa hon och tog i hand. Jag heter Barbro.

Jag hälsade mekaniskt, tittade mig omkring. Den långsmala längan var nermörk. Fönstren gapade som svarta hål i väggarna. Jag rös till. I det andra huset var lamporna tända. En dörr stod på glänt på gaveln.

– Kom in i värmen, ni är hungriga förstår jag, sa Barbro.

Innanför den smala hallen fanns en matsal med fem runda bord. Alla var grönlaserade och saknade dukar. I mitten stod ett varmhållningsbord med en kopparkittel.

– Varsågoda och ta för er, sa Barbro.

Fläskkotletter och brytbönor, kopparkitteln var full av stekt potatis.

Vi tog för oss, skar upp maten i små bitar åt Emma, mosade några stekta potatisbitar åt Robin. Alla hemtama gamla rörelser, att lyfta skeden och föra den till Robins mun, att skjuta in Emmas stol, kändes tunga, långsamma och overkliga. Jag var torr i munnen, drack två glas isvatten.

– Ät lite Mia, sa Anders lågt.

Jag tog en potatisbit, tuggade, drack och svalde. Jag tog en tesked, fyllde den med mitt isvatten och tvingade in den i Emmas mun. Hon grimaserade lite, men svalde mekaniskt. Jag mosade potatis, blandade i en smörklick, tog en liten mosklump längst ut på teskeden och stoppade in den också i munnen på henne. Vatten, mos, vatten, mos, hon kanske fick i sig en matsked.

– Så bra att du äter, gumman, sa jag.

Psykologen och chauffören pratade. Jag hörde deras röster, men uppfattade inte orden. Det här är inte sant, tänkte jag, stirrade ut genom fönstret. Mörkret föll hastigt.

Jag kunde inte se så mycket därute längre. Utanför fönstret fanns en brant jordvägg, klädd med snötyngda träd. Det lilla ljus som fortfarande sipprade ner från himlen ovanför sögs upp av mörkret bland trädstammarna.

– Tror du det blir bra här? sa psykologen.

– Visst, sa jag tonlöst. Jättebra.

Efter maten tog vi våra bägge resväskor och gick bort till annexet.

– Det här är ett gammalt konvalescenthem för utslitna skogshuggare, sa Barbro glatt medan hon låste upp ytterdörren. Det är en fin gammal timmerkåk under panelen, byggd någon gång i slutet av artonhundratalet.

– Har du haft stället länge? frågade Anders.

– I sjutton år, sa Barbro.

Vi gick in i huset. Innanför dörren hängde en mynttelefon. Ett par trappsteg ledde upp till den första våningen. Två bruna svängdörrar skälvde lite i draget från ytterdörren.

– Här nere har vi tolv rum och toaletter, sa Barbro. Ni ska bo på övervåningen.

Vi gick uppför trappan.

– Rum tretton är ert, sa Barbro.

Mitt hjärta sjönk ner i skorna. Detta var värre än rummet i källaren.

– Gode Gud, viskade jag.

Rummet var ungefär tio kvadratmeter stort. På ena sidan stod en furuvit våningssäng, på andra stod en annan våningssäng, något lägre och grönlaserad. Rakt fram fanns ett fönster, under det stod en byrå. Det var hela möblemanget.

Jag sjönk ner på ena sängen. Alla täcken var olika, detta var av orange filt. Tapeterna var bruna och medaljongmönstrade.

– Anders, viskade jag. Hur ska vi kunna bo här?

– Här ute finns badrum och toaletter och torkrum, ropade Barbro utifrån korridoren. Ska ni komma och titta, eller?

Vi gick ut för att titta på resten av byggnaden. Badrummet, toaletten och resten av övervåningen skulle vi dela med de andra gästerna på pensionatet. Nu gjorde inte detta någonting, eftersom vi var de enda som var där.

I badrummet stod tre förpackningar med barnblöjor, Pampers nio-till-arton kilo.

– Jag vill åka hem, sa jag.

Psykologen såg tålmodigt på mig.

– Det kan du inte, sa hon. Jag vill inte att ni vistas utomhus överhuvudtaget. Ni kan gå till matsalen, men i övrigt måste ni hålla er inomhus.

– Hur länge då? sa Anders. Hur länge ska vi vara här?

– Jag vet inte riktigt ännu, sa hon. Er situation måste lösas på något permanent sätt, men tills vidare får ni bo här.

– Varför just här? sa jag.

– Jag kände till det här stället sedan tidigare. Vi brukar vara här med olika konferensgrupper, sa psykologen. Jag tyckte det passade bra – här är ju så isolerat...

Jo tack, tänkte jag.

– Men hur länge? envisades Anders.

– Tre månader, inte längre, sa psykologen. Tills dess har vi hittat en annan, bättre lösning. Och ni får inte ringa och berätta för någon vart ni tagit vägen. Hör du det, Mia? Du får inte ringa till dina föräldrar!

– Jag vill åka hem, sa jag.

Psykologen svarade inte.

Det blev kväll. Barnen somnade på var sin underslaf, Robin med byrån framför sängen. Anders såg på Aktuellt ute i tv-rummet. Jag låg utsträckt ovanpå överkastet på sängen ovanför Emma. Ljuden från tv:n sipprade ut mellan svängdörrarna, genom korridoren och in i det lilla rummet som ett sönderryckt mummel.

Jag vaknade frampå småtimmarna, satte mig upp och slog huvudet i taket. Var var jag?

– Emma, Anders! Anders!

Min make satte sig yrvaket upp i den andra våningssängen.

– Sch Mia, barnen sover...

– Han kommer! ropade jag. Snart är han här!

Anders hoppade ner på golvet och klev raskt upp i min säng.

– Ta dig samman nu, Mia, sa Anders barskt. För barnens skull.

Jag svalde, blundade, andades. Det skulle gå.

– Jag tar mig samman, sa jag. Jag tar mig samman för barnens skull.

– Bra Mia, sa Anders och gick och bytte blöja på Robin.

Jag vaknade med huvudvärk.

Vid åttatiden på morgonen svängde Barbros bil in framför annexet. En halvtimme senare stod hon plötsligt innanför svängdörrarna. Ingen av oss hade hört henne komma.

– Frukosten är serverad, sa hon.

Emma åt två kex.

Dagen, veckan, livet låg ändlöst framför oss. Jag såg att Emma for illa, men på något sätt orkade jag inte hjälpa henne. Hennes vita lilla ansikte började bli alldeles genomskinligt. Hon hade inte sagt ett enda ord sedan i torsdags, inte sedan ordet Kajsa, strax innan hon sprang iväg och öppnade dörren.

Jag blundade, ville inte tänka tanken klar. Flickan hade kunnat vara död idag. Död, vem var det som var död? Morfar? Pappa? Hade han kört över pappa? Jag andades. Ta det lugnt. Det här går fint. Någon är död. Hjärtat lugnade ner sig. Javisst ja, det var Marianne!

Jag grät lite. Orkade inte sjunga för Emma. Jag tänkte på min mamma och min pappa. De trodde att vi var på en skön semester någonstans just nu. De tog hand om vårt hus och vår bil, våra blommor, vår post, bara väntade på att vi skulle komma tillbaka. Och vi skulle inte göra det! De skulle aldrig få reda på varför! De kanske skulle tro att vi var döda! De skulle gå där på gångvägen mellan sin villa och vårt radhus, undra och fundera. De skulle gå och vänta på telefonsignalen som aldrig skulle komma. De skulle ha tv:n på låg volym på kvällarna för att inte missa ringningen. De skulle tacka nej till middagar och kafferep. Kanske kanske skulle de få signalen just då. Tecknet, som berättade vart vi tog vägen. Men det skulle aldrig komma.

Jag grät ljudlöst ner i kudden.

Hela dagen satt vi inne i den slitna gamla byggnaden. Anders försökte leka lite med barnen, men Emma brydde sig inte om honom. Hon satt hopkrupen och tyst på golvet i det gemensamma tv-rummet. Anders apade sig för henne, läste böcker och plockade fram kritor. Hon såg honom inte.

Robin stolpade runt lite. Anders pratade med honom, kramade honom, jagade honom. Pojken skrattade och skrek.

Jag gick in i rummet. Det sjöng i mitt huvud. Utanför fönstret fanns ett obebott sommarhus och en vit yta som senare skulle visa sig vara Sävernässjön. Längre bort fanns kullar och skog. På andra sidan den snötäckta snön glimmade några ljus; fönster från små hus och gårdar. Snön hade bäddat in hela landskapet i bomull, precis som på ett julkort. En vind ven i en otät list.

Där här går bra, tänkte jag. Det här går fint. Jag klarar det här. Det är inget farligt. Då hörde jag steg i taket ovanför. Jag stirrade uppåt, såg sprickorna i takfärgen. Hjärtat dunkade. Däruppe fanns ingenting. Stegen gick fram och tillbaka, orytmiskt, släpande. Tunga, som med grova kängor. Det är han! Han är här! Han har hittat oss! Han är på taket! Jag skrek. Jag skrek tills jag hörde Anders röst i mitt öra, kände hans stenhårda armar runt min midja.

– Sluta, Mia! väste han hårt. Du skrämmer livet ur barnen!

Jag försökte slå honom, sprattlade vilt. Anders höll mig i ett järngrepp ända tills jag inte orkade längre, sjönk ihop i en hög intill våningssängen och grät. Det dånade i huvudet, ett brus som överröstade allt annat.

– Sov en stund, Mia, sa Anders.

Han lät så långt borta.

Jag drömde. Vi sprang, hand i hand, flickan och jag, nästan svävade, längs hela den långa gatan utanför radhuslängan, bort längs häckarna, förbi lekplatsen. Vi skrattade båda två, jublade högt, berusande fria.

– Mamma, mamma, ropade flickan. Vi ska alltid springa så här fort!

Jag vaknade med ett ryck. Det var alldeles svart i rummet. Jag hörde barnen snusa och sova under mig, hörde Anders långa, jämna andetag i våningssängen bredvid. Jag höll andan, blundade hårt, ända tills jag trodde bröstet skulle sprängas. Det hjälpte inte. Tårarna kom ändå.

Dagarna flöt snabbt samman. Barbro kom på morgnarna och åkte hem vid fyratiden på eftermiddagarna. Ibland var hennes man Ulf med henne, någon enstaka gång såg jag en extrahjälp i köket.

– Inte nu igen, stönade Anders när varmhållningsbordet bjöd på isterband och kopparkitteln var full av stekt potatis igen.

Emma rörde inte maten. Jag tvingade i henne små teskedar med mosad potatis och mjölk. Själv sköt jag tallriken ifrån mig, kunde inte äta.

– Ta upp gaffeln, Mia, sa Anders lågt och barskt. Du måste få i dig lite mat. Emma kommer aldrig att äta om inte du gör det.

Jag svalde, tog upp en brun bit stekt potatis. Den växte som skumgummi i min mun.

Samma eftermiddag kom Barbro upp till oss. Plötsligt stod hon bara där.

– Skulle det inte vara bra att ha en bil som stod här ute? Bara utifall att? sa hon.

Anders tittade förbluffat på henne.

– Ja jovisst, givetvis! Men var ska vi få tag i en bil?

– Jag kanske kan ordna det, sa Barbro.

Hon gick, lika ljudlöst som hon kommit.

Vad spelade det för roll om vi hade en limousin därute? Vi fick ju inte gå ut.

– Jag blir galen! skrek jag och slog knytnäven i dörrposten.

Psykologen ringde.

Vi fick gå bort till receptionsbyggnaden och ta emot samtalet.

– Hur har ni det? sa hon käckt.

– Hemskt, sa jag.

– Hur mår ni? sa hon.

– För jävligt! sa jag och började gråta. Jag vill åka hem! Jag vill inte sitta här! Jag blir tokig av all skog!

– Det är bara temporärt, sa psykologen. Håll ut, Mia! Jag kommer snart upp och hälsar på er.

En kväll fick vi bilen, en blå Toyota Corolla. Det var en hyrbil, officiellt hyrd av pensionatet, men stod till vårt förfogande om något skulle hända. Den betalades av socialtjänsten i vår hemkommun. Den ställdes upp på parkeringen utanför staketet. Anders tackade Barbro för hjälpen. Så fort Barbro gått ut rusade jag fram till Anders, grep honom i armen och sa upphetsat:

– Kom! Vi åker hem! Fort, innan de ändrar sig.

Anders såg ut som att han skulle protestera, sedan tändes ett ljus i hans ögon.

– Vi skulle vara framme före midnatt! Vi skulle få sova i vår egen säng! sa jag.

– Jag skulle kunna åka upp till firman i morgon, kolla bokslutet, sa Anders.

– Ja, och blommorna måste säkert vattnas!

– Fast bilbarnstolarna, hur blev det med dem? Sitter de kvar i psykologens bil?

Vi blev tysta, log in i varandras ögon. Så dog Anders blick, sjönk ner i golvet.

– Det går inte, Mia, sa han och såg ner.

– Det går visst! sa jag upphetsat, grep tag i hans armar. Vi är hemma före midnatt!

Han gjorde sig fri, strök mig över kinden.

– Tänk på konsekvenserna, sa han.

– Jag vill hem! skrek jag. Jag vill inte sitta i det här hemska huset mitt ute i ingenstans!

– Barnen då? sa Anders hårt. Ska vi sitta och vänta tills nästa gång han kommer in och försöker skära halsen av dem?

Jag vände tvärt och gick in i rummet. Hat, hat, hat!

Den natten kissade Emma i sängen för första gången på över ett år.

– En olycka händer så lätt, sa Anders och strök tösen över huvudet.

Hon reagerade inte.

Två veckor gick. Bilen stod där ute. Jag gick förbi den ibland på väg till eller från matsalen, strök med handen över den kalla, blanka lacken.

– Mia, ropade Barbro uppfordrande. Vart är du på väg?

– Vad är hon egentligen? viskade Anders. Vår fångvaktare?

Vi fick isterband. Isterband och stekt potatis i kopparkitteln på varmhållningsbordet.

En natt vaknade jag och gick upp på toaletten. Innan jag klättrade tillbaka upp i sängen ställde jag mig och såg in i den svarta natten. Långt däruppe glittrade några försiktiga stjärnor.

– Mia?

Jag stelnade till. Vem var det där? Barnen sov, Robins lugna andetag blandades med Emmas fjäderlätta. Anders arm hängde ner över kanten på sängen.

– Mia!

Jag flämtade till. Det var någon som ropade på mig! Det var någon i den undre våningen som ropade på mig! Jag drog mig bort mot dörren, öppnade den på glänt.

– Mia, var är du?

Hon var där nere. Vem kunde det vara? Jag gick ut i hallen, bort mot trappan, tryckte upp svängdörrarna. Det var becksvart där nere.

– Mia!

Nu hörde jag! Jag kände igen rösten! Det var Marianne!

– Jag kommer! ropade jag. Jag är på väg!

– Mia, vi väntar på dig! ropade hon.

Hennes röst lät starkare nu. Jag famlade mig fram, snubblade och ramlade de sista fyra stegen. Mitt knä stötte emot något, det gjorde ont.

– Jag är här! ropade jag. Vänta på mig, jag kommer!

Jag reste mig upp, gick in genom nya svängdörrar: golvet lutade, först åt ena hållet, sedan åt andra hållet. Jag ramlade igen.

– Mia?

Rösten lät längre bort igen. Jag stannade upp, lyssnade, andades flämtande.

– Vänta! skrek jag. Marianne. Gå inte!

– Mia...

Nu kom det uppifrån. Jag stirrade i taket men såg inget, bara mörker. Hon hade gått ifrån mig, lämnat mig här i allt det svarta.

– Mia...

Jag skrek.

Ljus. Jag blundade hårt. Ljuset bländade mig.

– Mia, Mia, hur är det?

En annan röst, Anders röst. Jag öppnade ögonen. Han lutade sig över mig.

– Mia, för helvete, vad gjorde du där nere?

Han lät orolig. Jag blundade igen. Var var jag?

– Hon ropade, sa jag.

– Vem då? sa han förvirrat.

– Marianne, viskade jag.

– Marianne? sa Anders förbluffat. Men, hon är ju död?

Jag öppnade ögonen igen, stirrade in i lampan.

– Jag vet, sa jag.

Anders svarade inte. Jag vände blicken från lampan. Svarta fläckar dansade framför mina ögon.

– Vad är det som händer med mig? Håller jag på att bli tokig?

Jag klamrade mig fast vid min man.

– Hjälp mig, Anders. Hjälp mig!

Psykologen och Lasse, chauffören, kom till Kloten på eftermiddagen. Jag låg på sängen, hörde svängdörrarna gnälla.

– Hej Mia, sa psykologen in i vårt rum.

Jag svarade inte. De gick ut i tv-rummet. Jag vände ansiktet in mot väggen, ville inte höra. Kanske slumrade jag till en stund, för mitt nästa minne är att Anders står vid min sida.

– Mia, psykologen vill tala med dig.

– Jag skiter i henne, sa jag. Det är hon som har satt mig här.

– Mia, sa Anders vädjande.

Jag reste mig mödosamt upp, gick ut till tv-rummet. Psykologen reste sig ur fåtöljen.

– Men kära Mia, hur är det fatt? sa hon och kom emot mig.

Jag svalde, ville gråta.

– Dåligt, viskade jag. Jag mår jättedåligt. Emma mår jättedåligt också, hon är nog lika ledsen som jag...

– Jag vill åka hem, sa jag. Inget är värre än detta.

– Det går inte, det vet du ju, sa psykologen tålmodigt. Han dödar er.

– Han kanske ger upp, sa jag. Han kanske inser att han har fel och lämnar oss i fred!

Jag blev ivrig, försökte få henne att förstå.

– Vi kanske kan tala honom tillrätta! sa jag. Om han får ha delad vårdnad om Emma så låter han oss säkert vara i fred, säkert! Det tror jag! Han skulle aldrig göra oss illa!

Psykologen, Lasse och Anders såg på mig. Det blev mycket tyst när jag talat färdigt.

– Vi har gått igenom alltsammans mycket noggrant, sa psykologen. Jag talade med alla berörda instanser innan beslutet att ni skulle åka iväg kunde tas. Både landstinget, socialtjänsten och polisen står bakom beslutet. Det var enda möjligheten att hålla er vid liv.

– Det här är inget liv! sa jag hetsigt. Det är ett fängelsestraff!

– Ni är i säkerhet här, sa psykologen.

Jag ställde mig upp.

– I säkerhet? Vi sitter ju i isoleringscell! Nej förresten, det vore humanare att sitta i fängelse: då får ens anhöriga i alla fall veta var man är!

Jag gick runt bordet, stirrade på psykologen. Hon satt med händerna knäppta i knät i den låga soffan, benen tätt ihop och med det där speciella, förstående psykologuttrycket i sina ögon.

– Nej vet du vad, Mia.

– Sitt inte där och glo! skrek jag. Det är du som har satt mig i den här skiten!

Psykologen blev bestört, det medlidsamma uttrycket ramlade av.

– Nej men snälla Mia...

– Snälla mig hit och snälla mig dit! skrek jag och backade ut mot vårt rum. Det är ditt fel! Kom inte hit och låtsas!

Jag rusade genom svängdörrarna, in i vårt rum och smällde igen dörren. Anders ryckte upp den sekunden efteråt.

– Nu får du lägga av, sa han hårt. Det är väl för helvete inte psykologens fel att du skaffat barn med en jävla galning...

Jag smällde till honom rätt i ansiktet med handflatan.

– Ut härifrån, väste jag. Du behöver inte stanna här en sekund till. Packa och åk! Varsågod!

Han grep tag om mina handleder med sina bägge händer, kom nära mitt ansikte.

– Jävligt bra idé, Mia, sa han. Jag kanske tar och gör det!

Han släppte mig, vände på klacken och gick ut ur rummet.

– Åk du bara! skrek jag efter honom. Stick! Dra åt helvete! Du behöver inte sitta i den här skiten, bara för att jag gör det. För det är ju mitt fel, eller hur? Mitt fel! Det är här rätt åt mig, eller hur?

Jag sjönk ihop på golvet, skakande av gråt. Psykologen kom in, trippade försiktigt i sina stövletter, lutade sig över mig.

– Här, Mia, sa hon och höll fram två knallröda, runda tabletter. Ta de här, så mår du mycket bättre sedan...

Jag slog till hennes hand så att tabletterna flög.

– Tror du inte jag fattar? skrek jag. Tror du inte jag känner igen psykmedicin när jag ser den?

Jag reste mig upp med krafter jag inte visste att jag hade, gick väldigt nära psykologen, fick henne att backa mot dörren.

– Du ska veta en sak, sa jag och andades häftigt. Det är inte jag som är sjuk, det är det här jävla pensionatet som är sjukt!

Jag slet tag i hennes fina dräkt.

– Det går folk uppe på vinden, viskade jag. Döda kvinnor ropar på mig i undervåningen. Emma har blivit stum, hon pratar inte längre. Och du ska ge mig psykmedicin!

Jag släppte kavajslaget, kastade huvudet bakåt och skrattade hysteriskt.

– Jag har hamnat i helvetet! tjöt jag. Djävulen sitter på fönsterkarmen och skrattar åt mig!

Jag hade hamnat med ryggen mot en vägg, rullade huvudet från sida till sida.

– Det är julafton i helvetet! skrek jag.

Jag kände att jag började glida ner längs väggen. Psykologens röst kom någonstans långt bortifrån. Någon lyfte upp mig, någon grät – kanske var det jag.

– Hjälp mig att få i henne tabletterna...

Någon tryckte in någonting i min mun. Jag försökte spotta ut det. Det gick inte. Någon förde ett glas till min mun. Vatten. Jag spottade, fräste, svalde.

– Nu så, sa psykologen. Nu sover hon till i morgon.

Mörker.

Det var mörkt i vårt rum. Det gjorde inget. Jag låg och flöt i min säng, andades långsamt och lugnt. Stilla. Skönt. Jag vände mig om i sängen. Min kropp var så tung. Så tunga armar. Så tunga ben. Jag rullade ihop mig under filten. Så mysigt.

Jag lyssnade till barnens andetag där under mig. De var så fina. Allt var så bra, vi hade det så fint. Om jag orkat hade jag nynnat lite för mig själv. Snart sov jag igen.

Det var en känsla som jag skulle minnas länge.

Hela förmiddagen låg jag och dåsade i min säng. Till lunch kom psykologen in i rummet.

– Tror du att du kan komma ut en stund, Mia? Det är någonting jag vill ge dig...

Jag satte mig mitt emot psykologen, försökte fixera burkarna på soffbordet med blicken.

– Lyssna noga nu, för det här är viktigt! sa psykologen.

Hon tog upp den första burken, öppnade den och hällde ut några röda piller. Det var likadana som dem hon räckte fram mot mig tidigare, var det igår?

– Det här är Nozinan, 25 milligram, sa hon. Det är en medicin som gör att du sover gott, men den hjälper också mot oro och ängslan. Den kan du ta en av varje kväll, om du har svårt att sova. Hör du det, Mia? En till kvällen, om du har svårt att sova.

Hon hällde tillbaka pillren i burken och tog upp nästa.

– Det här är Sobril, 10 milligram, sa hon.

Pillren var runda, vita, platta och hade en skåra mitt över.

– De hjälper mot ångest och ängslan, sa psykologen. De dämpar spänningar i centrala nervsystemet, så du slappnar av och blir lugn. Ta en eller två om du känner dig rastlös och ledsen. Det tar en timme innan tabletten verkar, så ta inte fler tabletter för tidigt.

– Inte för tidigt, sa jag.

– En Nozinan till kvällen, sa psykologen och skramlade med den ena burken. En eller två Sobril om du är ledsen, fortsatte hon och skramlade med den andra.

– Två om jag är ledsen, sa jag.

Anders följde psykologen och Lasse ner till deras bil när de åkte, men jag stannade kvar på rummet. Då var det 100 röda piller i den ena burken och 250 vita i den andra. De skulle snart bli betydligt färre.

Med pillerburkarna inom räckhåll gled jag snart in i en dimma av Sobril. Jag mindes hur det kändes när jag vaknat den där första natten, jag hade mått så fint, varit så lugn och glad. Jag hade flutit omkring i sängen, andats så skönt. Jag ville ha den känslan tillbaka. Den kom inte.

Jag grät. Jag var ledsen, förvirrad och dessutom drogad och vimmelkantig.

– Sluta stoppa i dig de där jävla pillren, fräste Anders. Ingenting blir bättre av dem, det fattar du väl!

Jag svarade inte, bara grät, lämnade över allt ansvar för barnen till Anders och flöt omkring i mitt töcken av psykofarmaka.

Det blev smällkallt. Elementet i vårt rum blev glödande hett. Det susade och brusade i vattenledningssystemet. Det knarrade och knäppte i den gamla träkåken. Svängdörrarna stod och slog trots att ingen gick förbi dem.

– Det är de gamla skogshuggarna, sa jag till Anders. De är här för att vila upp sig.

Anders tittade konstigt på mig.

– Du snackar strunt, Mia, sa han.

Ibland, när jag vaknade om nätterna, trodde jag att jag befann mig i det underjordiska rummet i Berits källare.

– Ni får stanna här livet ut, sa jag till herr G i drömmen. Ni kommer aldrig härifrån.

Vi skulle ha varit hemma nu. Hur länge hade vi varit i Kloten? En månad? Fem veckor? De saknade oss därhemma. Sisse och barnen gick förbi vårt hus, spanade in mot de mörka, gallerförsedda fönstren.

– De kommer nog snart, Kajsa, skulle Sisse säga till barnen. I morgon är de nog hemma igen, ska du se. Då kan vi gå över till Emma och leka.

Men vi skulle inte komma. Min mamma skulle vattna blommorna. Min pappa skulle börja driva upp sticklingar som han kunde plantera i våra rabatter till våren. Han skulle klippa ner vårt äppelträd, kratta grusgången, kanske måla staketet.

– De skulle ju bara vara borta två veckor, skulle de säga till varandra. Var kan de vara? Varför hör de inte av sig? Förstår de inte att vi är oroliga?

Kylan knäppte i huset. Jag tog ett piller till, två piller till. Hur var det – två röda eller två vita? Jag tog två till av varje för säkerhets skull. Svängdörrarna smällde. Stegen knarrade.

Jag hörde Anders leka med Robin långt borta. En signaturmelodi från ett program jag kände igen. Jag vinglade till, Emma kom emot mig.

– Emma pemma, sa jag och tog tag i väggen. Men det var ingen vägg, det var svängdörren. Jag ramlade ut i trappuppgången, slog i huvudet. Det var kallt, iskallt. Emma tittade på mig. Det blev vått på mitt ögonbryn, tjock och kladdigt. Mörkret vällde in genom fönstret. Några ljus glimmade på andra sidan sjön.

– Jag ska åka hem, sa jag, men det hördes inte.

Jag tog två piller till, sedan två till och tre till och sju till.

– Jag vill inte vara här längre, sa jag till mörkret.

– Jag ska åka hem nu. Nu vill jag inte vara här längre.

Jag grät lite.

– Nu kommer jag, sa jag och tog det som var kvar i burken.

Jag gick ut genom svängdörrarna, ut i trappan. Sedan gick jag inte längre. Jag flög. Jag svävade graciöst ner genom trapphuset, förbi mynttelefonen, öppnade dörren – så lätt den gled upp. Jag skrattade. Det var så skönt! Så varmt och skönt! Och där var bilen, vår fina bil som jag aldrig suttit i! Jag svävade fram till förarsätet. Äntligen kom friden tillbaka! Jag skrattade lättat. Så enkelt det var! Det vara bara att köra härifrån, hem genom skogen, förbi alla husen och ända hem till oss.

– Nu kommer jag! ropade jag.

Anders hittade mig på parkeringen, liggande i snön alldeles intill bilen. Jag hade träningsoverallsbyxor, t-shirt och var barfota. Han bar upp mig till badrummet i övervåningen, letade fram småpengar och ringde Barbro från telefonautomaten nere vid dörren.

Barbro avrådde honom från att ringa efter en ambulans, då skulle ju vårt gömställe röjas. I stället visste hon en läkare som kunde hjälpa oss, doktor A. Det händer fortfarande att jag drömmer om hans ansikte som lutar sig över mig. Han håller sina fingrar långt nere i min hals. Då vaknar jag alltid, och då måste jag gå upp och kräkas.

De duschade mig i iskallt vatten. Jag skrek, kämpade emot. Sedan fick jag torra kläder på mig. Hela tiden slog läkaren mig på kinderna. Sedan började de gå. Fram och tillbaka i korridoren, in genom svängdörrarna, ut genom svängdörrarna. Jag grät, ville sova, benen vek sig under mig. De drog upp mig, Anders och läkaren, tvingade mig att gå fram och tillbaka, fram och tillbaka.

– Hon får inte somna, sa läkaren.

Sedan började de gå med mig i trappan. När morgonen kom fick jag gå ut en stund. Jag frös, grät, ville sova.

– Nu är krisen över, sa doktor A.

Jag vaknade. De var mörkt ute. Anders satt vid fotändan av min säng. Han hade huvudet lutat i händerna. Hans axlar skakade. Han grät. Det var första gången någonsin såg jag min make gråta.

– Anders, försökte jag säga. Min röst var alldeles skrovlig.

Han såg förvånat upp, hade nog suttit där en lång, lång stund.

– Förlåt, viskade jag och sträckte armarna mot honom.

Han kom fram till mig, drog mig intill sig och grät i mitt hår.

– Älskade, älskade, älskade Mia, viskade han. Älskade rara vän, jag trodde du skulle lämna mig!

Han grät, jag grät, vi vaggade varandra. För första gången lät vi vår sorg och förtvivlan få ett gemensamt utlopp. Länge, länge satt vi och talade med varandra, talade faktiskt ordentligt för första gången sedan vi åkte iväg.

– Jag kan inte gå omkring och gråta längre nu, sa jag. Antingen tar jag mig samman, eller så går jag under.

Min make kramade mig, kysste mig på håret, viskade:

– Han ska inte få krossa vår familj. Vi har lämnat nästan allt, men vi har fortfarande varandra och ungarna.

– Det är värst för dem vi lämnade kvar därhemma, sa jag.

– Det är inte för evigt, kom ihåg det! sa Anders.

– De måste grubbla sig sjuka över var vi är.

– De förstår, sa Anders lugnande. Det är jobbigt för alla nu en tid, men det blir bättre sedan.

Jag är glad att jag inte visste då hur lång tid det skulle ta. Om jag vetat det så tror jag inte att jag hade orkat. Men den här stjärnklara, smällkalla natten satt vi tätt intill varandra i det gamla hundraåriga trähuset och talade om framtiden.

– Vi ska klara det här, Mia, sa Anders. Vi ska hålla ihop. Jag älskar dig.

– Jag älskar dig, viskade jag.

Dagen därpå spolade jag ner de Sobrilpiller som var kvar i toaletten. Jag mådde urdåligt, men beslöt mig för att aldrig mer äta psykmedicin.

Det har jag inte gjort heller.

Överdosen blev en vändpunkt. Den natten bestämde jag mig för att överleva. Han skulle inte förgöra vår familj. För första gången accepterade jag också att vi levde gömda. Det betydde inte att han hade lyckats – tvärtom. Han hade förlorat. Så försökte jag tänka, och långsamt började vi ta ansvar för vår nya, onaturliga livssituation.

Visserligen var vi fortfarande paralyserade av utegångsförbud och instruktioner, men vi började själva bestämma vad vi skulle göra och vad som hände med oss. Det blev en lång process, full av små små steg, men det gick vägen. Och det började redan nästa dag. Direkt efter att Barbro åkt hem sa jag till Anders:

– Vi smiter!

Han såg först förskräckt ut.

– Mia, vi har ju pratat om att vi inte ska åka hem...

– Nej, nej, sa jag. Inte åka hem, vi bara smiter ut och kör lite. Det gör väl inget! Varför ska vi sitta här? Vi kan väl ta en sväng med bilen bara! Ingen får reda på det!

Bilen var svårstartad. Anders fick försöka flera gånger innan den till slut gick igång.

– Vart ska vi? frågade han sedan han mödosamt svängt runt den tröga, kalla bilen på parkeringen.

– Ingen aning, höger eller vänster, sa jag.

Han svängde ner mot Skinnskatteberg.

Vi körde runt i över en timme på de små, små vägarna i skogarna i Västmanland och södra Dalarna. Till slut hade vi ingen aning om var vi var. På något sätt spelade det inte någon roll. Vi bara skrattade åt det. Så kom vi plötsligt ut på en asfalterad väg. Den var något bredare än de andra, men fortfarande ruskigt kurvig.

– Vi går och hör efter var vi är någonstans, sa Anders.

Vi stannade till vid en parkering nedanför två större hus.

– Det liknar nästan Sävernäsgården, fast mycket finare, sa jag.

Det lyste inbjudande från fönstren i den nyare byggnaden. Jag gick till den stora entrén mitt i huset, knackade på och hamnade i en ljus och luftig restaurang.

En man och en kvinna gick och dukade därinne.

– Du är på Björsjö skogshem, sa de. Det är inte så långt från Kloten, ett par mil bara. Närmaste vägen dit är att köra småvägarna över Malingsbo...

Vi var tillbaka på Sävernäsgården en kvart senare.

Dagen därpå kom inte Barbro till pensionatet. Vi väntade förgäves på både frukost och lunch.

– Äsch, sa Anders. Vi kör in till något samhälle och tar en hamburgare.

Vi åkte till Kopparberg och köpte pizza. Robin åt med god aptit, men inte Emma. Jag mosade pizzan, blandade ut den med mjölk och stoppade in den i hennes mun. En del svalde hon, en del ramlade ut på hennes haka och ner på golvet.

– Vi måste ta henne till doktorn, sa jag. Så här kan det inte fortsätta. Hon varken äter eller pratar.

Barbro började försvinna från pensionatet mer och mer. Ibland låste hon dörren in till matsalsbyggnaden. De gångerna satte vi oss i bilen och körde iväg till någon restaurang eller något gatukök. Andra gånger kunde vi själva gå in i köket och hitta något att äta.

En dag stod jag inne i köket och bredde ett par smörgåsar när matsalen därute plötsligt fylldes med folk. Jag visste inte vad jag skulle göra. Barbro var ju inte där. Så öppnades dörren utifrån matsalen och två män kom in. Den ene var en äldre man, den andre var kung Carl Gustaf! Jag trodde inte riktigt mina ögon. Först hörde jag döda kvinnor ropa i undervåningen, sedan kom kungen in i köket när jag bredde mackor...

– Vi har beställt lunch för Hans Majestät, kung Carl Gustaf, sa den äldre mannen. Menar du att vi inte kan få någon mat?

– Jag är ledsen, sa jag. Jag bara bor här. Jag väntar också på lunchen.

– Finns här någon telefon? sa herrn barskt.

Jag pekade på väggtelefonen intill dörren. Mannen slog ett nummer ur minnet.

– Björsjö skogshem? Ja, det här är direktör P på Domänverket, hejsan. Jag står just nu på Sävernäsgården med Hans Majestät, kung Carl Gustaf. Vi har varit ute och jagat och skulle äta här, men nu får vi veta att restaurangen är stängd. Kan ni leverera mat till vårt sällskap bort till Klotens herrgård? Omedelbart? Så bra! Då säger vi så.

Sällskapet dröp av. Jag stod med mina formfranskor i händerna. Björsjö skogshem – igen!

– Vi frågar om vi inte kan få flytta dit i stället! sa jag till Anders. Det var mycket trevligare därinne, och så verkar det vara lite mer ordning och reda där.

– Okey, sa Anders. Vi tar upp det med psykologen nästa gång hon kommer hit.

Dagen därpå dök Barbro upp på pensionatet igen.

– Kungen var här igår, sa jag vid frukosten.

– Jag vet, klippte hon av.

Raskt vände hon ryggen till och gick ut i köket. En liten stund senare kom hon ut igen.

– Jag måste åka, sa hon. Det ligger två kilo oxfilé i kylen, Mia. Det är kungens. Ni kan äta upp den, om ni vill...

Jag gjorde i ordning kungens oxfilé med klyftpotatis och en krispig grönsallad som Anders åkte och köpte inne i Kopparberg. Det var den bästa mat vi åt under vår vistelse på Sävernäsgården. Mat värdig en kung, faktiskt.

Det händer än idag att vi skojar om det där.

– Minns du när vi åt upp kungafilén? brukar jag säga till Anders.

Det kom två män och började riva ner väggar, måla och tapetsera i restaurangen.

– Ska du renovera? frågade Anders.

– Nej, sa Barbro. Jag ska sälja.

Hon kom mer och mer sporadiskt till pensionatet sedan de nya ägarna börjat installera sig. Hon tyckte väl att hon gjort sitt där efter sjutton år. Jag kan inte klandra henne.

De nya ägarna, en ung man och hans morfar, stökade och donade. Allt oftare åkte vi ut i bilen även på dagtid. Vi ville åka in till de olika samhällena och handla.

– Vi behöver tillgång till våra pengar på banken därhemma, sa Anders. Hur ska vi bära oss åt för att uttagen inte ska gå att spåra?

Jag tänkte efter en stund.

– Det går att fixa, sa jag sedan.

Jag ringde till min gamla arbetsgivare från väggtelefonen i köket. Jag talade med en av mina arbetskamrater, en kvinna i min egen ålder som stått mig nära. En halvtimme senare hade vi ett hemligt bankkonto, där platsen för uttagen inte gick att spåra.

Vi hade faktiskt lite pengar på våra lönekonton. Försäkringskassans sjukpenning hade gått in på våra konton medan vi varit borta. Visserligen hade vi väldigt låg sjukpenning båda två, men vi hade så vi klarade oss.

Psykologen och chauffören Lasse kom upp till pensionatet igen en av de sista dagarna i mars.

– Nå, trivs ni bättre här nu när saker och ting har börjat lugna ner sig?

– Tvärtom, sa Anders. Det blir bara värre och värre. Barbro har gett upp den lilla service hon hade sedan de nya ägarna kom hit och började riva i tapeterna.

– Vi vill flytta, sa jag. Till Björsjö skogshem.

– Tyvärr, sa psykologen. Vi kan inte dra in hur många personer som helst i det här. Ni lever gömda och ska egentligen inte ha någon kontakt med yttervärlden alls.

– Emma far så illa, sa jag. Hon talar inte alls och äter lika lite. Hon måste få komma till en doktor.

– Det går inte heller, sa psykologen. Vi kan inte engagera ett annat landsting för sjukvårdskostnaderna. I så fall röjer vi er vistelseort.

– Vem är det överhuvudtaget som betalar för att vi sitter inspärrade här? sa Anders hett.

– Räkningen går till landstinget i ert hemlän. Den betalas via mig, så det finns ingen utom jag som vet var ni finns. Sedan ersätter socialtjänsten i er hemkommun landstinget för utläggen.

– Betyder det att vår socialtjänst inte heller vet var vi är? sa jag.

– Ja, precis så är det, sa psykologen.

Jag böjde huvudet, tänkte på Mona. Vad hon måste fundera över vart vi tog vägen.

– Hur kan de ställa upp och betala om de inte vet var vi är? insisterade Anders.

– Ni är gömda enligt paragraf sex i socialtjänstlagen, rätten till bistånd. Den innefattar boende på hemlig ort.

– Kan inte Emmas läkarräkning i ett annat landsting också ingå i den paragrafen? frågade Anders.

– Tyvärr, sa psykologen.

Då reste jag mig upp med Emma i famnen.

– Jag hoppas du ursäktar, men jag tycker vi har pratat färdigt, sa jag och gick ut genom svängdörrarna, längs korridoren och bort till vårt rum på gaveln.

Jävla kärring! tänkte jag hett.

Den första april tog morfadern och dottersonen över Sävernäsgården. Från och med den dagen serverades vi ingen mat alls. Den andra april fick vi nog. Med Barbros hjälp lyckades vi få psykologen att förstå att vi inte kunde bo kvar.

Just innan vi skulle åka kissade Emma på golvet i hallen. Det var tredje gången samma dag. Nu hade vi inte så många fler ombyten. Jag satte mig i sängen med tösen i knät. Hon var lätt som en liten fågelunge.

– Mammas vän, sa jag, och mina ögon fylldes med tårar. Fina kompis, sköna vän. Bli frisk, tösabit, bli frisk.

19

På förmiddagen den fjärde april kom vi fram till Björsjö skogshem. Kontrasten mot Sävernäsgården var total. Det fick mig verkligen att förstå hur familjen G kände sig när de kom till herrgården efter månaderna i det underjordiska rummet.

Paret som jag frågat om vägen ett par veckor tidigare mötte oss i dörren.

– Välkomna, välkomna, sa de.

De hette Birgit och Holger.

Vi skulle bo ovanpå restaurangköket. Där fanns en stor, luftig lägenhet med en hall och tre rum.

– Det finns inget kök, så ni får använda restaurangköket om ni vill laga maten själva, sa Birgit. Annars har vi öppet för både lunch och middag och ni är givetvis välkomna att äta i restaurangen.

När dörren stängts och vi blivit ensamma igen kramade vi om varandra ute i hallen.

– Vilken skillnad, sa Anders och såg sig omkring över mitt huvud.

Till vänster öppnade sig ett stort vardagsrum. Vi gick en snabb runda i de små sovrummen, lade in resväskorna på sängen i ett av rummen. Precis när vi skulle gå ner till restaurangen bajsade Emma på sig.

– Nej men lilla gumman, sa jag och böjde mig ner bredvid flickan. Hann du inte gå på toaletten?

Hon reagerade inte.

– Vi får börja ha blöjor på henne, sa Anders.

Jag vände mig tvärt om innan Anders hann se mina tårar, gick in i badrummet och rev fram en av Robins Pampers. Den passade, så liten och tunn hade hon blivit.

– Mammas gumma, viskade jag och vaggade henne, sittande på toalettstolen. Mammas vän, mammas fina Emmakompis. Nu blir det bättre – nu får vi det bra, ska du se!

Den eftermiddagen gick vi runt på anläggningen tillsammans med Birgit och Holger.

– Vi arrenderar stället av Domänverket, berättade Birgit. Domänverket äger nästan allting här runt omkring.

Matsalen var luftig och fräsch, men gav ändå ett ombonat intryck. Förutom själva huvudbyggnaden fanns också en hotelldel, precis som på Sävernäsgården – men där slutade likheterna.

– Tror ni att ni kan bo här ett tag? undrade Birgit.

– Det är rena drömmen, sa jag.

På eftermiddagen ordnade vi så att Björsjö skogshem stod för vår hyrbil.

– Jag vill aldrig mer ha något med Sävernäsgården att göra, sa jag.

Samma kväll gick Anders och handlade i en liten affär hundra meter bort, Marres livs. Han köpte några chokladkakor, kvällstidningarna och ett paket kex.

– Här, Emma, sa jag och höll fram godiset mot henne.

Hon rörde inte en min, men tog ett av kexen.

– Vi måste få henne att börja äta och prata igen, sa jag. Hon tynar ju bort ifrån oss!

Från och med den dagen gick all vår energi till att stimulera Emma.

Varje morgon gjorde vi upp en plan för vad vi skulle göra under dagen, vilka böcker vi skulle läsa för henne, vilka bilder vi skulle rita. Vi strukturerade vår tillvaro för att inte bli tokiga.

Vi åkte till Ludvika och handlade högar med kritor, pennor, papper, fingerfärger, vattenfärger, silkespapper, klister och paljetter. Vi köpte pedagogiska dockor, bilar, flygplan, tåg med räls och mjuka nallar. Vi skaffade en bandspelare och kassettband med alla de klassiska barnsångerna, allt från Imse till Pippi. Sedan satt vi uppe i lägenheten med barnen och sjöng, målade, klistrade, klippte och busade.

Robin trallade glatt med i alla sånger, fyllde ark efter ark med färger. Han utvecklades snabbt, gjorde framsteg varje dag. Emma, däremot, hörde inte vad vi sa.

– Ser du Emma, nu tar jag en röd krita, sa jag och ritade på pappret. En blomma, en ros! Tycker du om rosor, Emma? De luktar så gott, eller hur? Ska jag rita en till?

Flickan såg oss inte, rörde inte en min. Det var som att prata till en vägg.

– Nu tar jag en blå krita. Jag tror jag ska rita en bil. Titta, Emma, det blev en Toyota Corolla, precis som vår nya, fina. I morgon ska vi ut och åka en sväng. Då måste du ha säkerhetsbältet på dig. Ska vi rita en traktor också?

Vi försökte vara ute lite varje dag. På baksidan av restaurangbyggnaden fanns en minigolfbana där vi kunde spela hur mycket vi ville. Robin tultade omkring, säkrare på foten för var dag som gick. I stället var det Emma som låg i vagnen, hopkrupen som en liten fågelunge.

– Gräset har börjat komma, ser du det, Emma? sa vi. Snart kommer blommorna, då ska vi gå ut och plocka en riktigt stor bukett, vill du det?

När barnen lagt sig om kvällarna grät jag oavbrutet tills jag föll ihop och somnade.

En dag gjorde vi något riktigt förbjudet. Vi körde till Grängesberg, en ort som ligger några mil norr om Kopparberg. Vi kände nämligen ett par som bodde där med sina barn. De kom från samma by som Anders uppe i Norrland och hade bott i vår stad en kort tid.

– Jag har hälsat på dem en gång, sa Anders när han svängde av från väg 60, körde förbi Gruvhallen och upp mot Örabergsvägen.

Vi satt i bilen ett tag, tittade på huset.

– Ska vi gå in? sa jag.

Anders tvekade.

– Hur väl känner du dem? sa jag.

Han bestämde sig:

– Tillräckligt väl för att kunna gå upp och dricka en kopp kaffe om jag har vägarna förbi! sa han. Kom igen ungar!

Familjen blev otroligt förvånade när vi ringde på.

– Kom in, kom in, sa kvinnan. Vilken överraskning!

– Vad för er hit upp till våra trakter? sa mannen.

Anders skrattade lite nervöst.

– Vi bor här själva nu för tiden, sa han.

– Har du fått jobb här? undrade kvinnan.

– Ehä, nej, inte direkt, sa Anders.

Det blev tyst. Jag och Anders tittade på varandra. Det här kanske inte var någon bra idé, trots allt.

– Nej, nu ska vi ha kaffe! sa kvinnan glatt. Det är inte varje dag man får sånt här besök!

Vi gick runt och tittade i lägenheten, beundrade utsikten, tittade lite i gamla fotoalbum. De hade bilder på mig och Emma hemma i vår gamla trea.

– Varför flyttade ni därifrån? sa kvinnan spontant.

Jag och Anders bytte blickar. Så sa Anders som det var:

– Vi blev förföljda av Mias förre fästman. Alla tyckte att det var lika bra att vi åkte bort en tid, tills allting lugnat ner sig därhemma...

Mannen stirrade på mig.

– Men, sa han. Inte visste jag att din förre fästman var så våldsam!

Jag studsade.

– Känner du honom? sa jag.

Mannen skruvade på sig.

– Känner och känner, alla som bott i din hemstad vet ju vem han är...

– Hur som helst, avbröt kvinnan, så tycker jag det var väldigt trevligt att ni åkte just hit för att hålla er undan honom. Påtår, någon?

Jag och Anders sträckte fram våra koppar samtidigt.

Emma blev inte bättre. Hon hade inte sagt ett ord på tre månader och åt nästan ingenting. Inte ens glass brydde hon sig om. Det enda som hon självmant tog och åt var Mariekex. Vi hade alltid en skål stående framme i vardagsrummet så att hon skulle kunna ta själv.

Varje gång vi serverade glass eller frukt till Robin så gav vi Emma samma sak. Hon rörde det aldrig, men det låtsades vi inte om. Vid varje måltid lade vi upp en liten portion till henne också. Sedan tvingade jag i henne små teskedar med vatten eller potatismos.

– Hon måste komma till en läkare, sa jag till psykologen när hon ringde.

– Jag förstår att du är orolig, Mia, men det går inte, sa psykologen.

Jag började gråta.

– Men hon försvinner ifrån oss! Ett barn som blivit stumt måste ju få hjälp!

– Det går inte. Ni lever gömda.

– Men det kan ju inte vara meningen att vi ska dö på kuppen! skrek jag. Vad är det för mening att leva om vi ska dö av det?!

– Ni får inte kontakta landstinget, sa psykologen. Om ni gör det så är ju alltsammans förgäves! Då har ni röjt er vistelseort!

Jag grät, förtvivlat.

Ibland åkte vi ut och handlade. Robin hade vuxit ur de kläder vi packat i januari, vi köpte nya åt honom: snickarbyxor, gummistövlar, tuffa små tennisströjor och en rutig flanellskjorta i storlek nittio centilång.

Trots att Emma inte verkade bry sig köpte jag nya klänningar åt henne, fina strumpbyxor med spets och blanka lacksandaler. Hon hade alltid varit en riktig nippertippa. Varje dag klädde jag henne i fina kläder ovanpå blöjorna, berättade lugnt om alla saker jag tog på henne.

– Idag tar vi den röda klänningen med vita blommor på, Emma. Det är lite kyligt ute idag, så du måste ha koftan på dig. Se här, så ska jag hjälpa dig...

Hon hade blivit så mager att hon fick blåmärken så snart hon stötte emot något.

Vi åkte ut en del i juni. Köpte lite sommarkläder till oss själva. Emma fick en egen vagn. Hon kröp ihop i den och ville inte kliva ur, vaggades in i en dvala.

På kvällarna såg vi på tv. Jag tror inte jag läste en enda bok.

Och varje ny, stum dag grät jag mig till sömns i Anders famn.

En kväll när Birgit och Holger stängt restaurangen tidigare än vanligt fick jag själv laga till maten. Det var roligt att få använda den proffsiga utrustningen i det fina restaurangköket. Jag hade precis gjort i ordning fyra hamburgare när det knackade på restaurangporten. Utanför stod en familj, en välklädd man, hans hustru och två barn.

– Restaurangen är tyvärr stängd, sa jag.

– Det gör inget, sa mannen glatt och sträckte fram näven. Jag heter P och är chef på Domänverket nere i Stockholm. Vi ska bo här ett par dagar, jag och min familj.

– Kom in, kom in, sa jag. Jag bor själv här. Har ni kört från Stockholm? Då måste ni vara hungriga! Jag har precis stekt några hamburgare. Vill ni ha dem?

– Tack, det var mycket vänligt, sa mannen. Men vi kan åka in till Kopparberg och äta...

Jag såg hur ett av barnen puffade pappa i sidan.

– Barnen kan äta hamburgarna, så steker jag ett par lövbiffar åt oss vuxna. Gillar ni pommes frites? sa jag till barnen.

Deras ansikten sprack upp i hungriga leenden.

Vi åt en mycket trevlig middag tillsammans med Domänverkschefen och hans fru.

– Du måste vara den kvinna som bor här under speciella omständigheter, sa chefen när vi satt ute i sofforna med var sin kopp kaffe.

Jag tvekade en sekund.

– Birgit har berättat väldigt kort för mig om sina gäster, sa han. Men du kan vara alldeles lugn, jag tänker inte föra din hemlighet vidare, tillade han.

– Det stämmer, sa jag sedan. Vi gömmer oss undan en man som försökt mörda oss.

– Så gräsligt, sa chefen.

Hela familjen Domänverk bodde uppe på Björsjö skogshem resten av veckan. Jag och hustrun blev snabbt goda vänner. Det var tråkigt när de åkte hem.

– En sak ska du veta, Mia, sa chefen när han stod vid bilen och skulle köra iväg. Om du någonsin har problem så ska du inte tveka att ringa till mig. Jag ska göra allt som står i min makt för att hjälpa dig.

Jag såg in i hans uppriktiga ögon.

– Tack, sa jag. Det ska jag komma ihåg.

Det gjorde jag – och det var tur, det.

En dag åkte vi tillbaka till familjen i Grängesberg.

– Så roligt att se er igen! sa kvinnan och satte på kaffebryggaren.

– Ja, verkligen, sa mannen hjärtligt. Tänk, att ni åker så långt bara för att träffa oss. Är det inte besvärligt att komma hit bara för en kaffetår? Jag menar – ni kanske har väldigt långt att åka?

Jag och Anders bytte blickar.

– Varför förföljer din förre fästman dig? frågade han.

Jag svarade inte.

– Det måste vara jobbigt att gömma sig. Och så dyrt! sa han. Fast ni kanske har hittat något billigt ställe? Vad finns det för billiga ställen här runt omkring?

Vi slog oss ner runt soffbordet.

– Vi har ju lite dåligt om pengar nu när jag är arbetslös, fortsatte mannen. Men det kanske kan ordna sig ändå. Ni kanske har något ställe att rekommendera? Något som inte ligger så långt bort?

Jag reste mig.

– Tack så hemskt mycket för kaffet. Nu måste vi åka vidare, sa jag.

Mannen blev bestört.

– Men... inte än! sa han. Sitt, sitt. Ta en påtår!

– Nej tack, det är bra. Det var väldigt gott. Tack så hemskt mycket, sa jag till frun.

Vi lämnade hastigt lägenheten.

– Usch så obehagligt, sa jag när vi satt oss i bilen och rullade nedför Örabergsvägen.

– Vilken näsvis typ han har blivit, sa Anders.

Sedan tänkte vi inte mer på paret i Grängesberg. Inte då.

Midsommaraftonen grydde. Jag stod i fönstret i stora rummet och såg solen gå upp. Vi skulle ha varit hos mina föräldrar och våra vänner idag. Vi skulle ha suttit på verandan som pappa byggt och ätit sill och gräddfil och färsk potatis. Vi skulle ha letat igenom jordgubbslandet för att hitta sommarens första, mogna bär. Vi skulle ha plockat blommor till kransar, Emma och Robin skulle ha dansat till Små grodorna runt midsommarstången ute vid mina föräldrars sommarstuga. Vi skulle ha suttit uppe i den blåa kvällen och pratat strunt och sett ut över vattnet.

I stället stod jag här, ensam i stora rummet ovanpå Domänverkets restaurangkök i Björsjö i Dalarna. Jag andades på rutan, såg landskapet försvinna bakom imman som lade sig på glaset. Och jag visste vad jag skulle göra.

Jag nästan sprang de hundra metrarna till närlivsbutiken. Den var stängd, förstås. Men det var inte butiken jag var ute efter, det var telefonkiosken på baksidan. Med darrande fingrar slog jag mina föräldrars telefonnummer. Det var min mamma som svarade.

– Hej, det är jag, sa jag.

Då lade hon på! Jag stirrade in i luren. Hon hade väntat på mitt samtal varenda dag i fem månader, och när det äntligen kom blev hon så paff att hon slängde på luren.

Jag stoppade i fler enkronor och ringde upp igen.

– Det är jag, mamma.

Hon bara grät. Hon grät rätt in i luren utan att säga ett ord i minst fem minuter. Jag började också gråta.

– Var är du? sa hon till slut.

– Det kan jag inte säga, sa jag.

Hon grät mera.

– Är pappa hemma? sa jag.

– Nej, han går av skiftet nu på förmiddagen. Jag sitter och väntar på honom nu. Vi ska ut till stugan.

Hon grät mer. Jag kunde ingenting säga för mina egna tårar.

– Hur har ni det? fick hon fram till sist.

– Bra, sa jag. Vi har det bra.

Jag stoppade i den sista enkronan.

– När kommer ni hem?

Tut tut tut.

Pengarna var slut.

– Hej då mamma, jag ringer sedan...

Linjen var död. Jag grät länge med luren i handen. Efteråt fick jag veta att mitt samtal förstört hela midsommarhelgen för mina föräldrar. Min mamma hade gråtit flera dagar i sträck. Anders såg att något var fel när jag kom tillbaka till lägenheten.

– Jag ringde till min mamma, sa jag.

Han vaggade mig, kysste mig när jag grät.

När barnen somnat satt jag och Anders och tittade på tv. Ingen kanal hade något vidare bra program.

– Det finns väl inte en människa som sitter och glor på tv på midsommarafton, sa Anders.

Jag reste mig, öppnade fönstret, drog in den svala kvällsluften.

– Vi kan inte ha det så här längre! sa jag.

Jag började gråta igen.

– Jag vill åka hem! sa jag. Jag vill åka hem till mamma och pappa och min syster och mitt hus!

Anders tog mig i sin famn.

– Och du, som inget ont gjort! sa jag. Robin – en liten pojke på snart två år som aldrig fått leka ute! Vad är det här för liv? Vad är det för liv som jag dragit in er i! Ni hade kunnat leva som alla andra!

Jag grät, Anders vaggade mig, kysste och tröstade.

– Alltihop är mitt fel! Jag skulle ha anmält honom, jag skulle ha fått honom utvisad, jag skulle sett till att han åkte i fängelse – inte vi!

– Schh, sa Anders och kysste mig. Sch, Mia, det är bra, jag älskar dig, vi ska aldrig skiljas åt...

– Men du hade kunnat få leva ett normalt liv! Robin hade kunnat få växa upp som alla andra barn, gå på dagis och spela fotboll och...

– Han ska inte få krossa vår familj, sa Anders lugnt. Jag älskar dig över allting på jorden. Det finns ingenting i världen som kan ändra på det.

– Och mina föräldrar, grät jag. Jag har förstört deras ålderdom! I stället för att få njuta av sina barnbarn så vet de inte ens var de finns eller om de lever.

Jag kastade huvudet bakåt.

– Vad har jag gjort för att drabbas av detta? skrek jag. Varför just jag? Hur kunde det hända just mig? Jag är väl inte konstigare än någon annan! Herregud! Hur hamnade jag i den här mardrömmen?

Jag slog mig lös och rusade ut i midsommarnatten.

– Du är orättvis! skrek jag till Gud. Du har satt oss i helvetet! I stället för att rädda oss från det gamla så fick vi ett nytt! Varför? Vad har vi gjort dig?

Jag fick inget svar. Eller så kanske jag fick just det. För några dagar senare slogs dörrarna till det gamla helvetet upp på vid gavel.

Det var tisdag efter midsommar och allt hade gått tillbaka i normala banor. Vi åt frukost i restaurangen, kaffe och smörgåsar, Robin fick gröt. Emma åt ett kex, fick i sig ett par teskedar äppeldricka. Vi spelade ett parti minigolf, ritade lite, läste Askungen, bytte på barnen och gick ner för att äta lunch.

Vi satte oss vid vårt stambord, längst in i matsalen, bredvid köket. Snart skulle restaurangen fyllas med värnpliktiga som gjorde vapenfri tjänst på Domänverket. Birgit och Holgers bägge söner jobbade, gick runt bland borden. Maten kom in, beväringarna likaså. Sorlet steg i lokalen.

– Vill du inte ha en köttbulle, Emma?

Hon reagerade inte. Jag mosade köttbullen, slog i lite mjölk och stoppade in röran i hennes mun. Robin tog en tomatklyfta ur salladsskålen.

– Inte med fingrarna gubben, här! Ta en gaffel...

Och så var de där. Vi såg dem aldrig när de kom. Jag blev bara medveten om att någon stod intill vårt bord, alldeles för nära. Jag tittade upp. De var tre stycken.

– Ditt jävla luder, är det här du sitter och trycker?

Allt blod rann ner till fötterna, färgerna försvann, ljudet förändrades. Ali. Någon lösgjorde sig bakom hans rygg, tog två långa kliv framåt och knuffade till Anders.

– Jävla horbock!

Samir. Den tredje hade jag aldrig sett tidigare. Nu är det över, flög det genom mitt huvud. Nu dör vi. Så det var så här det skulle sluta. Ljudnivån steg, exploderade i mitt huvud.

– Döda döda, vi har kommit hit för att skära halsen av er, skrek Ali, drog med handen över strupen, slet tag i min arm.

Jag vinglade till, välte ut ett glas isvatten. Bara de inte tar barnen...

– Vi har hälsningar från honom. Ditt otrogna stycke, ditt satans luder...

Hans ansikte var alldeles intill mitt eget.

– Hjälp, sa jag, men hördes knappt.

Plötsligt släppte Ali mig, tumlade in i bordet bakom vårt och landade på en stol med en förvånad blick. Någon måste ha dragit bort honom.

– Behöver ni hjälp?

Tio beväringar stod i en ring runt vårt bord. Det brusade i mitt huvud, hjärtat slog så jag knappt hörde vad de sa.

– Hjälp, sa jag. Hjälp oss härifrån.

Samir försökte klappa till en av beväringarna, men de tog fast hans knytnäve i tid.

– Hör ni, sa en bevӓring med glasögon till männen. Ta och försvinn härifrån. Vad är det för sätt, komma hit och bråka med dom som sitter och äter?

De tre männen drog sig baklänges mot utgången. Där stannade de, tre i bredd, en svart vägg av hat.

– Fort, sa killen i glasögon. Vi tar oss ut genom köket.

Jag slet upp Robin ur hans barnstol, Anders lyfte upp Emma. Rösterna ekade i mitt huvud. Döda döda.

Svängdörren in till köket kom rusande emot mig, kastades upp, jag halkade på något på köksgolvet, Robin skrek, det luktade flottyr och diskmedel, beväringarna var strax bakom mig, som en mur mellan dem och oss, deras skor smattrade mot kakelgolvet.

Trappan upp till vår lägenhet tornade upp sig framför mig. Där stod Birgit, stirrade förvånat.

– Vi måste packa, sa jag. De har hittat oss, vi måste åka.

Jag flög uppför trappan, Anders vid min sida. Tillsammans började vi riva ner allt vi ägde i väskor och kartonger. På golvet i stora rummet låg förmiddagens teckningar på tork. Jag sparkade in dem under matbordet, plockade ihop färgkritor, vattenfärger, penslar och paljetter, fyllde påse efter påse med gosedjur, dockor, lastbilar och Brioräls.

– Kläderna är klara, sa Anders.
– Sakerna med, sa jag.
Vi gjorde oss redo att gå.
– Men... vart ska vi åka? sa Anders i dörren.
Vi stirrade på varandra.
– Ja alltså, jag vet ett ställe precis utanför Falun, sa en av beväringarna. Det heter Birgittagården och är ganska likt det här...
Beväringarna följde oss nedför trappan, bar påsar med leksaker och resväskor med Robins urvuxna vinterkläder och Emmas första babyskor.
Vi sprang ut via entrén som gick direkt från vår lägenhet. Sedan tog vi oss längs baksidan till garaget där vår hyrbil stod, just nu var det en röd Mazda.
– Följ efter oss, skrek beväringen från Domänverksbilen.
Vi såg inte till Ali, Samir eller den tredje mannen någonstans. Jag vände mig om när Anders lät bilen rulla iväg till vänster, upp mot Ludvika och Grängesberg. Vid Lilla Snöån tog vi höger upp mot Morgårdshammar, korsade väg 65 mot Ludvika och tog vänster mot Gubbo. Där stannade vi intill vägkanten, väntade länge för att se om någon fanns bakom oss.
Sedan fortsatte vi över Skisshyttan och kom ut på väg 60 mot Borlänge. Vi vek av till höger efter en knapp mil, körde genom skogen upp mot Skenshyttan. Där stannade vi igen, lyssnade och väntade. Så fortsatte vi över Silvberg och kom ut på väg 70 precis vid Borlänges flygplats, Dala Airport.
Och det enda jag kunde tänka på medan skogen rusade förbi mitt bilfönster och vattnen avlöste varandra vid Dalvik, Vika och Kniva var detta:
Hur kunde de hitta oss?
Vem hade skvallrat?

20

Birgittagården låg längst ut på en udde knappt en mil utanför Falun, längs väg 266 ner mot Hedemora. Den liknade Sävernäsgården och Björsjö skogshem: en restaurangbyggnad, ett annex, en parkering. Vi fick mat, något de hållit varmt åt oss. Jag matade Emma med socker och vatten. När vi skulle gå till vårt rum vek sig benen under henne.

– Ska jag bära dig, vännen? sa Anders.

Efter det gick hon inte mer. Hon orkade inte.

Tv-rum, gemensam dusch och toalett. Jag gick runt, tittade, andades, kämpade mot paniken. Det skulle gå. Det skulle fungera. Vi skulle överleva.

– Vi stänger restaurangen klockan 14, sa ägaren.

– När öppnar ni för middagen? frågade Anders.

– Vi serverar inte middag.

Vi gick bort till restaurangbyggnaden och ringde till psykologen. Anders pratade först, berättade att de hittat oss och att vi bytt ställe. Sedan lämnade vi över luren till ägarparet, så att de fick göra upp med psykologen om alla kostnader.

På kvällen blev pojken gnällig. Han var inte van att gå till sängs utan kvällsmat. Vi gav honom vatten och Mariekex. Till slut föll han i en orolig slummer. Emma somnade i fosterställning med tummen i munnen. Vi satte oss i tv-rummet med var sitt tandborstglas med vatten. Aktuellt malde på. Vädret skulle bli varmt och soligt. Då sa Anders orden som ekat i mig ända sedan vi lämnade Björsjö:

– Hur kunde de hitta oss? Kan du begripa det?

– Nej, sa jag. Men det måste finnas en logisk förklaring. De kan inte köra Sverige runt och gå igenom varenda matsal.

Vi tittade på varandra. Sportnytt började.

– Någon har skvallrat, sa jag.

– Hur ska vi få reda på vem? sa Anders.

– Uteslutningsmetoden, sa jag. Hur många vet var vi finns?

– Psykologen, sa Anders.

– Lasse, chauffören, sa jag.

– Barbro och Ulf, sa Anders. Birgit, Holger och deras söner.

– Domänverkschefen och hans fru, sa jag.

– Läkaren som hjälpte dig efter överdosen, sa Anders.

– Biluthyrningsfirman, sa jag. Och kvinnan som ordnade vårt bankkonto.

– Det är ju massor med folk, sa Anders. Hur ska vi få reda på vem av dem som tjallat för honom?

– Du glömmer en sak, sa jag. De som skvallrade måste veta vem som jagar oss, annars hade de ingen att berätta det för.

Vi såg på varandra, tänkte så det knakade.

– Det är bara psykologen som vet det, sa jag. Henne kan vi utesluta direkt.

– En annan sak, sa Anders. Varför kom han inte själv? Och varför kom han inte för länge sedan?

– Han kanske inte visste exakt var vi fanns. De kanske delade upp sig och letade på olika ställen?

– Vem vet var vi nästan var, då?

Jag såg i Anders ögon att vi kom på det samtidigt.

– Herregud, sa Anders.

– Din kompis i Grängesberg, sa jag.

Anders reste sig häftigt upp, gick fram till fönstret och ställde sig och stirrade ut.

– Den jäveln! skrek han och slog handen i fönsterkarmen. Han sålde oss!

– Han var ju arbetslös och ville åka på semester, sa jag syrligt. Hoppas han har det så trevligt!

– Men vi kommer ju från samma by! sa Anders upprört. Hur i helvete kan man sälja någon man växt upp med?

– Jag vet inte, sa jag. Men det måste vara så.

Redan dagen därpå ringde vi till psykologen.

– Det här går inte, sa jag. Vi måste hitta något annat ställe.

– Det är inget att göra åt, sa psykologen. Vi har redan dragit in alldeles för många människor i detta. Nu måste ni stanna där.

– Emma måste få en läkare! sa jag hett. Du skulle se henne! Nu kan hon inte ens gå längre!

Jag började gråta.

– Vi har ju pratat om det där, Mia, sa psykologen.

– Hon dör! skrek jag.

– Tyvärr, sa psykologen. Jag har en patient nu. Vi får tala mera senare...

Jag slängde på luren.

I två veckor bodde vi i det trånga rummet på Birgittagården. Jag ringde runt och lyckades ordna ett annat boende, på kvinnojouren i Borlänge.

– Hur många är ni? frågade kvinnan som svarade.

– Fyra stycken, jag och min familj, sa jag.

Kvinnan som öppnade gjorde det med ett leende.

– Välkomna, stig på, sa hon. Så stelnade hon till. Hon hade fått syn på Anders som kom uppför trappan med Emma i sina armar.

– Det här är en kvinnojour, sa kvinnan i dörren. Vi tar inte emot män.

Jag förstod ingenting.

– Men... Ni sa ju att jag och min familj var välkomna!

– Jag trodde du hade tre barn, sa kvinnan.

Till slut fick vi komma in. Ytterligare en gång ställde vi psykologen inför fullbordat faktum. Hon protesterade inte längre.

Resten av juli bodde vi i ett rum i lägenheten i Borlänge. Vi lagade maten själva eller tillsammans med personalen. Vi gick aldrig ut, personalen handlade maten.

– Något speciellt ni vill ha? undrade de.

Jag beställde Barilla bandspagetti med ägg.

I slutet av juli ringde jag ett speciellt nummer i Stockholm.

– Mia Eriksson, Björsjö skogshem, sa jag. Jag söker Domänverkschefen.

Det dröjde tre sekunder så var han i luren.

– Mia Eriksson, så trevligt! Tack för senast! Hur har du det?

Pris ske Gud, han hade inte glömt mig!

– Inte så bra, är jag rädd, sa jag.

Vi fick tillgång till ett torp utanför Skinnskatteberg som ägdes av Domänverket, en röd stuga med vita knutar som låg intill Abborrtjärn. Det stod oanvänt, men var fullt utrustat med möbler, köksattiraljer och tv. Det enda som saknades var en dammsugare.

Allt hade nog varit ganska bra, om det inte var för att Emma blivit så dålig. Hon tålde inte vatten längre. Varje tesked jag lyckades tvinga i henne kräktes hon upp. Hennes läppar hade spruckit, jag smorde dem med cerat, droppade vatten från en trasa i hennes mun. Jag storgrät i Anders famn.

– Nu dör hon!

– Nej, sa Anders sammanbitet. Det gör hon inte alls. Det finns en annan utväg.

Jag stirrade på honom.

– Läkaren som hjälpte dig efter överdosen, doktor A. Jag har numret kvar.

Doktorn kom samma kväll. Jag kände igen hans ansikte från mina mardrömmar.

Flickan låg halvt medvetslös i fosterställning på en soffa i stora rummet. Läkaren kände på hennes läppar, lyfte på hennes ögonlock och sa:

– Hon är uttorkad. Hon måste läggas in och få näringsdropp ögonblickligen.

Jag började gråta igen.

– Men vi får inte! Psykologen har sagt att vi inte får ta kontakt med landstinget!

– Vad heter den psykologen? sa läkaren hårt. Hon kan inte vara riktigt normal! Det här barnet håller på att dö!

Jag grät ännu mer.

– Vad ska vi göra?

– Vi åker genast, sa han. Ta med er det ni behöver. Ni får bo på sjukhuset. Och vad den där psykologen beträffar, så ska jag anmäla henne för hälso- och sjukvårdens ansvarsnämnd. Hon ska bli av med sin legitimation.

– Nej snälla, bad jag. Vi är helt och hållet i händerna på henne. Gör inte det!

Vi åkte i timmar. Skog, åkrar, ängar, samhällen och hus. Jag flämtade till när jag slutligen förstod vart vi skulle. Till det sjukhus där fru G födde sitt barn i hemlighet för mer än fem år sedan!

Jag gick som i en dröm genom dess kulvert. Alltsammans verkade gå runt, cirkeln var sluten. Underjorden såg likadan ut, oavsett varifrån man kom. Flyktingar undan myndigheterna, myndigheter undan flyktingar. Överallt hängde samma gråa rör i taket. Jag kände att jag började tappa greppet om verkligheten igen. Får inte, tänkte jag. Får inte bli tokig. Emma behöver mig. Andas på, in ut. In ut. Ingen kulvert är för evigt.

En läkare och en sjuksköterska mötte oss i dörren till barnmedicinavdelningen.

– Jag heter B, sa läkaren i dörren. Jag är kompis med A.

Sköterskan räckte fram handen, log.

– Jag är gift med B, sa hon. Vi har en sal klar åt Emma.

Hon fick ett eget rum. De satte droppet i foten med en gång, tog puls, blodtryck och en rad andra värden.

– Kommer hon att klara sig? viskade jag.

– Det blir tufft, sa läkaren.

Jag grät i Anders famn.

– Gå och vila, sa doktorn. Det är sent. Syster B följer er till ett övernattningsrum.

– Jag stannar här, sa jag snabbt och torkade tårarna.

Jag somnade i en extrasäng, en lätt slummer som bröts en gång i timmen. Då kom syster B in och tog puls och blodtryck på Emma. Flickan reagerade aldrig.

Morgonen därpå samlades vi runt Emmas säng. Vi placerade Robin vid fotändan, Anders gick och köpte glass. Jag började med att läsa Askungen, fortsatte sedan med Aja baja Alfons Åberg och Lilla Anna och de mystiska fröna och Nisse går till posten. När Anders kom tillbaka lade vi den ena glassen framför Emma och gav Robin den andra, precis som vi alltid gjorde. Sedan sjöng vi Här kommer Pippi Långstrump och Tipp tapp och Dunk dunk dunk dunk låter stora trumman. Robin hängde med riktigt bra vid det här laget, men Emma rörde inte en min.

Vi åt lunch på avdelningen. Emma fick en egen tallrik. Sedan ritade vi, fiskar och elefanter och lejon som bodde i djungeln. Vi målade himlar och solar och blommor och bilar.

En gång i timmen kom doktor A in och kollade Emmas värden eller bytte droppåse. Han skrev upp alltsammans i en liten bok. Det var den enda journal som fördes på henne.

– Ska vi ta Lilla Idas visa? Vad säger du, Emma?

I stället för att få ett svar började jag sjunga:

Lille katt, lille katt,
lille söte katta.
Vet du att, vet du att,
det blir mörkt om natta...

Dag lades till dag. Jag sov bredvid flickan på sjukhuset i Mellansverige medan sommaren tog slut och övergick i höst. Men Emma blev inte bättre. Hon låg som ett kolli, helt utan livstecken.

En kväll bad doktor A oss komma in i ett annat rum – ett litet kontor.

– Vad är det? sa jag oroligt. Har det hänt något?

– Nej, sa han och suckade. Det är det som är problemet. Flickan kan inte ligga så här längre. Vi måste få kontakt med henne snart.

– Men varför har hon blivit så här? utbrast jag. Vad har vi gjort för fel?

Doktorn så allvarligt på mig.

– Ni har inte gjort något fel, tvärtom. Det är tack vare er vägran att ge upp som hon fortfarande lever. Vi som jobbar med gömda flyktingbarn, ja, jag jobbar mycket med sådana, ser ofta exakt de här symtomen.

Han satte sig ner bakom ett stort skrivbord.

– Barn som lever isolerade långa tider blir ofta inåtvända, depressiva och självdestruktiva. De slutar äta, de slutar tala – det är typiskt. Några blir utagerande och aggressiva, andra blir regressiva och psykosnära. De barnen kan ha dagliga skrikattacker i fosterställning och kommunicerar bara med fantasifigurer...

Han stoppade in något i en pärm.

– Med droppet har Emma fått igen den vätska hon förlorat. Nu måste hon få igen livsviljan också, annars dör hon, sa han.

Jag svalde, ville inte börja gråta igen.

– Finns det något eller någon där hemma som Emma älskade mer än allt annat? frågade doktor A. Något som skulle kunna få henne att vilja vara med igen?

Jag och Anders tittade på varandra.

Doktor A förtydligade:

– En leksak, ett husdjur, en släkting, en kompis...

– Kajsa, viskade jag.

Sisse svarade på femte signalen.

– Bli inte förskräckt nu, sa jag. Det är jag, Mia...

En flämtning fyllde luren.

– Förlåt att jag inte har hört av mig på så lång tid, sa jag långsamt och tydligt.

– Mia, är det verkligen du?

– Ja Sisse, det är jag och jag är ledsen men jag har inga roliga nyheter. Sisse, Emma är sjuk. Hon ligger i dvala, vi får ingen kontakt med henne...

Sisse började gråta i andra luren.

– Sisse, sa jag lite högre. Lyssna på mig! Emma är sjuk. Läkarna tror att din dotter är den enda som kan hjälpa henne. Vi är i X-stad. Läkarna undrar om ni kan ta Kajsa med er och komma till sjukhuset...

Sisse bara grät. Jag svalde hårt.

– Sisse, tror du att ni kan komma till sjukhuset? Det är en bit att åka...

– Självklart, viskade Sisse i luren. Ska vi komma genast?

Nästa morgon satt hela familjen och åt frukost runt Emma. Flickan låg ihoprullad som en liten fågelskrämma i sin säng, utmärglad, kritvit i skinnet, med munnen lite på glänt. Hon hade kunnat passera som barnhemsbarn i Rumänien eller lägeroffer från andra världskriget. Det enda som visade att hon var vid liv var droppet som långsamt sipprade in i hennes fot, dripp dropp, dripp dropp...

Så öppnades dörren försiktigt på glänt. En fräknig liten näsa stack fram i dörrspringan, sedan kom en blombukett, en chokladask och ett stort, guldfärgat paket.

– Kajsa, sa jag varmt, släppte frukostfrallan och gick fram till dörren.

Jag tog upp flickan i famnen, gav henne en stor kram. Vad tung hon var! Det var naturligtvis så här Emma borde kännas.

– Sisse, åh Gud Sisse...

Vi kramade varandra, hårt hårt, länge länge.

Kajsa gick direkt fram till Emma, klappade henne på kinden och sa:

– Hej Emma, syster Kajsa har kommit!

Jag var tvungen att le mellan tårarna. Så fick Sisse syn på Emma. Hon ryggade tillbaka som om hon fått ett slag.

– Gode Gud, viskade hon. Tårarna vällde fram i hennes ögon,

hon slog handen för munnen. Hennes blick mötte min.

– Åh Gode Gud Mia, förlåt, sa hon, vände och rusade ut.

Jag klandrade henne inte, att se Emma så här måste ha varit en fruktansvärd chock.

– Ser du Emma vem som kommit och hälsat på dig? Kajsa är här. Hon vill att ni ska gå ut och leka. Vill du göra det? Eller ska vi läsa lite och sjunga först?

– Emma orkar nog inte så mycket, eller hur Emma? sa Kajsa. Vi kan väl läsa lite?

Tack Gud för Kajsa!

– Ja, sa jag och log. Vi läser lite.

På eftermiddagen kom doktor B in. Han hade med sig nycklarna till den stuga där Sisse och hennes familj skulle få bo, en stor, härlig åttabäddsstuga i ett naturskönt friluftsområde utanför stan. Efter ett par dagar fick vi flytta ut dit allesammans, Emma också.

Det hade hunnit bli september. Löven blev glödande gula och röda på träden. Vi var ute ganska mycket, barnen lekte och stojade. Emma följde med i sin vagn. Vi hade varit tvungna att lägga en tjock madrass som gick upp längs kanterna i vagnen, annars blev Emma alldeles blå av alla stötar.

– Du orkar inte så mycket än, för du har varit sjuk, förklarade Kajsa för Emma. Men snart så blir du frisk, och då ska vi leka jätte, jättelänge...

Jag och Sisse talade om allt som hänt där hemma sedan vi åkte.

– Helena har bytt namn till Fatima, men det vet du väl? sa Sisse. De väntar ett barn till.

– Vi får väl hoppas att det blir en pojke den här gången, sa jag syrligt.

Det blev det också, skulle det visa sig.

– Hur är det med min förre fästman då, håller han sig i skinnet?

Sisse himlade med ögonen.

– Och det trodde du? Han har fått ett fängelsestraff till, en månad för att han kört olovligt och för att han försökt smuggla mat från Danmark. En dag för inte så länge sedan gick han och hans kompisar in i uraffären och stal en massa saker. Ägaren såg dem ju förstås, men han vågade inte anmäla dem. Och så säger folk att det är han och hans kompisar som åker runt och slangar bensin ur bilar på nätterna. Och så tankar de gratis på OK, de har kommit på ett sätt att trixa med sedelautomaten.

Sisse och hennes familj hade flyttat från radhusområdet. De visade kort på sin nya bostad, en nybyggd villa strax utanför stan. Vi pratade om våra ungar, om vilka som skilt sig, gift sig, fått barn och flyttat från stan. Men vi pratade nästan ingenting om oss och hur vi haft det. Jag orkade inte, och Sisse ville inte riktigt höra.

Var tredje dag fick vi åka in med flickan till sjukhuset så att hon fick dropp över dagen. Kajsa följde med och babblade oavbrutet med sin tysta kompis.

– Det händer ju ingenting! Emma har varken rört en fena, sagt ett ord eller ätit en matbit sedan Kajsa kom upp! sa jag till doktor B den sista veckan Sisses familj var hos oss.

Vi stod utanför dörren till Emmas sal. Jag kände mig dum, som att jag lurat hit Sisse och hennes familj i onödan.

– Vi lovade er inget, sa doktorn. Detta var något vi tyckte att vi skulle prova. Det var inte säkert att det skulle gå vägen.

– Vad gör vi nu då? sa jag upprört. Ska hon ligga så där resten av sitt liv?

Läkaren såg allvarligt på mig.

– Jag vet faktiskt inte, sa han.

I detsamma sköts dörren till Emmas sal upp. Kajsa stod i dörren med ett tomt glas i handen.

– Kan vi få lite mera vatten, för Emma är så himla törstig, sa hon.

Vi tittade klentroget på ungen. Kajsa drog efter andan.

– Emma har inte druckit något på så länge, så allt vatten tog slut på en gång...

Vi rusade in, om varandra, till Emma i sängen. Flickan tittade på oss, en blick som var vaken och klar. Hon pekade matt på vattenglaset i Kajsas hand.

– Har hon druckit? frågade läkaren.

– Ja, och jag hjälpte henne med sugröret, sa Kajsa.

Jag gick fram, tittade flickan i ögonen. För första gången på alla dessa månader mötte hon min blick.

– Det är klart du ska få vatten, Emma, sa jag. Kajsa och doktorn går och hämtar åt dig.

Jag tog flickan i min famn så att hon inte skulle se mina tårar. Jag grät igen, precis som så många andra gånger under det långa, stumma halvåret. Men den här gången grät jag av glädje.

– Nu blir du bra, Emma pemma, viskade jag. Nu blir du frisk!

Efter den dagen behövde inte Emma ligga mer på sjukhuset. Sakta, sakta återvände hon till livet. Den första veckan fick hon bara buljong och juicer, sedan drygade vi ut dieten med mosade frukter och grönsaker. Flickan åt, små små portioner, teskedar som drygades ut till matskedar. Hon talade inte, men hennes ögon var klara och friska.

– Ska vi läsa Askungen igen, gumman?

Hon svarade inte, men hon lyssnade uppmärksamt. Än idag är sagan om Askungen det bästa hon vet.

Doktor B tog in oss på sitt kontor när han kontrollerat Emma sista gången.

– Flickan har kommit tillbaka till oss. Det är helt och hållet er förtjänst, sa han och såg allvarligt på mig och Anders. Att ni aldrig gav upp är det främsta skälet till att hon kom tillbaka, att hon fick träffa sin lilla kompis blev det avgörande genombrottet. Nu är det upp till er att leda henne resten av vägen också, så att hon börjar gå och tala igen.

– Hur ska vi göra då? sa Anders.

– Fortsätt precis som ni alltid har gjort, sa doktor B. Läs, måla, rita, stimulera och aktivera. Då bör resten komma så småningom.

– Det är inte så lätt när man lever som vi gör, sa jag tyst.

– Nej, jag vet det, sa doktorn. Försök hitta en kreativ miljö, så positiv som möjligt, nu när ni åker härifrån. Aktivera flickan maximalt. Hon måste få ha lite roligt! Sedan var det bara en sak till...

Han gick fram till bokhyllan och tog fram en liten bok, den lilla boken de skrivit ner alla Emmas värden i.

– Den här får ni ta med er, sa han.

Jag tog boken i min hand. Dess tyngd kändes som en sten i mina händer. Här var Emmas sjukdom, koncentrerad inom två tunna pärmar.

– Tack för allt, sa jag och kramade doktorns hand när vi gick.

Vi tog kontakt med psykologen och framförde vad doktorn sagt.

– Vi vill åka till Gillersklack, sa jag.

Det var ett friluftscenter vi kört förbi en gång när vi var ute på vift. Det låg oerhört vackert på en bergssida norr om Kopparberg, hade fina stugor och en stor receptionsanläggning med elegant restaurang och inomhuspool.

Psykologen protesterade inte längre.

– Visst, det går bra, sa hon. Bara ni håller er inomhus, kom ihåg det!

Dagen efter att Sisses familj åkt återvände vi till Dalarna. Vi kom fram till Gillersklack på eftermiddagen, checkade in i stugbyn och fick hus nummer 4. Det var en toppmodern stuga med stort rum, kök och två sovrum. Där fanns alla moderniteter, till och med torkskåp.

– Här du Emma, här kan man ha roligt! sa jag entusiastiskt.

Flickan följde intresserat mitt arbete med blicken.

– Nu ska vi ut och gå en sväng! sa jag.

Utsikten var milsvid. Bergen långt därborta försvann i ett blånande dis. Det höstmörka landskapet lystes upp av en och annan glödande asp.

Nu var Sisse och Henrik tillbaka där hemma. De jobbade, handlade på Ica, gick med barnen till dagis och hälsade på sina grannar. Jag drog in den svala luften, såg ut över landskapet som snabbt sveptes in i senhöstens eftermiddagsmörker. Åter igen greps jag av en stark känsla av overklighet. Jag fick för mig att jag var osynlig. Det enda som syntes var andedräkten ur min mun. Jag frös till.

– Nu går vi in, ungar...

Vi tände en brasa i öppna spisen när vi kom in. Ett stort bål med massor av tidningspapper och kraftiga vedklabbar. När det brann som mest gick jag och hämtade en liten bok i min kappficka. Jag placerade den på toppen av bålet och såg den slukas av lågorna, förstöras för alltid, försvinna upp i rök för att aldrig mer komma tillbaka:

Journalen om Emmas sjukdom.

Snart skulle barnen fylla år. Vi köpte en dockvagn och en pratdocka till Emma, vi tyckte det var lämpligt. Robin fick en elektrisk bil. Dessutom köpte vi två stora, uppblåsbara luftmadrasser i form av krokodiler.

– De blir bra i poolen, sa Anders.

På Kopparhallen inne i Kopparberg handlade vi resten av födelsedagsprylarna. Vi hängde upp massor med ballonger, klädde bordet i en glad pappersduk, lät serpentinerna hagla och blåspiporna ljuda. Vi sjöng massor av Ja må de leva och Har den äran idag, ropade hurra så att rutorna skallrade och åt tårta tills vi blev illamående. Sedan öppnade vi alla presenter. Omslagspappret täckte snart hela golvet. Det var ett riktigt ordentligt barnkalas. Det enda som saknades var gästerna.

Vi badade varje dag, Emma och jag. Hon brukade ligga och flyta på krokodilen medan jag drog omkring henne i poolen. Jag tränade hennes kropp i vattnet, hissade henne, böjde på hennes ben, försökte få henne att flyta vid ytan. Det gick inte, men flickan tyckte det var roligt. Det förstod vi, för efter tre veckor i Gillersklack började hon gå igen.

Från början gick det ruskigt knaggligt. Hon såg ut som en baby som precis lärt sig ställa sig upp. Hon vinglade, stapplade, ramlade. Ibland blev jag rädd, hon påminde mig om de trafikoffer jag sett på tv. Dessutom slog hon sig riktigt ordentligt flera gånger, men hon började aldrig gråta.

– Tror du hon kan ha fått några hjärnskador? sa jag oroligt till Anders.

Så började flickan ta spontan kontakt med oss igen. Hon kunde komma fram till mig, krypa upp i min famn och ta fatt i en bok. Första gången hon gjorde det började jag gråta av rörelse.

– Min lilla tös, viskade jag och vaggade henne, kysste hennes svarta hår.

En regnig dag i slutet av oktober satt vi vid bordet i stora rummet och klippte och klistrade. Jag klistrade tåg åt Robin, räls och godsvagnar och ånglok. Emma hade fått en tuschpenna och ett vitt papper. Hon ritade lite planlöst, streck fram och tillbaka på pappret. Och då, plötsligt, utifrån ingenstans, så kom det.

– Mamma, sa hon.

Jag släppte saxen, stirrade på barnet. Hon mötte min blick, log med sina ögon. Mitt hjärta började dunka hårt, hårt. Jag ville ställa mig upp och skrika högt: Hon talar! I stället började jag skratta och gråta samtidigt. Försiktigt, för att inte skrämma henne, tog jag flickan i mina armar.

– Mammas älsklingsraring, sa jag. Så roligt att du vill prata med oss igen. Och vilken fin teckning du har gjort! Är det blommor och gräs?

Anders kom fram, undrade hur det var fatt.

– Hon talade, viskade jag. Hon sa mamma.

Vi var tvungna att börja leta efter ett nytt ställe. Tiden på Gillersklack var snart slut.

– Jag tycker ni ska åka tillbaka till Säversnäsgården, sa psykologen i telefon.

– Nej, sa jag. Aldrig. Hur länge ska vi fortsätta att bo på sjaskiga hotell? I tre månader, sa du! Sedan skulle du ha en annan lösning, sa du! Vi har ju gjort som du har sagt, för vi trodde du visste vad du gjorde!

– Vi kan göra upp en plan...

– Har ni inte gjort det ännu? Du sa ju att det skulle göras med detsamma! Hur mycket kostar det att ha oss boende så här? Räkningarna måste vara uppe i hundratusentals kronor vid det här laget! Och hur mycket har det hjälpt oss?

Jag skrattade kallt.

– Jag ska tala med kommunen, sa psykologen. Vart ska ni ta vägen nu?

– Vi hör av oss, sa jag och lade på.

Anders och jag diskuterade vart vi skulle ta vägen härnäst.

– Björsjö skogshem, sa jag.

– Där har de ju hittat oss en gång! sa Anders.

– Just därför, sa jag. Där skulle de ju aldrig leta igen, eller hur?

Så blev det. Vi åkte i slutet av oktober. Vi fick ett litet rum ute i annexet. Det kändes inte lika roligt som den fina trean utan kök.

– Det kommer att gå fint ändå, sa Anders. Jag går ner till Marres livs och handlar lite. Nåt du vill ha?

Jag skakade på huvudet.

Emma fick tillbaka mer och mer av sitt tal för varje dag som gick. Men jag tyckte hon talade sluddrigt, sämre än för ett år sedan.

– Det kommer att ordna sig, sa Anders.

– Jag hoppas du har rätt, sa jag.

Hon fortsatte att röra sig klumpigt också, gick in i väggar, missade stolar, tappade saker. Vi lät henne öva sig på att gå ute vid minigolfbanan, men vädret var inte särskilt promenadvänligt.

– Tror du hon skadats för livet? sa jag till Anders.

Så föll den första snön. Psykologen och Lasse kom upp. Vi hade inte träffat henne på ett halvår.

– Här har ni planen, sa hon och höll fram ett maskinskrivet A4-papper.

Jag böjde mig fram och läste pappret tillsammans med Anders. Det bestod av tre punkter, tre förslag om vår framtid. Det första föreslog att vi skulle flytta hem.

– Det kan vi avfärda på en gång, sa psykologen.

Det andra innebar att vi själva skulle välja en ny kommun i Sverige där vi ville bo.

– Det kanske kan vara en möjlighet, sa psykologen.

Det tredje alternativet var att vi skulle emigrera. Socialtjänsten erbjöd sig att betala vår resa, enkel biljett.

– Det tycker jag är det enda vettiga, sa psykologen.

Hon spred ut en bunt med papper på soffbordet.

– Jag har plockat fram vad som krävs för att få bosätta sig i Australien och USA. Här har ni, läs igenom alltsammans och bestäm er för vilket ni tycker verkar bäst.

Hon knäppte händerna, lutade sig fram och såg oss i ögonen.

– Det är enda möjligheten för er, sa hon. Ni måste flytta utomlands. Här i Sverige kommer ni aldrig mer att kunna leva i säkerhet.

Jag och Anders tittade på varandra.

– Vi ska tänka på saken, sa Anders.

– Så var det en annan sak också, sa psykologen. Jag ska sluta.

Vi stirrade på henne.

– Men... sa jag. Vi då? Vad ska det bli av oss?

– Studera de här papperna noga och meddela mig vad ni beslutar, sa hon. Jag finns kvar på kliniken därhemma till mitten av december.

På kvällen låg vi tätt, tätt tillsammans och viskade i mörkret.

– Hon har rätt, sa Anders. Vi kommer aldrig att kunna leva i säkerhet i Sverige.

Jag svarade inte. Fanns det ingen ände på mina uppoffringar? Jag skulle inte bara bli av med mitt hus, min hemstad, mina vänner, släktingar och föräldrar, jag skulle förlora mitt land också.

– Jag vill inte flytta, viskade jag. Jag vill hem till mitt hus.

Ändå satte vi igång och studerade informationshandlingarna för att immigrera till Australien. Det visade sig vara betydligt krångligare än vad psykologen låtit påskina.

En möjlighet var att man hade en släkting i Australien som var villig att sponsra ens uppehälle under minst tolv månader. Nästa chans var om ens yrke fanns med på den speciella Priority occupation list över yrken som det australiska samhället behövde. En snabb blick på listan och den möjligheten var borta.

En tredje möjlighet var att fylla i ett oerhört komplicerat poängtest för att se om man hade andra kvalifikationer som tillsammans kunde göra en attraktiv för bosättning i Australien. Man kunde, till exempel, få sjutiofem poäng om man ägde ett industriföretag som omsatt minst fem miljoner australiska dollar minst två av de senaste tre åren. Minimikravet för att komma i fråga för immigration var att ha minst nittio poäng. Anders suckade.

– Det här går inte, sa han.

Vi koncentrerade oss därför på USA.

En möjlighet var att skaffa en anställning i USA som inte någon amerikansk medborgare skulle klara eller ville ha. Dokumenten från amerikanska ambassaden i Stockholm gjorde mycket klart att ambassaden inte hade möjlighet att hjälpa någon skaffa detta jobb, det fick man göra själv. Ens arbetsgivare skulle sedan ansöka både hos de amerikanska immigrationsmyndigheterna och hos det amerikanska arbetsmarknadsdepartementet innan man kunde bli anställd och därefter få söka arbetstillstånd.

– Stryk, sa Anders.

Nästa möjlighet var att bli F 1-student eller M 1-student eller utbytesbesökare.

– Man måste vara del i något utbytesprogram för studier eller arbete. Man får inte arbeta heltid i USA, även om man får visum.

– Nästa, sa jag.

– Man kan få uppehålls- och arbetstillstånd om man har en amerikansk far, mor, syster, bror eller vuxet barn...

– Nästa!

– Returning Residents, de som tidigare bott permanent i USA och vill komma tillbaka efter mer än ett år utomlands...

– Nästa!

– Priority Workers, utomordentliga professorer eller forskare, konstnärer, idrottsmän, affärsmän med internationellt erkännande och ryktbarhet...

– Nästa!

– Special Immigrants, missionärer eller anställda vid vissa internationella organisationer...

– Nästa!

– Investors, den som kan starta ett företag som anställer minst tio arbetslösa amerikanska medborgare och investerar minst en miljon amerikanska dollar...

Anders lade ner pappren i knät.

– Psykologen vet inte vad hon talar om, sa han. Det här är väl inga möjligheter för oss att välja bland!

– Nej, sa jag. Du ska se att detta är allt hon har tagit fram. Nu slutar hon och lämnar oss här. Vi kommer inte att få någon hjälp av henne eller några andra myndigheter för att ta oss härifrån.

Jag reste mig hastigt upp.

– Det är upp till mig, det är alltid bara upp till mig! skrek jag. Det var jag som skulle sätta fast idioten som skulle slå ihjäl mig, det var jag som skulle skydda mina föräldrar från honom, det var jag som skulle se till att han blev utvisad. Nu är det plötsligt vårt eget ansvar att ta oss ur den här skiten som idioten till psykolog satt oss i! Inte nog med att hon försöker ta livet av Emma, nu lämnar hon oss i sticket också! Jävla skit!

Anders tog mig i sina armar.

– Psykologen och kommunen ville bara väl när de skickade bort oss.

– Ja men det blev så fel! skrek jag och ville slå mig ur hans famn. Han höll fast mig.

– Sant, sa han. Det kanske blir så att vi får ta oss ur det här själva. Då måste vi göra det. Vi klarar det, Mia. Vi har ju klarat allting annat...

Jag började gråta.

– Varför ska allting vara så svårt? sa jag. Varför kunde vi inte fått bo kvar i vårt fina hus och se våra barn växa upp där?

Nu förstod jag att vi bara hade oss själva att lita till. Ingen av dem som skickat bort oss skulle ta ansvar för att vi överlevde. När psykologen åkt hem gick jag raka vägen bort till Marres kiosk och ringde till mitt gamla jobb. Där talade jag länge med min gamla kollega, hon som hjälpt mig med det hemliga bankkontot. Sedan ringde jag ytterligare ett samtal, hem till mina föräldrar.

– Jag vill att ni kommer till Stockholm, sa jag. Jag har ordnat en lägenhet som vi kan träffas i.

Jag gav mina föräldrar ett datum i början av december.

– Vi kommer, sa min pappa.

I slutet av november lämnade vi Björsjö skogshem igen. Snön hade förvandlat landskapet till ett julkort. Vi åkte till Lilla pensionatet i Lindesnäs, en och en halv mil söder om Nås. Drivorna låg meterhöga.

– Det här måste få ett slut, sa jag. Psykologen har rätt, vi måste emigrera.

Långsamt, försiktigt och med stränga tysthetslöften började jag rycka i gamla trådar. När jag hade chans att ringa ostört tog jag upp gamla kontakter, dammade av nätverk som jag inte rört vid på sex, sju år.

I början av åttitalet arbetade jag dagligen under flera år med människor som flytt till vårt land. Jag lärde känna människor på alla pinnar på samhällsstegen, i alla organisationer, öppna såväl som slutna, under det arbetet. Världen var stor, lärde jag mig.

Jag tyckte det var självklart att de som förföljdes av ondskan i sina hemländer skulle få komma till oss och få ett nytt liv. Jag hade träffat hundratals människor som flytt från död och terror. Ändå hade tanken att jag själv skulle drabbas av något liknande aldrig ens snuddat vid mina sinnen. Jag tyckte det var självklart att jag alltid skulle få bo granne med mina föräldrar, alltid skulle få röra mig fritt överallt utan rädsla. Nu blev det inte så, och det var lika bra att jag tog konsekvenserna av det.

Ondskan ser likadan ut, hur den än är organiserad. Den kan vara politisk som en gång i Argentina eller Turkiet, kriminell som maffian på Sicilien eller blind som den som drabbat mig. Jag var tvungen att fly, och jag var inte den första. Jag skulle inte bli den sista. Ingen psykolog eller myndighet hade hjälpt familjen G att komma till Sverige, tvärtom. Deras öde var deras, mitt öde var mitt.

Ibland kunde vi kanske hjälpa varandra, vi hotade människor världen över. Jag ringde, ryckte, argumenterade och tog reda på. Det fanns möjligheter att vistas utomlands, visade det sig. Det gick att emigrera, utan att någon fick reda på det. Jag ringde, undersökte, fick dokument, skrev till ambassader och konsulat. Det finns organisationer över hela världen som hjälper människor i nöd. Det finns nätverk som gömmer människor över hela jorden. Det finns sätt att komma runt australiska poängtester och amerikanska immigrationsbyråer.

– Jag tror att det kan gå, sa jag till Anders. Men det tar tid.

Det blev första advent. Det märkte vi på julstjärnan som sattes upp i fönstret i allrummet på Lilla pensionatet i Lindesnäs. Åter igen ringde jag till Domänverkschefen nere i Stockholm. Han lovade ordna en egen stuga åt oss någon gång framåt jul.

Andra veckan i december lämnade vi Nås och körde de nästan trettio milen ner till Stockholm. Mina föräldrar och min lillasyster hade redan kommit. De måste ha åkt hemifrån i svinottan. Det var nästan overkligt att se dem igen. De såg precis ut som jag mindes dem, och ändå inte. Deras ögon var klarare, ledsnare, deras hår tunnare, deras ansikten tydligare.

– Mia, sa min mamma.

Först grät vi bara, åtminstone jag och mamma och lillsyrran. Vi kramade varandra, mina föräldrar höll i mig som om de trodde att jag skulle upplösas och försvinna igen. Sedan kramade de om sina barnbarn, kysste dem, smekte dem, skrattade och grät så att barnen blev alldeles generade. De plockade fram högar med presenter, sådant de skulle ha fått när de fyllde år och annat de skulle få till julklapp. Nu åkte allt upp i en enda röra.

– Titta mamma, en Barbie, sa Emma.

– Ja, vad fin!

– Och Paradisgården, mamma! Det är till ponnysarna! Ponnysarna bor där, mamma!

– Tåg, tuff tuff tuff, sa Robin om sin Brioräls.

Vi skrattade åt deras glädje.

Min syster bryggde kaffe och dukade fram fikabröd. Medan hon serverade såg jag mig omkring i köket. Det var exklusivt inrett och lyxigt utrustat.

– Vad är det här för lägenhet, egentligen? sa min pappa mellan tuggorna.

– Det är bankens representationsvåning, sa jag. Jag har lånat den i två dagar.

– Men... sa mamma. Hur kunde du göra det?

Jag log mot henne.

– Det mesta går att ordna, mamma, sa jag bara.

Efter en stund fick barnen gå från bordet och leka med sina nya leksaker. Anders och pappa följde med dem.

– Hur har ni haft det, Mia? sa mamma och såg forskande in i mitt ansikte.

– Bara fint, mamma, sa jag och log mot henne. Hur har ni haft det själva?

– Jodå, pappa har spikat upp staketet runt verandan i sommar. Vi har planterat ett par fruktträd, ett körsbär som heter Stella och en ny päronsort som heter Göteborg.

– Vad roligt! sa jag. Det ska bli kul att smaka dem...

Min mamma slog ner blicken. Vi bytte snabbt samtalsämne.

– Står radhuset kvar? Ser ni till det?

– Oh ja, sa mamma. Vi går dit flera gånger i veckan. Jag satte om dina blommor i våras.

– Men det behövdes väl inte, protesterade jag. Det gjorde jag ju i fjol!

– Nåja, sa mamma. Vi hade så fina petunior i rabatterna i somras. Pappa klippte gräsmattan två gånger i veckan hela sommaren.

Ni hade den finaste tomten i kvarteret.

Jag började gråta igen.

– Nej men Mia, det var inte meningen, sa mamma.

Jag torkade tårarna.

– Förlåt, mumlade jag. Jag längtar bara så hemskt efter er allihopa ibland...

Vi grät allesammans igen.

Mamma hade med sig en stek, sås, sallad och potatis till middag. Vi värmde alltsammans i mikrougnen. På kvällen såg vi en långfilm på tv. Barnen fick somna i sofforna.

Dagen därpå städade vi upp. Vi åt lunch på en liten kinakrog nere på Sankt Eriksgatan. Sedan var det dags att skiljas åt. Vi följde mina föräldrar till deras bil.

– Kör försiktigt, sa jag till pappa.

Vi vinkade efter bilen. Den försvann bakom 41:ans buss.

– Du sa aldrig var vi bor, va? sa Anders.

Jag skakade på huvudet.

– Du sa inget om att Emma varit dålig heller, eller hur?

Tårarna började rinna, jag skakade på huvudet igen.

– Jag sa ingenting om hur vi har det, sa jag. De ska inte behöva bära det också. De börjar bli gamla, jag ska bespara dem åtminstone en del av sorgen.

Än idag vet inte mina föräldrar hur vi har haft det och var vi har bott. Nu får de veta det, för första gången.

När jag kom upp till pensionatet utanför Nås upptäckte jag att pengarna var slut på våra lönekonton. Jag ringde försäkringskassan därhemma och frågade vart vår sjukpenning tagit vägen.

– Ni ska inte ha någon sjukpenning längre. Psykologen har ju friskskrivit er, sa tjänstemannen.

– Det kan inte vara möjligt, sa jag.

Jag ringde henne omedelbart. Hon lät väldigt avig.

– Ja, jag slutar ju nu. Jag kan inte ta ansvar för er längre.

– Så vad ska vi ska göra? sa jag. Du har ju sagt att vi inte får gå utanför dörren!

– Ni får väl börja jobba, sa hon.

Jag trodde inte mina öron!

– Var då?! Du sa ju åt mig att säga upp mig!

– Ni får väl flytta, sa hon.

Var detta människan som instruerat oss att aldrig gå utanför dörren? Var detta läkaren som tvingat oss att gå under jorden?

– Flytta vart? skrek jag. Ska vi åka hem?

– Nej, det kan ni ju inte, sa psykologen. Jag tycker ni ska emigrera.

Jag tänkte så det knakade. Vad kunde ha hänt när hon betedde sig på det här sättet?

Plötsligt kom jag att tänka på doktor A, läkaren som hjälpt både mig och Emma. Jag mindes hur upprörd doktor A blivit när han förstod att psykologen känt till Emmas sjukdom och inget gjort. Kunde han ha anmält psykologen till sjukvårdens hälso- och ansvarsnämnd trots allt? Hade han gått vidare med vårt fall till någon annan? Hennes överordnade? Var det därför hon plötsligt sa upp sig och flyttade?

– Bra, fint, sa jag bara in i luren. Du har verkligen gjort ett jättebra jobb med oss, psykologen. Jättestiligt, skitfint. Tack för allt.

Jag lade på luren utan att höra på hennes svar.

– Vi kanske kan åka hem, sa jag. Huset står ju kvar!

– Tänk efter nu, sa Anders. Vad tror du skulle hända om du träffar honom på gatan? Att försvinna var den ultimata förolämpningen. Du vet ju att de letar efter oss! Han skulle döda dig eller Emma så fort han fick en chans.

– Men hur ska vi kunna fortsätta att leva gömda när psykologen slutar? sa jag.

– Att hon slutar ändrar egentligen ingenting, sa Anders. Det är inte hon som tagit beslutet att vi ska skickas iväg, hon har bara hållit i det praktiska. Det är inte hon som betalat kalaset, räkningen har bara gått till henne.

– Det är kommunen som betalat, sa jag fundersamt. Det måste vara någon i toppen på socialtjänsten som tagit det formella beslutet att vi skulle försvinna.

– Socialnämndens ordförande, sa Anders.

Jag ringde honom morgonen därpå.

– Ni får inte komma hem, inte under några förutsättningar! sa han skarpt. Att psykologen sagt upp sig ändrar ingenting. Vi fortsätter precis som förut.

Vi fick klara oss på egen hand.

Det kunde ju inte bli värre.

Dagarna som följde pratade vi en hel del. Vad skulle det bli av oss? Vad ville vi? Vad klarade vi av?

En incident med Emma fick oss att förstå att vi fortfarande behövde psykologisk hjälp.

Vi brydde oss inte om att packa upp våra saker ur väskorna på Lilla pensionatet. Våra kläder låg mer eller mindre slarvigt hopvikta i resväskorna, som vi skjutit in under sängarna. Emma måste ha varit där och rotat. Vi såg inte hur det gick till, men plötsligt hade flickan lyckats knyta en av Anders gamla snusnäsdukar runt sin egen hals. Det var Anders som såg henne först.

– Mia herregud! skrek han. Skynda dig hit!

Emma låg på golvet. Hennes ansikte var alldeles blått. Än idag vet vi inte hur hon burit sig åt, men på något sätt hade flickan lyckats dra åt trasan runt halsen så hårt att hon nästan svimmat. Jag gallskrek. Anders slet i duken. Det gjorde dubbelknuten ännu hårdare.

– Jag får inte upp den, Gode gud! Mia, fort som helvete, hämta en sax!

Jag började rusa runt i panik. Sax, sax, var fanns en sax? Min necessär, där fanns en fickkniv! Jag kastade mig över sängen, slet upp necessären, där!

Snabbt gav jag kniven till Anders. Han vände på flickan, stack in bladet i tyget bak vid hennes nacke, karvade och slet. Flickans hud rispades upp, men vi hade inget val. Till slut fick han bort trasan. Ett rosslande ljud hördes nerifrån flickans strupe.

– Andas Emma, andas! ropade jag.

Anders blåste ner luft i hennes lungor, men det behövdes egentligen inte. Flickan andades själv, snart grät hon. Jag höll henne i famnen, vaggade och tröstade.

– Lilla vännen, så du skrämde oss! Så där får du inte göra, aldrig aldrig göra så mera...

Men det gjorde hon. Vi försökte gömma allting som hon kunde göra illa sig med, men vi lyckades inte alltid. En gång höll hon på att strypa Robin med min stickade halsduk. En annan gång höll hon på att hänga sig i Anders livrem. Allt detta gjorde att vi insåg att vi inte klarade oss helt ensamma. Vi var trasiga inombords allihopa efter att ha levt gömda i nästan ett år.

I mitten av december ringde jag upp Säters mentalsjukhus och bad att få prata med en psykolog. Jag blev kopplad till en kvinna, psykiatriker D.

– Jag tänker inte tala om vad jag heter, började jag samtalet. Jag tänker inte tala om var jag bor. Jag har ett problem, som en av dina kollegor försatt mig i.

Hon blev förvånad, men inte otrevlig.

– Hur kan jag hjälpa dig? sa hon försiktigt.

– Hur vet jag att du verkligen kan hjälpa mig? sa jag. Vem är du? Vad har du för utbildning? Varför skulle jag lita på dig?

Psykiatriker D tvekade ett ögonblick, sedan berättade hon om sin bakgrund och sitt nuvarande arbete på Säter.

– Jag hör av mig igen, sa jag.

Sedan ringde jag upp socialstyrelsen och kollade att psykiatriker D:s examina stämde. Det gjorde de. Därefter ringde jag sjukvårdens hälso- och ansvarsnämnd och frågade om psykologen någon gång anmälts eller prickats för något tjänstefel. Det hade hon inte. Till sist tog jag kontakt med landstingets förtroendenämnd, dit patienter som anser sig misshandlade av sjukvården ska vända sig. De hade inte hört något negativt om psykiatriker D.

Då, och först då, ringde jag tillbaka till Säter och bokade en tid. Vi fick komma, hela familjen, i mitten av januari.

Vi lämnade Lilla pensionatet i Lindesnäs och flyttade till en bruntimrad stuga som Domänverkschefen trollat fram åt oss. Den låg i Nyfors, sju kilometer in i skogen från Björsjö skogshem.

– Det ser ut som ett pepparkakshus! sa Emma när vi svängde upp framför ingången.

Det gjorde det verkligen. Snön låg som drivor av pudersocker runt det pepparbruna lilla huset. Det hängde en adventsstjärna i fönstret. Jag och Anders kramade om varandra.

– Här blir det fint att fira jul!

Vi inrättade vår tid i dagar, timmar och minuter. Den skulle fyllas, till varje pris. Emma fick inte gå in i sig själv igen. Ibland kunde hennes blick glida bort, ibland rörde hon inte maten. Då blev jag iskall, livrädd, dödsförskräckt. Lugnt, mördande metodiskt fortsatte vi att läsa, rita, sjunga och spela när det hände. Efter några timmar, högst någon dag, kom hon tillbaka igen.

När det hände kunde jag säga till Anders:

– Det finns någon däruppe som ser efter oss, trots allt.

Vi åkte in till Kopparberg och Skinnskatteberg och handlade julmat.

– Var ska vi köpa julklapparna? frågade jag.

Vi tog fram kartan och tittade på städerna runt omkring. Efter en del funderande valde vi Västerås. Vi tog en rejäl dagsutflykt och promenerade omkring i staden hela dagen. Det var härligt att gå omkring på stora gator och torg igen. Alla butiksfönster var julskyltade, i affärerna var trängseln kaotisk, överallt spelades julsånger.

Anders köpte en vinterrock på en affär som hette Blombergs. Jag handlade lite underkläder på Hennes&Mauritz. Julklapparna köpte vi på Stor&Liten intill Domus city, ett Barbiehus och skidor åt Emma, en snowracer och Duplotåg åt Robin. Barnen somnade i bilen på vägen hem.

Dagen före julafton stannade en grön Domänverksbil utanför vår stuga. På taket satt en liten gran fastsurrad. Två män hoppade ur.

– God jul i stugan! hojtade de.

Vi gick ut på trappan.

– Vi kommer med en liten julklapp, sa den ene mannen. En julgran, från Domänverket! Varsågoda!

Vi firade julen på precis samma sätt som vi alltid gjort därhemma. Klädde granen med den nya, elektriska belysningen från Kopparhallen. Spelade julsånger på bandspelaren. Ställde ut en tallrik gröt till tomtenissarna. Mitt på dagen åt vi en stor jullunch med gående bord och småvarmt. Sedan såg vi på Kalle Anka klockan tre och började vänta på tomten.

– Jag ska gå ut och se så att han inte kör förbi oss med sin släde, sa jag.

– Jag vill följa med! sa Emma.

– Nej, vänta här du, skyndade sig Anders att säga. Vi står här i fönstret och spanar.

De ställde sig och tittade ut genom fönstret som vette mot baksidan. Jag drog på mig Anders stora stövlar och gick ut i mörkret. Jag öppnade bakdörren på vår Mazda Combi och plockade fram julklappssäcken. Sedan satte jag på mig Anders nya vinterrock, den röda luvan och tomtemasken. Stamp, stamp, stamp, lät mina tunga steg i trappan. Jag bankade på ytterdörren.

– Kom in! hörde jag Anders röst.

Jag öppnade dörren, stampade omständligt av mig snön och sa:

– Gokväll, gokväll i stugan!

Emma stirrade på mig med jättestora svarta ögon. Hon hade pekfingret i munnen och höll Anders i handen. Robin tittade förvånat på mig bortifrån öppna spisen.

– Finns här några snälla barn? sa jag.

Emma tog fingret från munnen.

– Jo jag! sa hon ivrigt. Och lillebror med, vi är så snälla, så snälla...

– Vad bra då, för tomtenissarna har gjort så många saker åt er i år! sa jag och drog igen dörren.

– Vill tomten ha en stol att sitta på? undrade Anders.

– Jaaa tack, sa jag och suckade. Min stackars trötta gamla rygg...

– Det är förstås ruskigt mycket att göra så här på julafton för Tomtefar? sa Anders och ställde fram en köksstol.

Jag sjönk ner på stolen och vickade lite på huvudet.

– Ja uj uj uj, och ingen övertidsersättning får vi, sa jag.

Anders hade svårt att hålla sig för skratt. Jag började veckla upp julklappssäcken, tog upp ett paket och läste högtidligt:

– Till Emma pemma från mor och far, God jul älskling! Vem är Emma pemma? Finns det någon sådan här?

– Det är jag! sa Emma storögt och lyfte ena handen.

– Nå, var så god, och god jul!

Jag räckte paketet mot flickan. Hon närmade sig långsamt, släppte inte tomtemasken med blicken. Så sträckte hon sig fram, ryckte åt sig presenten och sprang tillbaka och gömde sig bakom Anders. Jag skrattade tyst. Hon var för rar!

– Så har vi ett paket till Mamma Mia, finns det någon sådan här, då? sa jag.

– Hon gick ut en liten sväng, sa Anders. Jag kan ta hennes paket så länge.

Så följde en hel ström av paket till barnen. Robin tordes inte gå fram till tomten själv – Anders fick följa honom. När säcken var tom reste jag mig upp.

– Nå, tack för i år, då...

– Vill inte Tomtefar stanna och ta sig en liten rackabajsare? sa Anders.

Jag kunde nästan inte hålla tillbaka skrattet.

– Nej tack, sa jag kvävt. Det är så många barn som väntar på sina klappar, jag måste åka vidare...

– Ja då ses vi nästa år, sa Anders.

– Ja tack för i år, och god jul! sa jag.

Barnen märkte knappt att jag gick. De hade så fullt upp med paketen.

– Var har du varit, Mia? sa Anders oskyldigt när jag kom in.

– Jag har köpt kvällstidningarna, sa jag.

– Mamma mamma, tomten har varit här! ropade Emma och sprang fram mot mig.

Jag fångade upp flickan, hissade henne och tog henne i famn.

– Nej vad säger du? Menar du att jag missade honom? Så förargligt!

– Vi tog hand om mammas paket, eller hur Emma?

Flickan kämpade sig lös, rutschade ner på golvet och sprang bort till Anders.

– Jag fick massor av presenter mamma, titta! Ett Barbiehus!

– Ja har du sett! sa jag.

– Och vet du en sak mamma? sa Emma. Tomten hade samma klocka som du!

På juldagen åkte jag bort till en telefonkiosk och ringde till mina föräldrar. Det var min mamma som svarade.

– God jul, mamma!

– God jul, sa hon.

– Hur har ni det?

Hon drog på svaret.

– Så där, sa hon.

– Vad är det? sa jag.

Hon började gråta.

– Det är inget roligt när inte ni är här! Det är inget roligt att fira jul längre.

Jag svalde.

– Det är klart ni ska fira jul fastän vi är borta! Det gör ni väl?

Mamma grät.

– Mamma, ni har väl ätit julbord och skaffat julgran?

– Nej, snyftade hon. Det är ingen idé längre.

– Låt mig tala med pappa, sa jag.

Min far kom i luren.

– Pappa, nu får du gå ut och skaffa julgran! sa jag. Det är klart ni ska fira jul!

– Det kan aldrig bli som förr, sa han.

Jag började gråta.

– Ni måste i alla fall försöka! sa jag. Det måste vi göra!

– Han följer efter oss, sa pappa.

Det började susa i mina öron.

– Jag åkte på ett möte i Borås strax före jul, mamma följde med. Han körde efter oss hela vägen, ända till Borås och tillbaka, sa pappa.

– Det menar du inte! viskade jag.

– Var försiktig, Mia! sa pappa.

Så tog pengarna slut.

Barnen fick gå ut och prova sina julklappar i snön under mellandagarna. Emma hade ingen större framgång på skidorna, men Robin tyckte snowracern var rolig. För det mesta var vi inne. Inte bara för att vi var tvungna, utan för att det var så kallt.

Vi stannade i pepparkakshuset i Nyfors över nyår. Nyårsnatten var stilla och stjärnklar. Barnen fick stanna uppe och titta på Grevinnan och betjänten. Emma tyckte det var roligt när farbrorn snubblade på djurhuvudet. Sedan hjälpte jag barnen att borsta tänderna i det lilla badrummet. Robin ville inte öppna munnen, precis som vanligt. När jag äntligen fått deras små tänder någorlunda rena fick Anders lägga dem.

Jag stod kvar en stund, granskade mitt ansikte i badrumsspegeln. Ibland fick jag för mig att mitt hår borde vara grått. Instinktivt lyfte jag händerna och kände på de blonda lockarna. De borde vara gråa och sträva. Plötsligt såg jag förändringen i ögonen som mötte mina i spegeln. De var inte samma ögon som lämnade min hemstad för snart ett år sedan. Detta var en gammal kvinnas ögon. Jag slog ner blicken, släckte ljuset och lämnade badrummet.

Vid tolvslaget skålade vi i cider – vi hade naturligtvis glömt bort att köpa champagne. Sedan öppnade vi ytterdörren för att titta om vi kunde få se några fyrverkerier. Vi lyssnade länge, spanade mot den svarta natthimlen. Inte ett ljud hördes. Inte ett ljus syntes. Anders lade armen om mig, drog mig intill sig. Andedräkten flöt som vita moln ur våra munnar.

– 1991, sa Anders. Du ska se att det blir ett bra år.

Det blev det till sist, trots allt.

Den andra januari lämnade vi Nyfors. Vi stannade och åt lunch på Björsjö skogshem. När Birgit såg oss sitta i matsalen kom hon fram och hälsade.

Vi flyttade till Pensionat Solliden i Falun, ytterligare ett i raden av alla småhotell med trånga rum, gemensam toalett och allrum med tv. Scheman gjordes upp på vilka böcker som skulle läsas, vilka teckningar som skulle ritas, vilka sånger som skulle sjungas.

– Jag står inte ut, sa jag. Jag kan inte leva mitt liv på sju kvadratmeter.

Jag ringde min vän Domänverkschefen igen. Ännu en gång lovade han att hjälpa oss.

Så kom dagen för vår tid hos psykiatriker D. Vi åkte till Säter hela familjen. Psykiatrikern var bra och konkret. Hon hjälpte oss mycket, fungerade som det stöd en bra psykiatriker ska vara. Hon lade sig inte i det praktiska runt omkring oss, tyckte att vi verkade klara det bäst själva. Vi hade kontakt med henne ända tills vi lämnade Sverige. Innan vi åkte denna första gång sjukskrev hon oss båda två.

I mitten av januari fick vi tillgång till en ny stuga genom Domänverket. Det var ett litet torp sex kilometer utanför Malingsbo som hette Brotorp.

Bakom stugan bredde en stor sjö ut sig. Nu var den naturligtvis igenfrusen och täckt med en meter av snö.

– Det är lika bra att vi börjar skotta, sa jag.

Vi fick ploga oss fram till trappan. Både vi och barnen frös innan vi var klara. Inne i huset var det inte mycket varmare.

– Hittar du några element? ropade Anders inifrån det lilla köket.

– Ja, det finns ett här ute i salen, ropade jag tillbaka.

– Vi får tända en rejäl brasa, sa Anders.

Bredvid kaminen i salen fanns en hög med torr ved. Anders fick snabbt fyr på den. Vi bredde ut lakan, kuddar, täcken och filtar framför elden så att sängkläderna inte skulle vara så råkalla när vi gick och lade oss. Det var de i alla fall. Vi sov med kläderna på.

Torpet var ganska dragigt. Det fanns el och vatten, men ingen tv. Vi köpte en själva och ställde dit. På nedre våningen låg salen, köket och det lilla badrummet. Där uppe fanns två små sovrum. Ändå var det bättre än att bo på pensionat. Det tyckte jag åtminstone ett tag – tills vi upptäckte råttorna.

Det började med att jag märkte att någon åt på frukten i fruktskålen. Jag skällde lite på Emma. Eftersom hon inte protesterade så tog jag för givet att det var hon. Men ätandet fortsatte. Skalen låg i små högar på bordet.

– Det är råttor, sa Anders.

Jag flämtade till.

– Det menar du inte! Inte kan de väl ta sig upp på soffbordet? Upp i fruktskålen?

– De tar sig fram överallt, sa Anders. Vi får köpa en råttfälla.

Sagt och gjort. Vi köpte en fälla som vi satte i diskbänksskåpet på kvällen innan vi skulle gå och lägga oss. Vi hann inte ens gå uppför trappan förrän fällan slog igen.

– Bingo, sa Anders.

Vi gick ner till köket igen, drog fram fällan. Det var en enorm råtta. Fällan hade nästan inte förmått slå igen om dem.

– Iiii – ta bort den! skrek jag.

– Lugna dig, den är ju död, sa Anders och sträckte fram handen för att ta i den.

– Nej! skrek jag. Ta på dig handskar, du kan få råttpest!

– Du har ätit på samma äpplen som den här killen i en vecka, påminde mig Anders.

– Sluta, jag spyr, sa jag.

– Nu är vi i alla fall av med det problemet, sa Anders.

Men ätandet fortsatte.

– Det finns fler råttor där under, sa jag.

– Åk upp till lanthandeln i Nyfors och kvittera ut hur många råttfällor ni vill, sa de på Domänverket.

Den kvällen riggade vi råttfällor på flera olika taktiska ställen i huset. På morgonen vittjade vi dem. I alla fällor på nedre våningen låg döda råttor. Deras ryggar var knäckta, blodet hade smetat ner hela fällorna.

– Gud så äckligt! rös jag.

Tre fällor var tomma, den i trappan och de under barnens sängar. Anders bar ut råttliken och slängde dem på vår nyinrättade råttkyrkogård bakom uthuset.

Snart hade vi lärt oss var odjuren fanns. De kom aldrig upp i övre våningen, så fällorna där och i trappan kunde vi ta bort. Djuren tog sig in i huset via diskbänksskåpet. Varje kväll satte vi ut tio fällor. De flesta var fulla på morgonen.

– Småjätter, sa Robin. Vi har småjätter.

När högen bakom uthuset växt till en pyramid sa Anders:

– De måste ha en storstad där under.

När vi inte gick på råttjakt försökte vi leva som vanligt. Vi läste och ritade. Ibland var vi ute, men inte så ofta. Det var så kallt, och eftersom vi aldrig fick huset riktigt uppvärmt tog det emot att bli genomkall ute i snön. På nätterna sov vi tätt, tätt tillsammans med långkalsonger och dubbla täcken.

En dag när vi skulle upp till Nyfors för att hämta fler fällor föll min blick på ett päron jag haft liggande på instrumentbrädan. Någon hade gnagt på det. Det låg en liten hög med skal intill handskfacket. Jag skrek.

– De är i bilen! Vi har råttor i bilen!

– Lugna ner dig! sa Anders. Visserligen tar sig råttor in överallt – men inte i bilar!

– Vi ska sätta ut fällor i bilen! sa jag. Du ska se att jag har rätt!

Det hade jag. Vi fångade åtta råttor i vår nya Toyota Camry, de flesta i bagageluckan och baksätet.

– Vidriga, äckliga djur! tjöt jag.

Det var i slutet av januari. Vi hade levt gömda i exakt ett år. Ingenting i vår situation hade förbättrats, tvärtom. Vi var lika långt från ett varaktigt hem som när vi lämnade vårt hus. Jag grät den dagen i köket i Brotorp, vårt elfte gömställe på tolv månader.

Medan råttbeståndet sakta tunnades ut under diskbänken fortsatte vi att planera för vår framtid. Ofta satt jag och läste planen som psykologen och socialnämndens ordförande gjort upp. Tre alternativ hur vi skulle leva vårt liv. Flytta hem. Otänkbart. Flytta till annan kommun i Sverige. Kanske möjligt. Flytta utomlands. Den bästa lösningen, men samtidigt den svåraste.

– Ska vi prova att bosätta oss någonstans i Sverige? Det kanske skulle fungera, trots allt?

Vi diskuterade saken med socialnämndens ordförande. Han var inte främmande för att vi skulle stanna kvar i Sverige. Tvärtom verkade det vara något som de diskuterat ingående på socialtjänsten i vår hemkommun. Han hade till och med ett förslag, ett erbjudande som skulle göra att vi skulle kunna röra oss fritt utomhus, som han sa.

Det erbjudandet dödade mitt sista förtroende för socialtjänsten. Det bevisade att kommunen inte hade den ringaste aning om vad de höll på med. Slutligen insåg jag att det varit ett gigantiskt misstag från början till slut att lyssna på dem.

– Jag tycker ni ska plastikopereras, sa socialnämndens ordförande. Om ni vill, så betalar kommunen operationerna så att ni får helt nya utseenden, hela familjen. Barnen också. Man kanske kan färga Emmas hår blont...

Då började det flimra för mina ögon. Jag trodde jag skulle svimma. Jag var tvungen att sätta mig ner i telefonkiosken.

– Fattar du vad du säger? sa jag matt. Menar du att vi ska opereras om till några andra? Emma har hållit på att dö för att hennes hem tagits ifrån henne! Ska ni ta ifrån henne hennes ansikte och utseende också? Vad håller ni på med? Ni vet ju inte vad ni gör!

Jag reste mig upp igen, skrek i luren.

– Varför plågar ni oss på det här viset? Ni vill ju bara en sak, att ta livet av oss! Det vore ju det allra enklaste, eller hur? Då är ju problemet ur världen!

Jag slängde på luren och storgrät.

Psykiatriker D trodde inte sina öron när jag berättade om socialnämndens förslag.

– De kan inte ha menat allvar, sa hon skeptiskt.

– Jo du, sa jag. Han sa det som om det vore årets present.

– För det första kan man inte plastikoperera ett litet växande barn, sa psykiatriker D. För det andra skulle det vara fullständigt förödande för Emmas psyke. Hur kunde de ens komma på tanken?

– De menade nog väl, sa Anders. Det har de gjort hela tiden. De har haft viljan, men inte förmågan, att hjälpa oss.

Jag fortsatte att rycka i mina utländska kontakter. Ringde, skrev, undersökte, grävde. Till slut började ett alternativ lysa klarare än de andra, ett land långt borta. Det som talade för just detta land var det faktum att vi skulle släppas in där. Så småningom skulle vi kunna börja arbeta. Anders kanske till och med kunde öppna ett nytt företag.

Ett annat krav som landet uppfyllde var ett omfattande visumtvång. Han skulle aldrig släppas in där med sin kriminella bakgrund. Dessutom hade landet hyfsat klimat och levnadsstandard. De stora problemen var språket och bostaden. Vi kunde inte ett ord och var tvungna att köpa ett hus eller en lägenhet. Men vi skulle kunna bo och fungera där, intygade mina kontakter. Det skulle gå att ordna.

– Vi kan ha det som sista utväg, sa jag.

I början av mars bestämde vi oss för att försöka bo kvar i Sverige, trots allt. Förlusten av vårt hemland skulle kännas så stor att vi var villiga att prova alla andra utvägar först.

– Vart ska vi flytta? sa Anders.

– Spelar det någon roll? sa jag. Varför inte ta det som är närmast, Smedjebacken?

Än en gång var jag tvungen att kontakta min gamla socialtjänst. En solig marsdag stämde vi träff med två socialsekreterare från min hemkommun på Björsjö skogshem. Sedan åkte vi tillsammans med dem till kommunhuset i Smedjebacken. En socialsekreterare L tog emot oss. Socialtjänsten i Smedjebacken informerades om hela vår historia. Det bestämdes att vi skulle få en lägenhet i deras kommun. Emma skulle få behandling på PBU i Ludvika.

– Det här kommer att bli fint, sa Anders.

Tredje veckan i mars var vi tvungna att lämna Brotorp. Någon annan inom Domänverket behövde huset. Vi fick ett annat torp strax intill. Det hette Knekttorp och var betydligt enklare. Det saknade vatten, men hade el och svartvit tv.

– Det är bara en kort tid nu, Mia, sa Anders tröstande.

Knekttorp blev vårt tolfte och sista gömställe det året. De veckor vi bodde där smälte snön i strida strömmar. Solen började lysa varmare och varmare.

– Mia, snart är det över, sa Anders.

Vår lägenhet i Smedjebacken var en trea på drygt åttio kvadratmeter. Den låg två trappor upp i ett vanligt sextitalshus, adressen var Västansjö 9A.

– Äntligen ett eget hem! Känns det inte bra, Mia? sa socialsekreterare L.

– Jodå, sa jag.

Men det gjorde det inte riktigt.

Det var inte som mitt hus därhemma.

Mina föräldrar blev överlyckliga när jag ringde och berättade att vi skaffat en lägenhet i Smedjebacken.

– Äntligen kan vi komma och hälsa på som vanligt folk! sa mamma.

Jag tvekade, ville inte göra henne besviken.

– Vi lever fortfarande gömda, mamma, sa jag. Vi kommer fortfarande att ha strikt sekretess på var vi bor och vad vi gör. Vi kommer att hålla oss mycket inomhus. Ni kan komma hit och hälsa på, men ni måste se noga efter så ni inte blir förföljda.

– Så ni kan fortfarande inte komma hem, inte ens till jul?

– Nej, mamma, sa jag mjukt.

Vi åkte till Borlänge och handlade lite möbler, sängar, köksbord, fyra stolar och en taklampa. Mina föräldrar kom med ett släp med några av våra käraste saker från huset, den vita skinnsoffan, bokhyllan och de bröllopspresenter som fortfarande var hela.

– Är ni säkra på att ni inte blev förföljda? sa jag till pappa.

– Vi stannade flera gånger längs vägen, sa han.

Tillsammans bar vi upp några kartonger som min mamma plockat ihop hemma i huset.

– Jag drog för persiennerna så att de inte skulle se att jag packade, sa hon.

Det var några kristallglas, ett halvdussin kaffekoppar, några tallrikar och två besticklådor. Vi sorterade in i skåp och lådor i mitt nya kök. Ingen av oss tänkte på att Emma kom in och började rota i kartongerna. Jag hade precis ställt in kristallen när jag vände mig om och såg henne stå där med kniven. Hon höll den mot sin egen hals. Hennes blick var tom och svart. Jag frös till is. Kunde inte röra mig.

– Emma, viskade jag. Emma-gumman, lägg bort kniven...

– Vad är det? sa mamma.

I samma sekund tog Emma bort kniven från sin strupe. Med en snabb rörelse kastade hon förskäraren genom rummet. Den träffade min mamma i låret. Resten minns jag i en enda röra. Mamma skrek, jag skrek, jag kastade mig fram mot flickan, tog henne i mina armar.

– Kära lilla gumman, kära lilla barn, vad tar det åt dig?!

Hon reagerade inte, onåbar. Jag svalde, tvingade mig att låta lugn, vaggade flickan i famnen.

– Mammas fina tös, lilla vännen...

Så slog hon sina armar runt mig, började att gråta stilla. Från och med den dagen fick vi gömma alla våra knivar också. De gånger hon lyckats få tag i en kniv har hon alltid hotat sig själv eller någon annan. Psykologerna har förklarat att hon testar gränser för vad som är möjligt. Hon minns sin fars överfall, trots att hon var så liten när de hände. Att själv hota är hennes sätt att bearbeta och komma över sina trauman.

Vi ansökte om att få byta identiteter, hela familjen. Det kändes oerhört konstigt att sitta och hitta på nya namn.

– Vad vill du heta? sa jag till Anders.

– Caesar Napoleon, sa han, och vi började gapskratta.

– Du då? sa han.

– Greta Garbo, sa jag.

Sedan började jag gråta.

– Jag vill heta Maria Eriksson, sa jag.

Det slutade med att Anders bestämde alltsammans. Jag kunde aldrig besluta mig.

Rent praktiskt fanns det en rad skydd vi kunde ta till för att dölja att vi flyttat till Smedjebacken. Den första juli 1991 öppnade sig en helt ny möjlighet i Sverige, så kallad kvarskrivning. Det innebar att en person eller en familj får stå kvar som bosatt i en kommun, fastän man flyttat någon helt annanstans. Vi var bland de allra första i Sverige som fick den nya möjligheten i maj -91, innan den ens fanns.

Vi fick nya, tillfälliga personnummer. Våra persondata räknades om på ett visst sätt, multiplicerades på ett särskilt sätt. Jag blev född den femtonde mars. Vi hade aldrig någon post hem till lägenheten utan hämtade den i en postbox nere på stan. Våra nya personnummer sekretessmarkerades i folkbokföringsregistret. Lägenheten stod inte i våra namn. Telefonabonnemanget som installerades stod inte heller i vårt namn, numret var hemligt.

– Det kanske är att elda för kråkorna, sa jag. Han har kanske gett upp för länge sedan.

Det hade han inte. Det skulle vi snart bli varse.

En av de första dagarna efter att telefonen installerats ringde socialsekreterare L.

– Polisen i din hemkommun har sökt dig hemma hos din gamla socialtjänst, sa hon.

– Jaså, sa jag förvånat. Vad vill de då?

– Jag vet inte, sa L. Du får ringa kommissarie T och höra efter.

Jag kände igen hans namn. Vad kunde han vilja mig?

– Så bra att du ringde, Maria, sa kommissarien. Jag har fått ett anonymt telefonsamtal som gäller dig.

Hjärtat började dunka.

– Om vad då? sa jag.

– Det var en kvinna som ringde, sa kommissarien. Hon lät svensk, hade ingen brytning. Hon frågade om jag kunde få tag i dig. Jag sa att jag inte visste var ni fanns. Hon envisades och sa att hon måste få fram ett meddelande till dig...

Jag blev lite yr i skallen. Kommissarien fortsatte:

– Hon sa så här, och jag läser ordagrant ur mina anteckningar: "Hälsa Mia att hon måste vara på sin vakt. De letar efter henne och barnen. Det skickas runt bilder på henne och Emma. En gång har de betalat ut pengar för att få reda på var hon fanns. En man i Grängesberg fick tiotusen kronor för upplysningen att de fanns någonstans i närheten. De planerar att skjuta hela familjen när de hittar dem". Så sa hon...

Jag fick sätta mig på golvet. Hela huset snurrade.

– Vet du vem det kan ha varit som ringde? sa polismannen.

– Ja, sa jag. Jag vet vem det var som ringde.

Helena.

Vi fick en tid på psykiatriska barn- och ungdomsmottagningen i Ludvika för att låta undersöka Emma. Jag berättade precis som det var, om vår flykt, Emmas sjukdom, hennes kvarstående dåliga tal och konstiga rörelser, hennes försök att skada sig själv och andra, min oro över att hon fått skador för livet.

Barnpsykolog N.N. tyckte att flickan skulle genomgå en rad tester med namn som inte sade mig någonting: Ericas sandlådetest, Machover minneskomplettering, Spiq performancetest och en del andra. En konsultläkare skulle kallas in för att utreda om hon fått några fysiska skador.

Vi fick lämna Emma tillsammans med läkarna.

– Ska vi gå ut i solen en stund? sa jag.

– Robin håller på att somna, sa Anders och tog upp en fisketidning från hyllan i väntrummet. Gå du! Vi väntar här...

Det var varmt, solen gassade. Jag vände mitt vintertrötta ansikte mot solen. Vårlökarna utanför PBU:s mottagning blommade. Ingen galning kom och slet upp dem.

Jag satte på mig solglasögon och stoppade in mitt hår i en keps. Nu skulle ingen känna igen mig. Långsamt gick jag Köpmangatan fram. Efter några minuter var jag framme vid Åhléns på Storgatan. Jag gick mot ingången, det var lika bra att handla lite saker till lägenheten när jag ändå var här. Precis när jag skulle kliva innanför dörrarna föll min blick på en liten svarthårig kvinna som just kom ut ur affären. Hon verkade så bekant på något sätt. Jag gick in, tog en röd varukorg – och så kom jag på det!

Herregud, det var ju fru G! Jag slängde korgen, sprang ut ur affären och spanade efter kvinnan. Där!

– Fru G! ropade jag. Hallå fru G, vänta!

Jag rusade efter henne, hoppade undan för en barnvagn och hann upp henne. Kvinnan hade stannat, såg förvånat upp.

– Fru G! sa jag hjärtligt. Vilken överraskning! Vad gör ni här?

Kvinnan stirrade oförstående på mig. Plötsligt blev jag medveten om hur konstig jag måste se ut. Snabbt slet jag av mig brillorna och släppte ut håret inifrån kepsen.

– Det är ju jag, Mia Eriksson! sa jag.

Kvinnan tittade på mig som om hon sett ett spöke. Så sprack hela hennes ansikte upp i det soligaste av leenden.

– Mia! utropade hon och omfamnade mig. Mia, vår räddande ängel! Åh så länge sedan! Vilken glädje, vilken fröjd!

Vi kramade om varandra, pratade i munnen på varandra.

– Kom, sa fru G. Vi går och tar en kopp kaffe!

– En snabb en, sa jag. Min familj väntar...

Vi vek av på Engelbrektsgatan och gick in på ett fik.

– Berätta, sa jag till fru G när vi fått våra koppar. Hur har ni det?

Hon log lite vemodigt.

– Vi har det bra, sa hon. Uppehållstillståndet blev vår räddning. Mina barn fick en chans till ett nytt liv till slut, trots allt.

– Trivs ni i Sverige? frågade jag.

Hon slog ner blicken.

– Det är fint här, sa hon. Mina barn har det väldigt bra. Men det är inte som hemma.

Hon såg upp igen.

– Faktum är att vi funderar på att flytta tillbaka.

– Vad säger du? utbrast jag förvånat. Kan ni göra det?

Hon log igen.

– Ja, det underliga är att vi kan det idag. Tänk, det trodde vi aldrig. Men en sak har livet lärt mig, Mia Eriksson: Ingenting är för evigt.

Jag såg in i hennes ögon. Plötsligt såg jag någonting i dem – något som jag sett förut. Jag såg mig själv, jag kände igen det vaksamma draget, jag såg en gammal kvinnas ögon.

– Det gäller att klara sig, att ha det bra, sa fru G. Man får släppa prestigen och anpassa sig till livet. Ingenting är rättvist – men ingen orättvisa består. Se hur världen förändrats omkring oss sedan sist vi sågs! Det kalla kriget är över. Järnridån har fallit. Apartheid är på väg att försvinna. Augusto Pinochet har lämnat över presidentposten till Patricio Aylwin...

Vi drack ur kopparna.

– Hur har du det själv? sa hon. Vad för dig hit – till Ludvika?

– Livet, sa jag och log. Nu måste jag gå. Det var trevligt att se dig igen.

Vi tog farväl på gatan utanför. Jag visste att det var sista gången jag såg henne.

Barnpsykolog N.N hade inga roliga besked när jag kom tillbaka till PBU.

– Det går inte genomföra testerna på Emma i det psykiska skick hon befinner sig i, sa hon. Hon är för dålig för att vi ska kunna få något resultat. Hon måste få leva i frihet innan vi över huvud taget kan fundera på att bedöma hennes psykiska status.

Jag svalde tårarna.

– Hur ska det gå till? sa jag lågt. Hur ska hon kunna leva i frihet om vi hela tiden är gömda?

Jag satt tyst en stund, kände barnpsykologens ögon på mig.

– Det finns ett ställe, sa jag. Ett land långt borta.

– Om flickan kan leva öppet där så är det ett bra alternativ, sa hon.

Vi diskuterade saken tillsammans med läkarna och socialtjänsten.

– Vilka är de praktiska problemen? frågade socialsekreterare L.

– Bostaden, sa jag. Det är det enda. Resten är ordnat. Vi får till och med läkarvård och psykologhjälp för Emma.

Socialsekreterare L såg klentroget på mig.

– Är det verkligen så enkelt?

Jag log lite.

– Inte riktigt, men resten är redan löst. Vi har till och med ett hus som vi kan få bo i, men vi måste lägga upp åtta månadshyror i förväg. Vi har inte de pengarna.

Socialsekreterare L funderade.

– Jag ska se vad jag kan göra, sa hon. Än så länge så får ni bo kvar här i Smedjebacken.

Vi ordnade och stökade i vår nya lägenhet. Det saknades tusen små detaljer, sådant som hem är fyllda av och som man aldrig tänker på förrän man är utan dem, lampor, duschförhängen, decilitermått, kaffebryggare, durkslag, kaustiksoda, mattor och gardiner.

– Vi åker iväg en dag och handlar någonstans, sa Anders.

– Till Västerås! utbrast jag. Minns du när vi julhandlade? Det var så trevligt där!

Vi klev upp tidigt för att hinna ha en heldag inne i staden. När Anders startade bilen sa Emma:

– Ska vi flytta nu, mamma?

Jag strök flickan över kinden.

– Nej älskling, vi ska åka och handla bara...

Vi parkerade på första planet i Domus Citys parkeringshus i Västerås. Det såg varmt och soligt ut så länge vi var inomhus, men när vi kom ut på torget drog en snålkall vind runt mina ben.

– Ska vi gå en sväng ute på stan först innan vi går in på Domus? sa Anders.

Torghandeln var i full gång. Emma fick syn på ett stånd med rysch-pyschklänningar och skulle absolut ha en. Vi fick dividera ordentligt innan vi fick henne därifrån.

– Leksaker, sa Robin och pekade på Stor&Liten. Det finns bilar där! Och tåg!

– Du ska få en leksak när vi kommer tillbaka, lovade jag pojken.

Anders ville gå in på Blombergs, affären där han köpt sin vinterrock. Vi väntade utanför. Emma klättrade upp på en utescen som låg precis bredvid och lekte mannekäng. Folk som gick förbi log mot henne och vinkade.

Anders kom ut med en ny vårjacka.

– Ska vi gå vidare?

Vi strosade runt i stan lite, gick förbi en biograf och kollade vilka filmer som gick, jag gjorde några reafynd på Hennes på Vasagatan.

– Jag vill ha en glass mamma, sa Robin.

Emma blev kissnödig, så hon och jag lånade nyckeln i kiosken på

Domus och gick på toa en trappa ner. Sedan stannade jag till vid montern intill glasavdelningen.

– Titta så fint! sa jag till Anders.

Jag visade honom några målade vaser jag sett i en annons.

– Jag tycker de där är så tjusiga. Jag börjar bli trött på kristall, sa jag.

Anders gick vidare mot Ljud&Bild, jag strosade bort mot rulltrappan med Robin i vagnen. Jag hörde dem innan jag såg dem, deras röster som ett eko från helvetet, det djävulska döda döda döda. Läpparna vitnade, ljuden förvrängdes, svetten bröt fram över hela kroppen precis samtidigt.

– Anders! skrek jag i panik. Anders, de är här!

Ljuden ekade, rullade genom varuhuset och in i min hjärna, döda, döda.

Nu såg jag dem. De kom forsande bortifrån rulltrapporna, fyra stycken i bredd: Ali. Samir. Två som jag aldrig förut hade sett.

– Döda döda – nu ska du dö, ditt luder!

Den första knuffen kastade mig in i en ställning full med täckbyxor. Jag höll på att ramla över vagnen, men höll mig stående.

– Ditt jävla luder, vi har hälsningar från din man, skrek Ali.

Jag tog tag i ställningen, fick igen balansen.

– Horbock, sa Samir kallt och knuffade till Anders. Han gick nära, nära och böjde sig plötsligt ner mot Emma.

– Lilla horan, sa han. Det är henne vi ska skära halsen av.

Min luft tog slut, jag försökte skrika men kunde inte.

– Hjälp, försökte jag säga, men det kom inget ljud. Hjälp, de gör min flicka illa!

Ali gav mig en andra knuff, tog tag i Robins vagn och vände sig mot de två okända männen.

– Och här är den andra horbocken, den lilla. Ska vi stycka honom, tycker ni?

Plötsligt släppte mina fördämningar. Jag gallskrek, högt och gällt, skrek för livet, för mina barns liv. Jag skrek, men jag vet inte vad. Jag skrek tills en säkerhetsvakt i gröna kläder tog tag i min arm.

– Kom här, sa han. Jag vet en annan väg ut.

De fyra mörka männen drog sig sakta bort mot utgången vid torget. De stannade, alla fyra i bredd, vid montern med de vackra glasen. Säkerhetsvakten ledde oss snabbt iväg åt andra hållet. Mina knän skallrade så jag knappt kunde gå.

– Så otrevliga de var! sa vakten och kastade en blick över axeln, bort mot männen och glasmontern.

Jag kunde inte svara, mina tänder hackade för mycket. Vakten drog oss förbi klädesavdelningen och bort till kundtjänst och klackbaren.

– Det finns flera utgångar, sa han och tryckte på en hissknapp.

Dörrarna gled upp. Vi skyndade oss in. Långsamt gick de igen. De var bjärt målade i rött och gult. Vakten tryckte på den översta knappen.

– Man kan ta sig ut över taket, sa han.

Hissen började röra sig uppåt. Det susade i mitt huvud. Robin grät. Hur kunde de veta, hur kunde de hitta...?

– Sådärja, sa vakten.

Dörrarna öppnades. Vi gick ut, stod i ett inbyggt hisschakt av glas och betong.

– Var har ni bilen? sa vakten.

– Nere i garaget, sa Anders.

– Kom här, sa vakten.

Vi rusade ut över taket på Domus City i Västerås. Ljuset var bländande och vitt. Ett stort tak låg snett fram till vänster, små vindskupor bröt upp genom teglet. Bakom skymtade domkyrkotornet.

– Rakt fram, ropade vakten.

Hustak, skorstenar, antenner och flaggstänger flimrade förbi. Vi kryssade mellan några parkerade bilar. Detta var översta planet i parkeringsdäcket.

– Jag tror det är lika bra att ni tar garagevägen ner, sa vakten. Klarar ni er själva nu?

Jag nickade utan att sakta farten. Vi sprang ut samma väg som bilarna körde, tog oss ner till vår Toyota på första planet och körde ut ur staden. Jag började gråta i bilen, grät när vi körde förbi skylten med Rocklunda, grät hela vägen ut på E 18 mot Oslo.

– Jävla skit, sa Anders. Jävla skit, hur kunde de hitta oss?

Jag grät.

– Jag vet inte, jag förstår inte...

Anders körde fort, kryssade mellan bilarna. Vi lämnade motorvägen och körde upp mot Ramnäs. Nästan genast svängde vi av mot Brottberga, passerade Skerike, kryssade oss fram till Skultuna och Haråker. Där stannade vi, väntade, lyssnade och fortsatte upp till Hörnsjöfors. De följde inte efter oss.

– Jag fick ingen leksak, sa Robin.

Så småningom kom vi ner till Fagersta och kunde ta stora vägen hem till Smedjebacken. Medan vårens första grönska rusade förbi bilfönstret spred sig ett egendomligt lugn inom mig. Jag orkade inte vara rädd och upprörd längre. Det var ingen idé. Han skulle aldrig ge upp. Han skulle alltid fortsätta att leta. Jag insåg det nu.

Äntligen såg jag ondskan i vitögat. Det gjorde mig lite ledsen, men samtidigt väldigt samlad och lugn. Det var bara en tidsfråga innan han skulle hitta oss i Smedjebacken. Antingen kunde vi sitta i vår lägenhet och vänta på att han skulle komma, eller så löste vi problemet för gott. Det fanns bara ett alternativ. Det fanns ingen annan väg ut.

– Du vet vad vi måste göra? sa jag till Anders.

Han nickade bara, släppte inte vägbanan med blicken.

Till sist kom vi hem till lägenheten på Västansjö 9A. Vi började packa redan samma dag. Jag ringde socialsekreterare L och sa:

– Det finns inte så mycket mer att diskutera, sa jag. Kan du ordna pengarna till bostaden?

– Ja, sa hon. Det kan jag.

Vi ordnade biljetterna via en resebyrå i en annan stad. Sedan pratade vi med barnen.

– Vi kommer att åka långt, långt bort i ett flygplan, sa Anders.

– Till ett ställe där det finns många barn och man får leka ute hur mycket man vill, sa jag.

– Finns det tåg där? sa Robin.

– Det kanske det gör, sa Anders. Du får i alla fall ta med dig alla dina tåg.

– Får man bada? sa Emma.

– Det tror jag säkert, sa jag. Du och jag kan simma tillsammans, vill du det?

Flickan kröp förnöjt ihop i mitt knä.

– Vi ska simma tillsammans, när vi åkt flygplan, sa hon.

Efter det var barnen helt inne på att emigrera. Vi försökte förklara för dem att de inte skulle kunna tala språket, att de inte skulle kunna förstå vad barnen sa till en början. Kanske var de för små för att förstå vad det innebar, för det minskade inte deras entusiasm. De återstående dagarna i Sverige sa de hela tiden:

– När ska vi åka?

Vi åkte till Falun och handlade resväskor och nya kläder. Psykolog N.N betonade vikten av sammanhang, alla barnens gamla leksaker, kort och teckningar måste med till det nya landet. Både Emma och Robin hoppade upp och ner medan vi hjälptes åt att packa alla dockorna, bilarna och tågen.

– När ska vi åka? När ska vi åka?

– Snart, sa vi.

Till sist ringde jag till mina föräldrar. Min pappa svarade.

– Vi ska åka, sa jag.

Han förstod direkt. Han var tyst en stund, sedan sa han:

– Hur länge?

– Länge, sa jag.

– Hur långt?

– Långt, sa jag.

Han började gråta tyst i luren.

– Jag har alltid förstått det, sa han. Det skulle aldrig gå. Han ger aldrig upp. Han förföljer oss fortfarande med bilen. Som i förra veckan... Jag hade ett möte i Västerås. Han körde efter mig hela vägen.

Så det var därför.

– Pappa, sa jag. Kan ni komma upp till Stockholm och träffa oss innan vi åker?

– När åker ni?

– På måndag.

– Jag jobbar, sa han. Mamma kanske kan.

Jag förstod. Han skulle inte orka.

– Kom om du kan, sa jag.

– Ni måste komma tillbaka, sa socialsekreterare L. Vårdnadsfrågan kring Emma är inte löst. Er lägenhet kommer att stå kvar och vänta på er.

Socialtjänsten därhemma ställde upp på samma sätt.

– Ert hus kommer att stå kvar, lovade de. Åk ni, och kom tillbaka, om ni vill...

Vi låste vår lägenhet på Västansjö 9 A, packade in de sista prylarna i bilen och åkte iväg. Det kändes faktiskt som en oerhörd lättnad. Både Emma och Robin var jublande glada.

– Ska vi leka ute varje dag, mamma? frågade Emma för tionde gången.

Jag rufsade om hennes hår, skrattade och svarade som vanligt:

– Ja, varje dag, hela dagarna! Där finns gräs och lekplatser och massor med barn!

Vi kom ner till Stockholm på söndag kväll, till bankens representationsvåning. Vi tömde bilen på allt som varit vårt. Bilfirman skulle hämta den på parkeringen. Min mamma och min syster anlände efter någon timme. De började gråta så snart vi öppnade dörren.

– Mamma, sa jag. Var inte så ledsen. Tänk på barnen! Det här är det bästa för barnen...

Min mamma nickade och snöt sig.

– Det känns så svårt att acceptera, sa hon. Att han ska tvinga er bort från oss för alltid.

Jag kramade om henne.

– Jag vet, sa jag. Det är inte rättvist.

Vi gick ut och åt senare på kvällen, på en italiensk restaurang som heter La Famiglia. Det var fantastiskt gott. När vi ätit dessert och druckit ur kaffet gick vi hem för att lägga barnen. Det var svårt att få dem att somna.

– Ska vi åka i morgon, mamma? sa Emma åter igen.

– Ja gumman, sov nu!

Sedan satt vi uppe länge och pratade. Vi sa inte något märkvärdigt, den där sista kvällen i Sverige. Vi talade om mina föräldrars sommarstuga, om Sisses nya hus, om gamla vänner och att pappa höll på att tapetsera om i köket. När vi sa godnatt började mamma gråta igen.

På morgonen städade vi undan och packade ner tandborstar, kammar, mascara och rakgrejor i våra necessärer. Nästa gång vi skulle använda dem var i vårt nya land. Vi tog en taxi ut till Arlandas utrikeshall. Min mamma och syster följde efter i sin bil.

Det skulle bli en fin dag. Solen stekte redan bländande vitt. Kromen i alla de mötande bilarna glänste. Jag kände mig så lugn. Det gick så lätt att andas.

– Vi har gott om tid, sa Anders och tittade på klockan.

Vi kom fram, checkade in allt bagage och gick för att äta frukost. Jag beställde te och en räksmörgås, mamma tog en slät kopp kaffe. Barnen ville bara ha bakelser. Jag tvingade i dem ostfrallor.

Sedan kunde vi inte dra ut på avskedet längre. Vårt plan skulle gå. Mamma och lillsyrran följde oss till passkontrollen. Båda grät.

– Allt kommer att bli bra, sa jag lugnande. Var inte ledsna! Vi kommer tillbaka.

Vi log och vinkade när vi gick in till säkerhetskontrollen.

Solen stekte över landningsbanorna. Ljuset gjorde skarpa skuggor över de blå plyschfåtöljerna vid utgångarna. Vi gick en sväng genom taxfree-butikerna men köpte inget. Så ropade man upp vår flight. Vi gick ombord på flygplanet. Emma och Robin hoppade jämfota genom den långa tunneln ut till flygplanet. Flygvärdinnan hälsade oss välkomna, kom med leksaker till Emma och Robin. Vi spände fast oss, planet lyfte, kaptenen rabblade flygtider.

– Mamma, bilarna ser ut som myror, sa Robin.

Det var den 19 maj 1991.

Människor har flytt i alla tider. Flytt undan ondska, våld och död. Jag var inte den första, och jag skulle säkerligen inte bli den sista. Det som skilde mig från de andra var möjligen att jag var så privilegierad. Få flyktingar i världen var lika lyckligt lottade.

Dels hade jag möjlighet att ta mig ut ur mitt eget land, dels fanns ett annat land som tog emot mig. Jag hade alltid tyckt att vi i Sverige ska välkomna flyktingar, men nu förstod jag – av egen erfarenhet – hur viktigt det var. Jag såg på mina barn, mina fina ungar som lekte med sina nya små plastflygplan. De skulle få det bra. De skulle få växa upp i en kultur som var totalt annorlunda än min egen. Men de skulle vara fria. De skulle få leka, busa, dansa, utbilda sig och bli förälskade i frihet.

Och vad var det fru G hade sagt?

– En sak har livet lärt mig: Ingenting är för evigt!

En dag skulle vi kanske kunna flytta tillbaka. En dag kanske män som han skulle inse sitt vanvett. En dag kanske samhället skulle börja straffa honom – och inte oss. Visserligen var det hat som drivit oss ifrån vårt land, men det var inte hatet som segrade.

Jag såg på mannen bredvid mig, min make som just nu bläddrade i en glassig flygplanstidning med spritannonser och engelska artiklar. Han hade inte behövt åka. Han hade kunnat stanna i Sverige. Allt han hade behövt göra var att säga: Hej då, Mia. Det gjorde han inte. Han stannade hos mig. Det fanns något som var starkare än hatet.

Medan himlen öppnade sig under oss började en sällsam värme sprida sig inom mig. Den växte och växte, blev till ett leende som jag inte kunde stoppa. Jag log och log tills tårar steg upp i mina ögon. Anders smekte mig över kinden och sa:

– Är du ledsen?
Jag kysste hans hand, log mot honom och sa:
– Nej, inte alls. Tvärtom!
Vi kommer att bli fria!
Framtiden är vår!

Epilog

EFTER ETT HALVÅRS utlandsvistelse år 1991 återvände familjen Eriksson till Sverige, främst för att vårdnadsfrågan kring flickan Emma inte var löst. I maj 1992 beslutade tingsrätten i Maria Erikssons hemstad att vårdnaden om flickan skulle tillfalla modern, Maria. Något umgänge med fadern skulle inte förekomma. Beslutet överklagades inte.

Familjen Eriksson levde sedan gömda i Sverige i ytterligare tre år. Två gånger hittades de av Marias förre fästman och hans gäng och fick fly vidare.

Till sist slog kammarrätten fast att familjen Eriksson måste flytta från Sverige för att kunna leva ett normalt liv. Familjen emigrerade för alltid en tid efteråt.

Maria Eriksson och hennes familj lever idag under nya identiteter i ett land i en annan världsdel. De har en egen bostad i ett medelklassområde utanför en större stad.

Emma och Robin går i skolan. Deras anpassning till ett normalt liv med läxor och klasskamrater har gått över all förväntan. Båda barnen har visat sig vara stora studiebegåvningar, särskilt Emma. Efter första terminen i sitt nya land hade hon högsta betyg i praktiskt taget vartenda ämne.

Hela familjen har blivit tvungen att lära sig ett helt nytt språk. Det har gått fortast för barnen. Efter två månader gjorde de sig förstådda både på sitt nya språk och på engelska. Hemma talar man dock alltid svenska med varandra.

Marias före detta fästman, Emmas far, bor kvar i Marias hemstad. Mellan 1986och 1994 dömdes han sju gånger i domstol för femton olika brott.

Mannen har bland annat dömts för stöld, bedrägerier, egenmäktigt förfarande, olovlig körning, olovligt förfogande, försök till varusmuggling, misshandel, osv, osv. Han är dömd till fängelsestraff fem gånger, de flesta mycket korta. Ett utdrag ur kriminalregistret visar också att mannen genomgått stor rättspsykiatrisk undersökning två gånger, 1987 och 1989.

Bakom domarna och brottsrubriceringarna döljer sig en rad småbrott, mannen har hyrt kapitalvaror som han sålt, han har lånat pengar som han inte betalat tillbaka, har försökt smuggla mat från Danmark, han kör bil utan körkort, han kör bilar som är belagda med körförbud, han kör för fort, han kör mot trafikreglerna, han snattar mat och kläder i affärer, stjäl cyklar och ringer på andras telefoner.

Oftast är det bara han själv som är åtalad, men ibland är någon av hans kompisar också delaktiga i brotten. Men där han själv döms till fängelse slipper till exempel Ali undan med villkorlig dom.

I tingsrättens handlingar tonar bilden fram av en notorisk småtjuv, en ledare över en grupp krigsskadade unga män som inte talar svenska, som inte arbetar, som inte funnit någon plats i vårt svenska samhälle. De lever på botten av samhället, livnär sig på småbrott och skapar sina egna lagar.

Men det obehagligaste dokumentet hos tingsrätten i Marias hemstad är en ansökan om stämning från en av stadens åklagare. Åklagaren åtalar mannen för att han misshandlat sin nya hustru. I stämningsansökan står att mannen misshandlat sin hustru i deras gemensamma lägenhet. Han har slagit henne i huvudet och i ansiktet så att hon fallit till marken. Därefter har han slagit henne i ryggen. Hon har blött.

Senare samma dag har han misshandlat sin hustru på nytt i en annan lägenhet. Han har återigen slagit henne i huvudet och i ansiktet. Kvinnan har då flytt till kvinnojouren – det vita huset med kakelugnarna. Två dagar senare har mannen hittat kvinnan och misshandlat henne på kvinnojouren.

Vid rättegången tog kvinnan tillbaka hela sin berättelse. Hon angav mannen bara för att vara elak mot honom, sa hon. Han hade aldrig gjort henne illa, hon var inte rädd för honom, sa hon.

När vi var klara med boken Gömda på våren 1995 hade mannen precis ställts inför rätta för åttonde gången. Han stod åtalad för ytterligare tre olika brott.

Hur länge ska han få fortsätta? Vems uppgift är det att stoppa honom? Är det samhällets? Eller de skrämda, hotade, jagade och gömda kvinnornas?

Till dig som blir slagen

DET SOM HAR HÄNT MIG och min familj ska aldrig behöva drabba någon annan.

Det är därför vi har skrivit den här boken.

Visserligen har jag, mina barn och min man klarat oss och lever ett bra liv idag, men priset har varit högt. Så mycket hade kunnat undvikas om vi själva och myndigheterna hade handlat annorlunda.

Tillsammans med forskaren och författaren Elsa Bolin har Liza och jag satt ihop några råd till dig som blir slagen och förnedrad av din man:

* *Först och främst – det är aldrig ditt fel!*

Du är inne i vad forskarna kallar våldets normaliseringsprocess, vilket är jämförbart med tortyr.

Du tar på dig skulden, allt du berättar känns om förräderi. Du kommer att ångra varje anmälan. Du kommer att ta tillbaka allt du sagt. Du kommer att tycka att allt är ditt fel.

Det är helt normalt. Att leva under misshandel och hot är en hjärntvätt utan like.

* *Sök upp kvinnojouren.*

Numren finns i telefonkatalogen.

Personalen på jouren kommer att hjälpa dig med ruelserna, gråten och skulden. Du får skydd, hjälp att ta kontakt med myndigheterna och, framför allt, du blir trodd.

* *Gå vid första slaget.*

Tro honom inte när han säger att han aldrig ska göra så mer. Du kan inte bota honom med din kärlek.

* *Skriv dagbok!*

I ett polisförhör upplevs ofta misshandlade kvinnor som oklara. De kommer inte ihåg om sparken mot huvudet kom på torsdag eller på fredag, om slaget i magen tog på morgonen eller på kvällen.

När misshandel, hot och övergrepp blir vardagsmat är det lätt att alltsammans flyter ihop. Därför är det viktigt att du dokumenterar alla övergrepp.

Skriv upp dem, dag för dag. Spela in alla hot om de kommer per telefon, det går att göra med en vanlig telefonsvarare.

Sök alltid läkare när du blir skadad, be läkaren skriva intyg och fotografera.

* *Anmäl honom.*

Det är inte lätt, jag vet, men kvinnojouren hjälper dig. Begär att få målsägandebiträde, en jurist som följer dig till rätten. Var öppen och rak med polis och åklagare.

Om du gjort anmälan förut och tagit tillbaka den, berätta varför.

Kräv att bli trodd. Stå för att du ljugit förut. Begär ett besöksförbud från åklagaren, vilket innebär att mannen begår ett brott om han kommer nära dig.

Försök att stå på dig den här gången. Om du inte klarar det, försök igen!

* *Problemen är inte över för att du går.*

Kvinnomisshandel handlar om makt. Om du går förlorar han makten över dig. Det tar lång tid att bryta.

Se till att du är skyddad under tiden. Be polisen om hjälp, de har särskilda larmpaket för hotade kvinnor.

* *Låt inte myndigheterna bestämma.*

Det är ditt liv. Du måste själv ta kontroll över det.

Om du måste flytta, så gör det, men låt inte myndigheterna avgöra det. I mitt fall ville alla väl, men ändå blev det så oerhört fel. Låt inte det drabba dig. Lita inte på lagen och myndigheterna, men kräv att de ska sköta sin uppgift.

När mitt fall var uppe i kammarrätten sa en jurist att sådant som drabbat mig inte ska kunna hända i Sverige, eftersom Sverige är en rättsstat. Låt dem bevisa det!

Till sist, minns detta:
Att leva med en man som slår är att leva med döden.

Jag önskar dig all lycka i livet,

hälsar
Mia Eriksson

LIZA MARKLUND HAR på kort tid etablerat sig som en av Sveriges mest lästa och prisbelönta författare. Kriminalromanen **Sprängaren** belönades med tidskriften Jurys Polonipriset, Svenska Deckarakademins debutantpris samt nominerades både som bästa svenska och nordiska kriminalroman.

För **Studio sex** utnämndes hon av SKTF till Årets Författare 1999 och nominerades återigen till bästa svenska kriminalroman. Båda böckerna har toppat bestsellerlistorna i månader.

Gömda är Liza Marklunds första roman. Den väckte stor uppmärksamhet, både i TV, radio och tidningar – liksom i Sveriges riksdag – när den publicerades 1995.

Nu finns Gömda, i en omarbetad version, i pocket.